ALBUM CONMEMORATIVO DEL 450 ANIVERSARIO DE LAS APARICIONES DE NUESTRA SEÑORA DE GUADALUPE

Album Conmemorativo del 450 aniversario de las apariciones de Nuestra Señora de Guadalupe

Presentación
del Excmo. Sr.
D. Francisco M. Aguilera
Obispo Auxiliar de México

Preámbulo
del Emmo. Sr. Cardenal
D. Ernesto Corripio Ahumada
Arzobispo Primado de México

Epílogo
del Revmo. Sr.
D. Guillermo Schulenburg Prado
Abad de Guadalupe

Ediciones Buena Nueva
México, 1981

Nihil obstat.
Pbro. Dr. Faustino Cervantes Ibarrola.
Imprimatur.
Ernesto Card. Corripio Ahumada,
Arzobispo Primado de México.
4 de agosto de 1981.

Album Conmemorativo del 450 aniversario de las Apariciones de Nuestra Señora de Guadalupe.

Edición: José Ignacio Echeagaray.
Realización: San Angel Ediciones, S.A.
Separación de color: Impresora Formal, S.A.
Coordinación: Héctor Vázquez Covarrubias.
Tipografía y diseño: Bernardo Guerrero Valdez.

Tiro: 150,000 ejemplares.

ISBN 968-7108-16-9

Colaboradores de esta obra

Fray Fidel de J. Chauvet, O. F. M.

Pertenece a la Provincia del Santo Evangelio de México, de la cual ha sido Provincial; investigador eminente de la historia religiosa, ha publicado, entre otros muchos, los siguientes estudios: *Las pasiones según Duns Scoto; Descripción de la Provincia del Santo Evangelio hecha en 1585; Tlatelolco; Fray Jacobo de Testera; Fray Juan de Zumárraga; La Iglesia de San Francisco de México; El culto guadalupano del Tepeyac. Sus orígenes y sus críticos en el siglo XVI.*

Luis Medina Ascensio, S. J.

Considerado como uno de los más meticulosos y ponderados cultores, no sólo de la historia religiosa, sino también de otros temas de la historia de México, al padre Medina Ascensio se debe *La Santa Sede y la emancipación mexicana; México y el Vaticano; Archivos y bibliotecas eclesiásticos. Normas para su ordenamiento y conservación; Moctezuma íntimo; Documentario guadalupano, 1531-1768;* etc.

Enrique Graue y Díaz González

Profesor titular de Oftalmología de la Facultad de Medicina de la Universidad Nacional Autónoma de México, Director general del Hospital Oftalmológico de Nuestra Señora de la Luz, Presidente del Instituto de Oftalmología y miembro titular de la Academia Mexicana de Cirugía. El doctor Graue pertenece, además, al Colegio Internacional de Cirugía, a la Sociedad Panamericana de Oftalmología y a la Societé Internationale de Chirurgie (Suiza). Es autor de la *Historia de la Oftalmología en México* y de más de cien trabajos sobre temas oftalmológicos de tipo quirúrgico.

José Ignacio Conde y Díaz Rubín

Abogado, historiador y destacado bibliógrafo que ha publicado, entre otras, las siguientes obras: *El libro mexicano; Algunos datos sobre oidores de la Audiencia de la Nueva España en el siglo XVIII; Don Juan Casimiro de Osta, tercer Marqués de Rivas Cacho. Su ascendencia y su descendencia: El Album Mexicano de Prodhomme.* El licenciado Conde es miembro de la Sociedad de Estudios Históricos y Genealógicos, y del Centro de Estudios Históricos Montañeses (Santander).

María Teresa Cervantes de Conde

Distinguida y cuidadosa investigadora de la cultura y el arte en México, cuya colaboración en este *Album* ha sido de enorme importancia, dados sus conocimientos y sensibilidad. Ha publicado *La litografía mexicana en el siglo XIX* y *El niño mexicano en el retrato, siglos XVI al XVIII*. La señora Conde es autora de la traducción de la *Historia de las naciones civilizadas en México*, magna obra del abate Brasseur de Bourbourg.

Ernesto de la Torre Villar

Investigador y catedrático de la Universidad Nacional Autónoma de México, miembro del Seminario de Cultura Mexicana y académico de número de la Academia Mexicana, correspondiente de la Real Española, de la Academia Mexicana de la Historia y de la Academy of American Franciscan History. El licenciado de la Torre Villar fungió como coordinador para la obtención del material literario que enriquece este *Album*. Entre otras obras, es autor de *Lecturas Históricas Mexicanas* (5 vs.); *Los Guadalupes y la Independencia de México; La Constitución de Apatzingán y los creadores del Estado Mexicano; Mexicanos Ilustres* (2 vs.); *Fuentes para la Historia de México en los repositorios europeos; Diego Panes y la Conquista de México.*

Ramiro Navarro de Anda

Abogado e historiador, investigador del Instituto de Estudios y Documentos Históricos. Es autor de *Notas para la cronología de la Revolución Mexicana; Inicios de la Independencia en Jalisco;* y coautor de *Morelos, su vida y su obra; Testimonios guadalupanos* y *Metodología para la investigación bibliográfica, archivista y documental.*

Para la obtención del material gráfico, a más de la valiosísima cooperación brindada por el Museo de la I. y N. Basílica de Guadalupe y por otras instituciones y personas que resultaría muy largo mencionar, se contó con la colaboración de Ludwig Iven, de quien es la mayor parte de las fotografías de esta obra, de Armando Salas Portugal y de Eduardo del Conde. La reproducción de la tilma de Juan Diego fue posible gracias al material proporcionado por el señor Berthold von Steten. A todos ellos expresamos nuestro sincero agradecimiento.

Sumario

Presentación

Por un designio providencial cupo a la recién creada Diócesis de México-Tenochtitlan ser elegida para que, en ella y desde ella, Santa María de Guadalupe manifestara su amor y su protección maternal hacia todos los habitantes de esta tierra.

Nada, pues, más lógico que, al conmemorarse el 450° Aniversario de su aparición en el Tepeyac, nuestra Arquidiócesis de México tomase la iniciativa de celebrar dignamente este memorable acontecimiento.

Entre las celebraciones, la de mayor significación ha sido, a no dudarlo, la Misión Evangelizadora que, con nuestro Pastor a la cabeza, se ha venido llevando a cabo a lo largo de dos años, en las ocho Vicarías Episcopales que actualmente conforman la Arquidiócesis.

Evangelizadora fue la manifestación de María de Guadalupe en los albores de nuestra Historia y evangelizadora ha sido su presencia en el decurso de ella. De aquí el énfasis evangelizador de la Misión Guadalupana.

Muchos y muy bellos frutos se han cosechado: otros muchos, tal vez los más hermosos y permanentes, son conocidos solamente por el Señor. Todo ello es fruto de amor: el Amor de María de Guadalupe en diálogo con el amor de su Pueblo.

En este Album se han recogido algunas de las expresiones de ese diálogo, con el propósito de legar a las futuras generaciones de cristianos, los testimonios de amor agradecido y de veneración tierna de la Arquidiócesis de México a Santa María de Guadalupe.

Buena Nueva, A.C. se siente alegre de contribuir, con la publicación de este Album, a perpetuar la memoria de tan singular gracia que para México es María de Guadalupe.

† FRANCISCO M. AGUILERA

Obispo Auxiliar de México

Preámbulo

Continúan floreciendo las rosas del milagro. La obra presente es de ello reflejo y cuajado y exquisito botón. Porque cristaliza los esfuerzos de un grupo de pensadores y técnicos que han conjugado armoniosamente sus talentos, sus investigaciones, su experiencia y su entusiasmo para cantar las glorias de María de Guadalupe, Madre de Dios y Madre nuestra, en este magnífico Album conmemorativo de los 450 años de su manifestación en el Tepeyac. Y es también un reflejo de la presencia de María en nuestra Patria, como mensajera de Cristo y mensaje ella misma en su Imagen, baluarte de la fe y manantial de vida cristiana a lo largo de cuatro siglos y medio.

Encontramos en sus páginas el hilo conductor de la respuesta creciente del pueblo mexicano al mensaje de la Madre de Dios por quien se vive, en el culto balbuciente de los principios, robustecido al correr del tiempo con los alientos y las aprobaciones del Episcopado local y romano, y finalmente llegado a su plenitud litúrgica al recibir el sello auténtico y aun la veneración personal del Sumo Pontífice, que quiso depositar en manos de la Guadalupana el inicio de su misión.

La documentación histórica fundamenta y corrobora cuanto la piedad y el afecto habían reconocido en el hecho guadalupano, dentro del País y más allá de sus fronteras. Revivimos, al ver fluir los tiempos, lo que la presencia vivificadora de María de Guadalupe ha significado en el desarrollo de la cultura y en las iniciativas y gestas de nuestros antepasados eclesiásticos y civiles encaminadas al crecimiento, la maduración, y el progreso del País. Vibra gozosa nuestra alma en la contemplación del florecimiento de las artes plásticas y las artesanías inspiradas por la piedad guadalupana.

Sorprendió la Imagen a quienes en otros siglos la examinaron con incipientes ojos científicos. Ahora un breve ensayo nos permite aquí vislumbrar algo de lo que la ciencia y la técnica más modernas están estudiando sobre la Imagen misma, asombradas al reconocer en ella un origen y unas características que trascienden las humanas capacidades y explicaciones. Finalmente, una selección de Efemérides nos lleva a captar la trayectoria de la expansión guadalupana, y a situar en el tiempo los diversos acontecimientos relacionados con ella.

Grande alegría y satisfacción nos causa ver cómo la profundidad de la investigación, la agilidad de la pluma y la magia litográfica del color se funden y transforman en flor y canto a la Señora del Tepeyac, para ofrecerle un digno homenaje en este aniversario. Viene este cántico a engarzarse en el luminoso joyel de Albumes conmemorativos de los grandes fastos guadalupanos, impresos durante el último siglo. Los editados en 1895 con ocasión de la coronación pontificia de la Imagen, y en 1945 en el cincuentenario de aquélla; las monumentales obras de 1931 al cumplirse los cuatro siglos del prodigio, elaborada la primera por el P. Mariano Cuevas y la segunda por don Antonio Pompa y Pompa, aparecida en 1938.

PREAMBULO

Sucesor por designio de Dios, de Fray Juan de Zumárraga, y por ello guardián y responsable primario de la bendita Imagen de Santa María de Guadalupe, confío en que Ella habrá de tomar en sus maternales manos este nuevo fruto de piedad filial, a una con los demás homenajes que le ofrecemos en esta especial conmemoración.

Y con todo mi corazón le pido que, por intervención de su divino Hijo, transforme una vez más los abrojos y las rosas, los mexicanos todos que integramos su Nación, en imagen suya y en imagen viviente de Cristo, para que conforme a su deseo seamos templo vivo y perene, edificado sobre la roca sólida de Pedro, en la linearidad de la fe y la justicia, en la comunión y participación que aglutina a la Iglesia, en la responsabilidad, en la paz y en el amor, que hagan florecer fecundo el rosal del Tepeyac.

México, D.F., Fiesta de la Asunción de María, 15 de agosto de 1981.

ERNESTO CARD. CORRIPIO AHUMADA

Mexicus heic populus mira sub imagine gaudet

Te colere alma parens praesidioque frui

Per te sic vigeat felix teque auspice Christi

Immotam servet firmior usque fidem.

Feliz al poseer tu imagen milagrosa,
México se complace en tu dominio.
Te ama tu pueblo, Madre; con tu auxilio
conserve siempre viva, ferviente y ardorosa
la fe que le alcanzó tu patrocinio.

(Traducción de los dísticos latinos, escritos de la propia mano del Sumo Pontífice León XIII, con fecha 26 de febrero de 1895.)

Oración compuesta por el Papa Juan Pablo II, con motivo de su visita a la Basílica de Guadalupe

¡Oh Virgen Inmaculada,
Madre del verdadero Dios y Madre de la Iglesia!
Tú, que desde este lugar manifiestas
tu clemencia y tu compasión
a todos los que solicitan tu amparo;
escucha la oración que con filial confianza te dirigimos,
y preséntala ante tu Hijo Jesús, único Redentor nuestro.

Madre de misericordia, Maestra del sacrificio escondido y silencioso,
a Ti, que sales al encuentro de nosotros, los pecadores,
te consagramos en este día todo nuestro ser y todo nuestro amor.
Te consagramos también nuestra vida, nuestros trabajos,
nuestras alegrías, nuestras enfermedades y nuestros dolores.

Da la paz, la justicia y la prosperidad a nuestros pueblos;
ya que todo lo que tenemos y somos lo ponemos bajo tu cuidado,
Señora y Madre nuestra.

Queremos ser totalmente tuyos y recorrer contigo el camino
de una plena fidelidad a Jesucristo en su Iglesia:
no nos sueltes de tu mano amorosa.

Virgen de Guadalupe, Madre de las Américas, te pedimos por todos
los Obispos, para que conduzcan a los fieles por senderos
de intensa vida cristiana, de amor y de humilde servicio a Dios y a las almas.

Contempla esta inmensa mies, e intercede para que el Señor infunda
hambre de santidad en todo el Pueblo de Dios, y otorgue abundantes
vocaciones de sacerdotes y religiosos, fuertes en la fe
y celosos dispensadores de los misterios de Dios.

Concede a nuestros hogares
la gracia de amar y de respetar la vida que comienza,
con el mismo amor con el que concebiste en tu seno
la vida del Hijo de Dios.
Virgen Santa María, Madre del Amor Hermoso, protege a nuestras familias,
para que estén siempre muy unidas, y bendice la educación de nuestros hijos.

Esperanza nuestra, míranos con compasión,
enséñanos a ir continuamente a Jesús y, si caemos, ayúdanos
a levantarnos, a volver a El, mediante la confesión de nuestras culpas
y pecados en el Sacramento de la Penitencia,
que trae sosiego al alma.
Te suplicamos que nos concedas un amor muy grande a todos los santos
sacramentos, que son como las huellas que Tu Hijo nos dejó en la tierra.

Así, Madre Santísima, con la paz de Dios en la conciencia,
con nuestros corazones libres de mal y de odios,
podremos llevar a todos la verdadera alegría y la verdadera paz,
que vienen de tu Hijo, nuestro Señor Jesucristo,
que con Dios Padre y con el Espíritu Santo,
vive y reina por los siglos de los siglos. Amén.

México, enero de 1979.

Joannes Paulus PP. II

1. La Virgen y Juan Diego. Pintura sobre tabla, a la manera "delineada". Anónimo del S. XVI. (38 × 25 cms.)

Fray Fidel de Jesús Chauvet, O. F. M.

Historia del Culto Guadalupano

La historia del culto de Nuestra Señora de Guadalupe en el santuario del Tepeyac, situado al norte de la ciudad de México, podríamos considerarla como un delicado drama de fe y de amor cuyos principales protagonistas son María, "la madre del verdadero Dios, por quien se vive", como Ella quiso presentarse a sí misma, y el pueblo de México, representado por un sencillo indio y más adelante por la población fiel de México, encabezada por sus Arzobispos hasta el día de hoy.

Como en toda historia, sobre todo cuando ésta es dramática, tienen lugar momentos de aguda tensión y de dolorosas crisis que finalmente se resuelven victoriosamente por el amor de la Virgen y la fe del pueblo, mas no para un estático presente, sino en vista de un futuro esperanzador, aunque sembrado de escollos.

En esta nuestra exposición nos vamos a limitar a los episodios más notables, y nos remitiremos a otros autores e historiadores para los hechos o temas menos salientes.

CAPITULO I

EL CULTO GUADALUPANO EN EL SIGLO XVI

ARTICULO I

Sus Orígenes

Corría el año de 1531, la paz política comenzaba a florecer en la ciudad de México y sus alrededores. Los misioneros franciscanos y dominicos trabajaban intensamente evangelizando las innúmeras poblaciones de naturales.

Por ese mismo año, un buen hombre de clase "macehual" o baja, iba de camino, atravesando el cerro del Tepeyac, hacia la parroquia de Santiago Tlatelolco, en donde los franciscanos se encargaban diariamente de atender a los naturales. Juan Diego, que tal era el nombre del macehual, era originario, según se dice, de Cuauhtitlan, pero tenía entonces su domicilio en Tulpetlac.

Cuando Juan Diego subía por los escarpados senderos del Tepeyácac, abreviado posteriormente en Tepeyac o deformado en Tepeaquilla, tuvo la impresión de oír cantos maravillosos de las mejores aves canoras del país y, a poco, contempló a una nobilísima señora que hacía resplandecer las piedras y peñas en torno. La noble dama saludó amablemente a Juan Diego y le manifestó:

"Sábete, amadísimo hijo, que yo soy la siempre Virgen Santa María, Madre del verdadero Dios por quien se vive. Deseo vivamente que se me levante aquí un templo, para en el mismo mostrar y dar todo mi maternal amor y protección a ti, a todos los moradores de esta tierra y a todos mis devotos. Ve, pues, a la casa del obispo de México y le dirás cómo yo te envío a manifestarle cuánto anhelo que aquí en el llano se me edifique un templo. Le contarás cuanto has visto y oído".

Esto sucedía el sábado nueve de diciembre de 1531.

Juan Diego cumplió fielmente con el encargo de Nuestra Señora. Como es fácil de suponer, el señor obispo no dio crédito a las palabras del indio. "Otra vez vendrás, hijo mío, le dijo, y te oiré más despacio y examinaré las intenciones con que has venido".

El buen hombre regresó a donde Nuestra Señora, triste y desconsolado, y dio cuenta de su fracaso a la Virgen. Por tanto le rogó se dignase enviar a otros mensajeros de mayores prendas que él. Pero Nuestra Señora no accedió a la petición del humilde neófito, antes bien le mandó estrechamente que llevase de nueva cuenta su mensaje al señor Obispo.

Juan Diego obedeció; y al día siguiente, domingo, visitó de nueva cuenta al prelado. Este al considerar la porfía del indio le pidió una señal que lo acreditase; y mandó a dos criados suyos que le siguieran la pista para informarse de su procedencia, vivienda y costumbres.

El descorazonado mensajero, más triste que nunca, regresó la tarde de ese mismo domingo ante la Virgen. En el ínterim sus seguidores le perdieron la pista y hubieron de volverse a la presencia del prelado, contrariados y pensando muy mal del indio. Este expuso a la Señora del Cielo su segundo fracaso, y a la vez la petición de una señal exigida por el Obispo.

Accedió la misericordiosa Señora a dársela, pero hasta el día siguiente, lunes once de diciembre.

Pero ese lunes, no regresó el indio, porque un tío suyo, de nombre Juan Bernardino, había enfermado gravemente y hubo necesidad de asistirlo. El martes, muy de mañana, Juan Diego se encaminó a la parroquia de Santiago en busca de un sacerdote que auxiliara a su tío y de seguro a otros muchos enfermos, pues se trataba nada menos que de la epidemia del cocoliztli, que hacía innumerables víctimas.

Para rehuir el encuentro con Nuestra Señora el buen indiecito no tomó el camino acostumbrado a través del Tepeyac, sino otro un tanto desviado del primero, hacia el Oriente. Pero en vano, su infantil ardid resultó inútil. Amorosamente le salió al encuentro la Sma. Virgen, aceptó sus tartamudeantes excusas por no haberse presentado el día anterior, según lo convenido. La Virgen lo tranquilizó, le aseguró que su tío Juan Bernardino estaba ya bueno y sano, y mandó a Juan Diego que subiera a la cima del montecillo y recogiera allí las flores que hallase.

A pesar de ser lugar impropio para la producción de flores, el "macehual" encontró muchísimas y muy hermosas y fragantes. Las puso en el hueco de su capa o tilma y se las llevó a María Sma., quien las tomó en sus manos y las volvió a depositar en la tilma. Mandóle presentase esas flores al señor Obispo, y le dijese que esa era la señal que pedía.

Cumplió el neófito: tras mil trabajos y larga espera fue admitido ante la presencia del prelado, y al desplegar su capa para mostrar las flores que, como señal enviaba Nuestra Señora, se dibujó ante los ojos estupefactos del Obispo, y en la misma tilma, la imagen de la propia Madre de Dios por quien se vive.

Don Fray Juan de Zumárraga, que tal era el nombre del Obispo electo de México, se conmovió hondamente. Veneró la Sagrada Imagen y la colocó provisionalmente en su oratorio particular. Eso sucedía el martes 12 de diciembre de 1531.

2. *Verdadero retrato de Juan Diego. Oleo sobre tela, anónimo, de la segunda mitad del S. XVIII. (1.21 × 1.06 mts.) Museo de la Basílica.*

3. *La aparición a Juan Bernardino, en la cual la Santísima Virgen reveló su nombre de* Tecuauhtlazupe *(detalle de la Fig. 52).*

Al día siguiente quiso el propio prelado ir a examinar el lugar en donde la Señora del Cielo quería se le erigiese su templo. Algunos de sus mensajeros y oficiales fueron a visitar a Juan Bernardino a quien encontraron bueno y sano. Manifestó que también a él se le había aparecido Nuestra Señora, lo había instantáneamente curado y que le había revelado su nombre, a saber, que era Nuestra Señora de Guadalupe. Algunos piensan que "Guadalupe" fue la voz que creyeron oír y entender los enviados del señor obispo, pero que realmente habría dicho TEQUANTLANOPEUH (la que tuvo origen en las cumbres de las peñas) o bien TLECUAUHTLACUPEUH (la que viene volando de la luz como el Aguila de fuego). Como los familiares del Obispo no podían pronunciar esa voz, la transformaron en Guadalupe.

Mandó el prelado que Juan Diego y Juan Bernardino se hospedaran en su casa algunos días, de seguro para mejor informarse de su vida, fe y costumbres.

El propio dignatario mandó trasladar a la Iglesia mayor la sagrada imagen aparecida, para que todos los fieles pudieran verla y admirarla. Mucha gente de la ciudad y contornos acudió a ese templo y pudieron admirar la milagrosa imagen y encomendarse, a través de ella, a Nuestra Señora.

El señor Zumárraga, según antiguos testimonios respetables, mandó levantar las actas oficiales y jurídicas de la aparición y de la manera singularísima cómo se había dibujado ante sus propios ojos. Esas actas no se encuentran al presente; pero el hecho quedó grabado —cosa maravillosa— en las pupilas mismas de la sagrada imagen, como lo comprueba el análisis científico de aquellas, gracias al método de digitalización mediante computadora.[1]

La manta en que portentosamente se dibujó por manera sobrenatural la imagen de Nuestra Señora es de lo más basto y burdo que imaginarse pueda, como que era el ayate, o tilma, de un indio pobre, confeccionada con una tela o tejido de "ichtli" (izcle) de maguey.

La sagrada imagen mide un metro cuarenta y tres cms. Su rostro es grave y noble, de color perla. El busto aparece modesto, tiene las manos sobre el pecho. Lleva un cinto morado. Apenas se descubre un poco la punta del calzado del pie derecho. Su ropaje es de color rosado, que, en la parte sombreada, parece rojo, y está bordado de diferentes flores. Su velo exterior que es azul celeste, le cubre desde la cabeza.

Tal fue la sagrada imagen que se dibujó maravillosamente ante los ojos asombrados de Don Fray Juan de Zumárraga y de su intérprete el joven presbítero D. Juan González, y de otros familiares y criados suyos. Toda esta escena, como ya anotamos arriba, se ha conservado inexplicablemente en las pupilas mismas de la Sagrada Imagen, atestiguando así la realidad histórica de los hechos y de la tradición que nos los ha transmitido.[2]

La erección de la primera ermita, en el lugar señalado por la misma Virgen Sma., fue cosa de pocos días: Juan Diego, Juan Bernardino y otros muchos naturales, posiblemente dirigidos por Fray Pedro de Gante, en dos semanas levantaron la capilla.[3]

ARTICULO II

Actos de culto anteriores a 1555

Los hechos arriba referidos abrazan dos géneros de fenómenos: las apariciones de la Virgen a Juan Diego y a Juan Bernardino; son hechos sobrenaturales, que se repiten con frecuencia en la historia del pueblo de Dios. Pero tenemos además un hecho completamente inusitado en esa historia: la impresión sobrenatural de la imagen de Nuestra Señora en la tilma del indio. Es un hecho único, a lo que yo sé. Es algo inaudito. El cristiano reflexivo, a menos de tener pruebas contundentes, se resiste a aceptarlo. Los misioneros de aquel entonces, en su mayor parte, prefirieron callar sobre tan insólito prodigio. Alguno, aludiendo veladamente al mismo, escribió en general de ciertos casos asombrosos y sobrenaturales que acaecían a los neófitos:

4. *D. Fray Juan de Zumárraga. Oleo sobre tela, de Miguel Cabrera. (2.25 × 1.25 mts.) Museo de la Basílica.*

"Muchos de estos naturales y convertidos tuvieron diversas revelaciones y visiones; y algunos de ellos por el buen testimonio de su vida y por la manera y simplicidad con que cuentan la visión, parecen llevar camino de verdad; pero porque otras serán ilusiones, no hago mucho caso de las creer ni de las escribir en particular, y porque pienso que de muchos no seré creído. Si las cosas terrenales no creen, ¿cómo creerán las cosas sobrenaturales? No es de maravillar, continúa el mismo Motolinia quien es el autor de estas líneas, si algunos que no creen la Ley ni los Profetas en lo que a sí mismos toca para salvarse y les conviene como la vida, ¡cuándo darán crédito a las visiones y revelaciones, aunque resucitase y se lo viniese a decir uno de los muertos!" [4]

No se maraville, por tanto, el lector si en los tiempos antiguos y en los tiempos modernos algunos, aun entre personas honradísimas y rectísimas, humanamente hablando, se niegan a aceptar esa maravilla de la Imagen de Nuestra Señora. Esa incredulidad, aun la de algunos connotados misioneros franciscanos como veremos, será el crisol de nuestra fe y de nuestro cristiano amor a la Virgen de Guadalupe.

1. *El Solemne Traslado de la Sagrada Imagen del Templo Mayor a su Ermita*

Un antiguo librito escrito en mexicano, llamado vulgarmente el *Nican Motecpana* refiere:

"Hubo entonces una gran procesión en que llevaron (la Sagrada Imagen) absolutamente todos los eclesiásticos que había y varios españoles que gobernaban la ciudad, así como también todos los señores y nobles mexicanos y demás gente de todas partes. Se dispuso y adornó todo muy bien en la calzada que sale de México hasta llegar al Tepeyácac, donde se erigió el templo de la celestial Señora. La calzada, continúa el mismo escrito, rebosaba de gente; y por la laguna de ambos lados. . . iban no pocos naturales en canoas, algunos haciendo escaramuzas"

Como no es raro en semejantes ocasiones, tuvo lugar un desgraciado accidente: uno de los arqueros disparó al aire su arco, pero infortunadamente la flecha fue a clavarse en la garganta de un desventurado compañero, que cayó sin sentido. "Viéndolo ya muerto, prosigue nuestra fuente, le llevaron y tendieron delante de la siempre Virgen nuestra Reina. . . , le sacaron la flecha, no solamente resucitó, sino que también sanó del flechazo, sólo le quedaron las cicatrices" [5]

Este singular favor, verificado a la vista del innumerable gentío, acrecentó más y más el fervor de los devotos: eran ya dos los sanados milagrosamente por la Virgen: Juan Bernardino, y este remero herido por una flecha.

Corre, entre los antiguos manuscritos mexicanos posthispánicos, el cantar del atabal o "Teponaxcuícatl", de origen ciertamente pagano, pero artificiosamente adaptado al cristianismo; el dicho cantar decía en una de sus estrofas:

> Tu alma, oh Santa María,
> Está como viva en la Pintura,
> Nosotros los señores le cantábamos
> En pos del Libro Grande,
> Y le bailábamos con perfección,
> Y tú, Obispo, padre nuestro, predicabas
> Allá a la orilla del lago" [6]

Este cantar en su acomodación y versión cristiana, ciertamente es anterior a 1548, año en que murió el primero y único Obispo de México, D. Fray Juan de Zumárraga, quien llevó la mayor parte de su vida jerárquica, el título de obispo. El año de 1547 fue elevado a la categoría de Arzobispo; sus sucesores ostentaron todos el título de Arzobispos.

Los versos citados se refieren claramente a la procesión ya referida cuando el Señor Obispo Zumárraga trasladó la Sagrada Imagen de su catedral a la ermita, lo que aconteció el 26 de diciembre de 1531, según los datos del ya citado *Nican Motecpana.* El autor de este escrito tomaba como fuentes los "retablos", o pinturas ingenuas, en que se representaban las gracias recibidas, como la del indio sanado, por la Virgen, de la herida que le había causado la flecha de que arriba dijimos. Esos retablos se exhibían públicamente en el Santuario. Actualmente conocemos la reproducción de ocho de esos "retablos", como veremos más adelante.[7]

2. *Testimonios de Bernal Díaz del Castillo y otros*

Bernal Díaz del Castillo, que salió definitivamente de México en 1550, escribió en su afamada *Historia Verdadera de la Conquista*, terminada en 1568:

"Miren las santas iglesias catedrales, y los monasterios donde hay frailes dominicos, como franciscanos y mercedarios y agustinos, y miren qué hay de hospitales, y los grandes perdones que tienen, y la santa iglesia de nuestra Señora de Guadalupe, que está en lo de Tepeaquilla, donde solía estar asentado el real de Gonzalo de Sandoval cuando ganamos a México, y miren los santos milagros que ha hecho y hace cada día, y démosle muchas gracias a Dios y a su bendita madre Nuestra Señora"...[8]

Y el propio autor ya anteriormente en el capítulo 150 de su obra, refiriéndose al citado real de Gonzalo de Sandoval, había escrito:

"Y luego mandó Cortés a Gonzalo de Sandoval que dejase aquello de Iztapalapa y fuese por tierra a poner cerco a otra calzada que va desde México a un pueblo que se dice Tepeaquilla, adonde ahora llaman Nuestra Señora de Guadalupe, donde hace y ha hecho muchos santos milagros".[9]

El primero y más severo crítico de la tradición guadalupana de México en vista de estos y otros testimonios honradamente testificó:

"El segundo Arzobispo de México, Fray Alonso de Montúfar, que llegó a su diócesis por junio de 1554, ya encontró muy difundida la devoción a la Virgen de Guadalupe, venerada en una ermitilla, adonde acudía la piedad de los fieles con tales limosnas que le sufragaron costear una decente iglesia, y consignar anualmente seis dotes de a trecientos pesos para casar huérfanas. Dícelo su sucesor D. Pedro Moya de Contreras en papel que se conserva original entre los de aquel santuario".[10]

En una palabra, el culto guadalupano del Tepeyac es de fecha muy anterior al año de 1555.

ARTICULO III

El Culto Guadalupano en 1555 y 1556

1. *Primeras intervenciones del señor Arzobispo Montúfar en el Tepeyac*

Pasemos ahora a referir la obra llevada al cabo por el sucesor de Don Fray Juan de Zumárraga († 3 de junio de 1548), a saber, Don Fray Alonso de Montúfar, dominico, en relación con la ermita de Guadalupe en el Tepeyac. El nuevo Arzobispo tomó posesión de su sede el 7 de julio de 1554.

Como resultado de la gran devoción que la ciudad de México y contornos profesaban a la Virgen de Guadalupe del Tepeyac se reunió una buena cantidad de renta: unos ocho mil pesos en oro.

El nuevo Arzobispo encontró —según se conjetura fundadamente, que la ermita guadalupana no estaba bien atendida por los franciscanos de Santiago Tlatelolco, en cuya jurisdicción está situada. Comprobó también que los mismos religiosos se encargaban de gran número de "visitas", o capillas subsidiarias de su doctrina de Santiago, que no podían, dado su número relativamente escaso, atender como era debido. Esa desatención provocaba murmuraciones de parte de los fieles y del clero.

Por tales razones juzgó necesario substraer a la jurisdicción de esos misioneros una sexta parte de las iglesias, sobre todo filiales, que tenían en la ciudad de Tenochtitlan y en sus alrededores.[11] Entre las iglesias y capillas sustraídas a los franciscanos se contaron las de San Pablo, Iztacalco, Coyotepec, Tizayuca, Heuhuetoca, etc., pero muy especialmente la Casa de Nuestra Señora de Guadalupe en el Tepeyac.[12]

5. *D. Fray Alonso de Montúfar, Arzobispo de México, inmediato sucesor del Sr. Zumárraga. Oleo sobre tela. Catedral Primada de México.*

6. *D. Fray García Guerra, Arzobispo de México. Oleo sobre tela. Catedral Primada de México.*

Esa sustracción no pudo menos de doler a no pocos franciscanos, no precisamente por las limosnas que perdieran, ya que ellos no las administraban, sino porque ya no podrían vigilar estrecha y severamente, como hasta entonces, el culto guadalupano ofrendado en el Tepeyac, que algunos de ellos reputaban sospechoso de sincretismo e idolatría, como veremos adelante.

El nuevo señor Arzobispo no hizo caso de esos escrúpulos de los hijos de San Francisco. Visitó la ermita y la encontró poco apropiada para el gran culto que tenía y resolvió por lo pronto repararla y, si fuera necesario más adelante, renovarla por entero; pues había buen capital para ello, como ya dijimos; por lo demás el propio Arzobispo tuvo cuidado de poner a rédito ese capital cuyo producto sería más que suficiente para sus propósitos.[13]

Además el propio prelado fundó en la antigua ermita un beneficio eclesiástico, que no había sido necesario cuando la dicha casa estaba a cargo de los franciscanos, incapaces por profesión de todo beneficio de esa clase. Al titular de ese beneficio le instituyó vicario de la ermita y le impuso la obligación de celebrar dos misas, respectivamente sábado y domingo; y de atender "cinco estancias o barrios de indios" de los alrededores del Tepeyac. El vicario recibía como honorarios por esos servicios y prestaciones cincuenta pesos de oro de minas al año.[14]

Por esta razón el señor Arzobispo Montúfar es llamado, en los documentos del tiempo, FUNDADOR de la ermita de Nuestra Señora de Guadalupe, expresión elíptica que, en lenguaje eclesiástico, quiere decir: fundador del beneficio establecido en la ermita de Guadalupe. No se llamó así al señor Zumárraga, porque él no estableció ningún beneficio eclesiástico en la susodicha capilla, sino sencillamente la dejó encomendada a los franciscanos de Santiago Tlatelolco, quienes por su peculiar voto de pobreza, interpretado estrictamente en aquellos tiempos, eran incapaces de cualquier "beneficio" curado y pagado, como ya dijimos.

2. *Un sonado "milagro" en 1555*

El año de 1555 es muy importante en la historia del culto guadalupano del Tepeyac. Según el Virrey Don Martín Enríquez de Almanza, en carta al Rey fechada en 1575: "...el principio que tuvo la fundación que ahora está hecha, lo que comúnmente se entiende, es que el año de (15)55 o (15)56 estaba allí una ermitilla, en la cual estaba la imagen que ahora está en la iglesia, y que un ganadero que por allí andaba publicó haber cobrado salud, yendo a aquella ermita; y empezó a crecer la devoción de la gente..."[15]

Según los "retablos" que pendían en la ermita y de donde tomaron sus noticias el grabador Stradanus, de quien hablaremos después, y el autor del *Nican Motecpana*, un joven pariente de D. Antonio de Caravajal fue salvado de muerte segura. Habíasele, en efecto, desbocado el caballo que montaba y corría sin freno por entre las breñas de las serranías aledañas al Tepeyac. Parecíale al joven que de un momento a otro se estrellaría entre las rocas, se encomendó a la Virgen de Guadalupe y ésta, según refería el agraciado, se le apareció en aquel apurado lance; la bestia se prosternó mansamente ante Ella, y el joven se salvó.

Este favor y aparición debieron de provocar honda conmoción en la ciudad de México y contornos, por la calidad de las personas que recibieron tan señaladas gracias; en efecto, el joven de que se trata, como más tarde averiguó el P. Florencia, era nada menos que hijo de Don Antonio de Carabajal, como escriben los antiguos cronistas, uno de los ciudadanos más conspicuos de la capital, como que en 1528 había sido regidor de la misma; y en 1533 su alcalde ordinario, y en 1538 fue declarado regidor perpetuo de la misma ciudad; en los años de 1537, 1544 y 1550 recibió el encargo de Procurador Mayor, y en el de 1558 fue nombrado Alférez Real. Tenía la encomienda de la población de Zacatlán y poseía casa y hacienda de ganado en Tulancingo.

7. Procesión con motivo de la peste. Oleo sobre tela, anónimo, de la segunda mitad del S. XVII. (2.53 × 5.53 mts.) Museo de la Basílica.

8. Ex-voto. Oleo sobre tela, anónimo, de principios del S. XVIII. (0.96 × 1.69 mts.) Museo de la Basílica.

9. El primer milagro. Oleo sobre tela, anónimo, de la segunda mitad del S. XVII. (3.01 × 5.81 mts.) Museo de la Basílica.

El mismo Don Antonio hizo publicar la gracia recibida, mandando pintar un magnífico cuadro de buen pincel que expuso en el santuario y otro más en Tulancingo. Hasta el día de hoy se conserva una minúscula reproducción de ese favor, gracias a un grabado de Stradanus y del que hablaremos más adelante. Allí vemos representado entre las breñas de la serranía susodicha a un joven medio caído de su cabalgadura, la que se postra reverente ante la aparición de Nuestra Señora de Guadalupe. Al pie del miniretablo se lee esta inscripción: "Tulancingo. Don Antonio de Carbajar. . . Alcalde Mayor de Tulancingo, llevó un niño a caballo; arrastróle el caballo por unas barrancas, y dijo el niño que N(uestra) S(eñora) había aparecido y guardádole de todo mal".

A esta aparición debe referirse la escueta noticia que nos dejó el indio Juan Bautista en su *Diario*, donde escribió: "El año de 1555 se apareció Santa María de Guadalupe en el Tepeyac".[16]

Al mismo hecho se puede referir el testimonio de otro cronista indio, Chimalpahin, quien escribió: Año XII pedernal, 1556 años. En este año fue cuando empezó a levantarse reciamente el muro de piedra. . . En el mismo año, fue cuando se apareció nuestra madrecita Santa María de Guadalupe en Tepeyácac" (*Relación Original*, p. 264).[17]

La diferencia de año: 1556 según Chimalpahin, y 1555 según Juan Bautista, la explican los entendidos en estas materias por la diversidad de calendarios autóctonos que empleaban los de Amecameca con respecto a los naturales de México-Tenochtitlan.

3. *Un hermoso sermón guadalupano del Arzobispo y el exabrupto antiguadalupano de un fraile*

El 6 de septiembre de 1556, el señor Arzobispo Montúfar, refiriéndose a la imagen original de la Guadalupana de México, comenzó su sermón con este texto bíblico: *Dichosos los ojos que ven lo que vosotros véis.*[18]

Aplicólo a la milagrosa imagen y afirmó que la Virgen en su advocación de Guadalupe del Tepeyac estaba obrando un gran milagro, a saber, el cambio de costumbres en la pecadora ciudad de México, cuyos habitantes por amor a esa devoción habían renunciado a sus francachelas dominicales, para irse a visitar devotamente el santuario, cumplir con la santificación de las fiestas y evitar embriagueces y orgías.[19] El pueblo quedó muy impresionado por la predicación del Arzobispo y renovó su amor por Nuestra Señora.

Dos días después, el ocho de septiembre, precisamente cuando se celebraba en el Tepeyac la fiesta titular del Santuario-ermita, pero no en ese lugar, sino en la enorme capilla de San José de los Naturales, cabe la pequeña iglesia antigua de San Francisco, el M.R.P. Provincial, Fray Francisco de Bustamante, de la provincia de Castilla y llegado a México el año de 1542, pronunció un sermón que algunos calificaron de divino en honor de Nuestra Señora en su natividad, pero repentinamente tuvo un apasionado exabrupto contra la devoción que la ciudad de México profesaba a Nuestra Señora de Guadalupe en el Tepeyac.

Dijo, según uno de los denunciantes: "en comenzando a hablar de Nuestra Señora de Guadalupe, que lo que su Señoría (el Arzobispo) había predicado de Nuestra Señora de Guadalupe no lo quería contradecir, y asimismo que su intención no era —aunque se tratase de una viejecita— que ésta perdiese la devoción de Nuestra Señora; pero que le parecía que esa devoción era cosa perniciosa para los naturales de esta tierra, porque ellos (los franciscanos) les habían dado a entender en sus sermones que las imágenes eran de palo y de piedra y que no se habían de adorar, sino que estaban por semejanza de las del cielo, y que los indios eran devotos de Nuestra Señora que la adoraban y que pasaban mucho trabajo (los frailes) para quitarles aquella opinión, y que visto agora que aquella imagen hacía milagros, aunque no estaba ninguno averiguado, que se pasaría mucho trabajo de aquí en adelante en quitarles la opinión que tenían de adorar la imagen de Nuestra Señora, y que no sólo había este mal en ello, pero que había otros males de ir allá (al Tepeyac) con comidas y limosnas que daban, que sería mejor darlas al Hospital de Bubas o a otras personas. . ." También dijo, según algún testigo, que la imagen de Nuestra Señora de Guadalupe del Tepeyac la pintó el indio Marcos.[20]

El Señor Arzobispo, como es de rigor según el Derecho Canónico en tales casos, abrió al día siguiente una información jurídica sobre el exabrupto del P. Provincial Bustamante: todos los testigos convocados, entre ellos, el secretario del Virrey y el abogado y procurador de la Real Audiencia, etc., depusieron en contra del predicador franciscano, y dieron impresionantes testimonios sobre el fervor y extensión del culto guadalupano en el Tepeyac.

Espiguemos algunos de esos testimonios:

Juan de Salazar, procurador de la Real Audiencia, entre otras cosas declaró: "Que este testigo como vecino que es de esta ciudad, por el trato y conversación que en ella tiene, vio de mucho tiempo a esta parte, ir mucha gente a las huertas, así hombres como mujeres, y a ellas llevar muy buen repuesto de comida y cena, donde en algunas partes que este testigo se halló, vio jugar y hacer otros excesos; y que después acá que se divulgó la devoción de Nuestra Señora de Guadalupe ha cesado mucha parte de lo que tiene dicho, y que ya no se platica otra en la tierra, si no es: ¿dónde queréis que vayamos? Vamos a Nuestra Señora de Guadalupe; que le parece a este testigo que está en Madrid que dicen: vamos a Nuestra Señora de Atocha; y en Valladolid, a Nuestra Señora del Prado; y que lo que tiene entendido este testigo es que ha sido muy gran bien y mucho provecho para las ánimas haberse principiado la devoción de Nuestra Señora de Guadalupe; donde los que van, hallan continuamente misas que los fieles y devotos mandan decir, y algunos días de fiesta, sermones. . ."[21]

El abogado de la Real Audiencia, Don Francisco de Salazar, declaró a su vez: ". . .que lo que sabe es que el fundamento que esta ermita tiene desde su principio fue el título de la Madre de Dios, el cual ha provocado a toda la ciudad a que tengan devoción en ir a rezar y encomendarse a Ella, y (también) de fuera de esta ciudad. Estando este testigo, en la dicha ermita, así españoles como naturales, ha visto entrar en ella con gran devoción, y a muchos, de rodillas, desde la puerta hasta el altar, donde está la dicha imagen de Nuestra Señora de Guadalupe. Y que este le parece fundamento bastante para sustentar la dicha ermita; y querer quitar la tal devoción sería contra toda cristiandad".[22]

El propio testigo añadió:

". . y esto sabe este testigo, porque después de que esta devoción está en la dicha ermita se han quitado los paseos que ordinariamente se solían tener desde esta ciudad a las huertas de ella, donde muchos españoles por irse a holgar, y algunas veces a hacer ofensas a Dios Nuestro Señor, como es público y notorio, dejaban de oír misa domingos y fiestas de guardar; y de presente ha visto que toda la plática y conversación que en esta ciudad se trata entre los devotos de la Madre de Dios solamente es que vayan a rezar y encomendarse a Ella; y lo tienen por devoción muchos ir a caballo y otros a pie; y en ello hay muy grande continuación en la distancia del camino que hay desde esta ciudad a la dicha ermita, porque allí oyen sermones y misa, no solamente las personas que sin detrimento de su edad y sin vejación de su cuerpo pueden, van a pie; pero mujeres y hombres de edades mayores y enfermos con esta devoción van a la dicha ermita, y asimismo este testigo ha visto que los niños pequeños que tienen entendimiento, como ven a sus padres y a otras personas tratar de esta devoción, importunan mucho que los lleven allá; por donde notoriamente se colige que sustentar la dicha ermita y devoción será en gran pro y utilidad de esta república, y lo contrario sería quitar el mantenimiento del ánimo, y así parte de la vida . . ."[23]

Alvar Gómez de León declaró:

". . .que es verdad que ha ido allá una

vez y que topó muchas señoras de calidad que iban a pie, y otras personas, hombres y mujeres de toda suerte, a la ida y a la venida, y que allá vio dar limosnas hartas, y que a su parecer era con gran devoción y que no vio cosa que le pareciese mal, sino para provocar a devoción de Nuestra Señora, y que a este testigo, viendo a los otros con tanta devoción, le provocaron a más; y que le parece que se debe favorecer y llevar adelante, especial que en esta tierra no hay otra devoción señalada, donde la gente haya tomado tanta devoción, y que con esta santa devoción se estorban muchos de ir a las huertas, como era costumbre en esta tierra, y agora se van allí donde no hay aparejos de huertas y otros regalos ningunos, mas de estar delante de Nuestra Señora en contemplación y devoción, de la manera que van a Madrid, a Nuestra Señora de Atocha, y como, en muchas partes, este testigo ha visto ir a los cristianos a otras casas de devoción que están una, dos y más leguas . . ."[24]

Citemos finalmente a Don Juan de Masseguer, cuyas son las siguientes palabras: ". . .Todo el pueblo a una tiene gran devoción en la dicha imagen de Nuestra Señora y la van a visitar con gran frecuencia de gente y devoción; que van a visitar a Nuestra Señora de todo género de gente: nobles, ciudadanos e indios, aunque sabe que algunos indios han atibiado en la dicha devoción, porque los frailes se lo han mandado, según el dicho fray Luis (Cal) dijo a este testigo. . ."[25]

Resumamos en dos palabras la sustancia de estas declaraciones: para septiembre de 1556 la ermita guadalupana del Tepeyac se había convertido en un santuario mariano tan concurrido, según los testigos, como el de Nuestra Señora de Atocha en Madrid, o el de Nuestra Señora del Prado, en Valladolid, a mediados del siglo XVI.

El efecto del áspero exabrupto de Fray Francisco de Bustamante fue del todo contrario al que intentaba, pues de ahí en adelante la gente se propuso frecuentar mayormente el santuario, como testificó Juan de Salazar: ". . .demás de esto, ha oído decir que, aunque los religiosos de las órdenes que residen en México que son predicadores y han procurado de estorbar la dicha devoción, que no les aprovechará nada, antes serán espuelas para que con más ardor visiten y sirvan a la dicha ermita".[26] Y Francisco de Salazar declaró a este respecto: ". . .aunque pese a Bustamante hemos de ir a servir a Nuestra Señora donde quiera que su imagen esté; y, contradiga él la devoción cuanto quisiere, que antes es dar a entender que le pesa de que vayan españoles allí, y, de aquí adelante, si íbamos una vez, iremos cuatro; y por estas causas han perdido muchas personas la devoción que tenían con los sermones del dicho Fray Francisco de Bustamante".[27]

Este, antes de terminar su provincialato, hubo de dejar el cargo y hubo de retirarse a Cuernavaca a aprender mejor la lengua mexicana. Con este motivo el señor Montúfar sobreseyó la información jurídica sobredicha.[28] Pero los amigos de Bustamante eran poderosos, y lograron en 1560 su reelección como provincial y al año siguiente su nombramiento como Comisario General de la Orden en México; pero no volvió a conquistar el favor del país; prefirió emprender, en compañía de los provinciales dominico y agustino, un viaje a Madrid en defensa de los privilegios de los misioneros. Allí murió en 1562, al paso que a sus compañeros de las órdenes de S. Agustín y de Sto. Domingo se les conferían sendas mitras.[29]

A pesar de la oposición de algunos franciscanos contra la devoción guadalupana del Tepeyac, el culto respectivo continuó extendiéndose sin cesar.

Preguntará acaso algún lector por qué los franciscanos, si no todos ciertamente, sí algunos de ellos, se oponían en el siglo XVI a esa devoción. Respondemos que por razones de métodos pastorales: enemigos declarados de toda idolatría, máxime de la idolatría de los aborígenes, querían apartarlos de todo culto especial a determinadas imágenes. No prohibían el culto de las mismas, pero eran enemigos de todo exclusivismo; por tan-

10. P. Juan González, capellán, confesor e intérprete del Sr. Zumárraga. Oleo sobre tela, anónimo, de la segunda mitad del S. XVIII. (2.25 × 1.25 mts.) Museo de la Basílica.

to les parecía muy mal que se consagrara devoción especial a una imagen por milagrosa que fuese, como era la de Nuestra Señora de Guadalupe.

Sospechaban que un culto exclusivista podía favorecer la idolatría, tanto más cuanto en los tiempos prehispánicos, aun recientes entonces, allí en el Tepeyac se había levantado un célebre teocali dedicado a Cihuacoatl, la madre de los hombres, según la mitología náhuatl, por lo cual era invocada familiarmente como Tonantzin, es decir, nuestra madrecita.

Además se oponían esos misioneros a dicho culto, porque les parecía mal escogido el nombre de Guadalupe, según ellos habría que llamarla Nuestra Señora del Tepeyac, puesto que allí se le daba culto.[30]

Dios permitió esta oposición de algunos franciscanos a la devoción y culto de Nuestra Señora de Guadalupe de México, como para hacer ver patentemente que no era invención de ellos; sino algo que transtornaba sus planes y métodos evangelizadores. Algunos de esos misioneros eran elegantes humanistas que hubieran preferido enseñar a los naturales una forma de religión más refinada, sin tantas invocaciones a santos y santas, sino toda orientada a la Palabra de Dios. Pero los caminos y planes de los humanos no coinciden frecuentemente en los divinos. Además, por lo que hemos visto, Nuestra Señora quería ser también misionera de nuestro pueblo y ¿cómo podría misionar sino manifestándose de manera singular por su imagen y con favores extraordinarios a la gente de nuestro pueblo?

ARTICULO IV

El Culto Guadalupano después de 1556

1. *Nueva iglesia y nuevos favores*

En unas actas del Cabildo Eclesiástico de 1561 leemos:

"A media legua de la ciudad (de México) está una ermita que se dice de Nuestra Señora de Guadalupe, en la cual por ser muy devota se hacen muchas limosnas que tienen juntos más de diez mil pesos". Y en otro documento de la misma procedencia, pero del 15 de febrero se habla de la ". . .ermita que está junto a esta ciudad, de la advocación de Nuestra Señora de Guadalupe, a donde concurren muchas personas por la gran devoción que tienen con ella y hacen muchas y calificadas limosnas de doscientos y trescientos marcos de plata" [31]

Los autores de estos documentos se quejaban de que no sabía en qué empleaba el señor Arzobispo Montúfar esos dineros.[32] Pero otros documentos nos dan cuenta de hechos muy interesantes al respecto: en efecto el prelado había colocado a rédito por lo menos parte del capital (unos diez mil pesos, según las fuentes citadas) para acrecentarlo y con parte de los réditos pagar curas y sacristanes y sobre todo emprender la obra entonces apremiante de la construcción de un nuevo santuario en vista de las multitudes siempre crecientes que al mismo acudían. La construcción sobredicha se prolongó por unos cinco años.

Juan Bautista, el cronista mexicano de que ya hablamos antes, refiere en su notable *Diario* las solemnidades que tuvieron lugar el año de 1566, a 15 de septiembre, octava de la fiesta titular de la ermita del Tepeyac.

"Domingo 15 de septiembre de 1566, leemos en ese escrito según la versión de D. Angel Ma. Garibay, entonces se celebró la octava de Nuestra Madre Santa María de la Natividad. Se celebró en Tepeyácac la festividad de Santa María de Guadalupe. Allí estuvo presente Villaseca quien mostró una imagen de Nuestra Señora que era toda de plata. . . , a él se debió asimismo la casa donde reposan los enfermos (hospital). Estuvieron presentes las autoridades: los Oidores; y también el Arzobispo y todos nosotros los indios. Villaseca ofreció un banquete a los Oidores y autoridades y *les informó cómo se hizo la Iglesia en Tepeyácac*".

Añade a continuación:

"Presentaron los Mexicanos el cantar Michecuícatl (cantar de los peces), y los de Tlatelolco presentaron otro cantar de guerra, el Yaocuicatl".[33]

Advertirá el lector que no se menciona al virrey, y justamente, porque en septiembre de 1566 no había virrey en la Nueva España, sino gobernaba la Audiencia.

Pero lo más interesante de lo transcrito es la frase: "Villaseca. . . informó cómo se hizo la iglesia del Tepeyácac". Esta expresión, según nuestro modesto entender, nos hace ver que la llamada ermita Montúfar, se concluyó en 1566, y debió de comenzarse poco después de 1561, pues en septiembre de este año, como ya vimos, se quejaba el Cabildo eclesiástico de que no se sabía en qué empleaba el Arzobispo los dineros de la ermita.

Conocemos algo del interior de la iglesia mandada hacer por Montúfar y supervisada por Don Alonso de Villaseca, acaudalado vecino de México, gracias a la descripción muy breve, por cierto de un inglés, Mr. Philips, que visitó el santuario en 1568 y nos dejó el siguiente relato:

"A otro día de mañana caminamos para México, hasta ponernos a dos leguas de la ciudad, en un lugar donde los españoles han edificado una magnífica iglesia dedicada a la Virgen. Tienen allí una imagen suya de plata sobredorada, tan grande como una mujer de alta estatura y delante de ella y en el resto de la iglesia hay tantas lámparas de plata cuantos días tiene el año, todas las cuales se encienden las fiestas solemnes".[34]

Añade a continuación el autor: "Siempre que los españoles pasan junto a esta iglesia, aunque sea a caballo, se apean, entran en la iglesia, se arrodillan ante la imagen y ruegan a Nuestra Señora los libre de todo mal, de manera que vayan a pie o a caballo, no pasarán de largo sin entrar en la iglesia y orar como queda dicho, porque creen que si no lo hicieran así, en nada tendrían ventura".

Con respecto a la imagen venerada en el Santuario anota el autor citado: "A esta imagen llaman, en español, Nuestra Señora de Guadalupe. . . Todos los años, el día de la fiesta de Nuestra Señora, acostumbra venir la gente a ofrecer y rezar en la iglesia ante la imagen, y dicen que Nuestra Señora de Guadalupe hace muchos milagros".

Interesante como es la relación anterior, no deja de intrigarnos un poco la noticia sobre la imagen de Nuestra Señora que, según este visitante, sería una imagen de plata sobredorada de la estatura de una mujer alta. Esta descripción no corresponde a la tradición, ni siquiera a la impugnada por Fray Francisco de Bustamante que nos habla de una imagen pintada por un indio, que habría sido Marcos. Pero baste recordar la noticia arriba consignada que debemos al *Diario de Juan Bautista:* en 1556 D. Alonso de Villaseca mostró a las autoridades una imagen toda de plata. Esta imagen debía de ser un exvoto del dicho supervisor y administrador del Santuario. De seguro que en aquellos años se exponían dos imágenes: una para las grandes fiestas y solemnidades, la original estampada en la tilma de Juan Diego; y otra para el culto diario y menos solemne, que sería precisamente esa imagen de plata sobredorada, donada por Villaseca.[35]

También nos informa Mr. Philips sobre la fuente que brotó al lado del Santuario: "Hay aquí (en el Tepeyac) unos baños fríos que brotan a borbollones como si hirviera el agua, la cual es algo salobre al gusto, pero muy buena, para lavarse los que tienen heridas o llagas, porque dicen que ha sanado a muchos".

De esa fuente nos da también noticia la plancha de Stradanus burilada entre 1613 y 1622, al referir el milagro de Catarina de Monta: ". . .hidrópica de once años, sin esperanzas de salud, vino a novenas y bebió de la fuente a donde apareció Nuestra Señora de Guadalupe y luego sanó".[36] El mismo hecho refiere el *Nican Motecpana*, que da más noticias sobre esa fuente:

"A poco que se mostró la Celestial Señora a Juan Diego. . . hizo muchos milagros. Según se dice, también entonces se abrió la fuentecita que está a espaldas del templo de la Señora del cielo, hacia el Oriente; en el punto donde salió al encuentro de Juan Diego, cuando éste dio vuelta al cerrito. . . El agua que allí mana, aunque aumenta, porque burbujea, no por eso rebosa; y no corre mucho, sino muy poquito: es muy limpia y olorosa, pero no agradable; es algo ácida y apropiada a todas las enfermedades de quienes la beben de buen grado o con ella se bañan".[37]

Sabemos por el *Diario de Juan Bautista* que para 1566 D. Alonso de Villaseca había levantado una casa de enfermos cerca del Santuario y de la fuente sobredicha, en beneficio de los valetudinarios que recurrían en busca de salud a Guadalupe del Tepeyac.

2. *Visitas de los virreyes al santuario*

Nos asegura Fray Juan de Torquemada, en su voluminosa historia titulada *Monarquía Indiana*, que todos los virreyes antes de entrar en la ciudad de México, paraban en Nuestra Señora de Guadalupe y allí les hacían algunas fiestas.[38]

Así lo vemos practicado por el virrey Marqués de Falces, D. Gastón de Peralta, según el *Diario de Juan Bautista* ya citado:

"Sábado 18 de octubre de 1566, fueron los de Juchipila a colocarse allá en Tepeyácac; como se había dispuesto se presentaron de cinco en cinco barrios; allá se colocaron en Tepeyácac, allá durmieron. Y de todas partes de la ciudad salieron militarmente escuadrones militares y todos los moradores de México se juntaron en el Tepeyácac para honrar al señor (virrey) allí en el Tepeyácac: cuando llegó le salieron al encuentro, le saludaron los de México y los señores de las demás partes. El domingo llegó (el virrey), allí durmió y el lunes 21 de octubre arribó a México . . ."[39]

¿A qué iban los virreyes al Tepeyac? Recordemos la noticia de Mr. Philips: "Siempre que los españoles pasan junto a esta iglesia, aunque sea a caballo, se apean, entran en la iglesia. . . porque creen que si no lo hicieran así, en nada tendrían ventura".[40]

Confirman esta noticia los hechos de Don Fray García Guerra, Arzobispo de México, pero que en marzo de 1611 fue nombrado también virrey. Una vez que se cumplieron las condiciones para que tomara posesión de su nuevo puesto y magistratura, "a todo paso se hizo llevar a Guadalupe, donde postrado en el suelo ante aquella milagrosa y devotísima imagen de Nuestra Señora, sus ojos hechos fuentes de lágrimas, le pidió con ellas y con sollozos del alma, intercediese ante la Divina Majestad, su precioso Hijo, le comunicase su espíritu para que siempre acertase a servirle, gobernando su pueblo en paz y justicia.[41]

Pero volvamos al siglo XVI. El 5 de noviembre de 1568 llegó a México el virrey Don Martín Enríquez de Almanza. A propósito de su llegada al país, nos ha legado una interesante noticia Don Juan Suárez de Peralta:

"A cada pueblo que llegaba (el virrey), escribe ese cronista, le hacían muchos recibimientos, como se suelen hacer a todos los virreyes que a la tierra vienen, y así llegó a Nuestra Señora de Guadalupe que es una imagen devotísima que está en México, como a dos legüechuelas, la cual ha hecho muchos milagros (apareciose entre unos riscos, y a esta devoción acude toda la tierra), y de allí (el virrey) entró en México".[42]

3. *Asistencia solemne del Arzobispo a las fiestas de Nuestra Señora de Guadalupe*

Cada año el Señor Arzobispo, por lo menos desde los tiempos del Sr. Montúfar, presidía las solemnidades con que se celebraba la fiesta titular del santuario de Guadalupe el día 8 de septiembre, según la antigua costumbre y ley de los santuarios marianos, cuyo título y advocación no habían sido todavía sancionados por la Santa Sede. Su señoría se hacía acompañar de varios canónigos, que desde 1568 fueron eximidos, para ese efecto, de la asistencia obligatoria al coro.[43]

4. *Los mayordomos o administradores de la ermita*

Es posible dar los nombres de los primeros administradores de los bienes económicos de la ermita. Estos administradores eran instituidos directamente por el señor Arzobispo. Uno de los primeros, si no es que el primero, fue el clérigo Hernán Gómez, mayordomo del señor Zumárraga y probablemente también de la ermita. Duró en su cargo hasta el año de 1546 en que Don Fray Juan lo sustituyó por Don Martín de Aranguren, mercader muy hábil, rico y honrado. En 1562 desempeñaba el cargo de mayordomo de la ermita Don Domingo de Orona, y para 1566, o poco antes, Don Alonso de Villaseca, gran devoto de Nuestra Señora como ya hemos visto.[44]

La existencia de esta serie de mayordomos, o administradores de los bienes temporales de la ermita, está confirmada por aquel párrafo del Virrey Don Martín Enríquez, de quien arriba hablamos, que en carta en 1575 informaba al Rey:

"Visitarla (a la dicha ermita), y tomar las cuentas siempre se ha hecho por los prelados".[45]

Evidentemente los arzobispos tomaban cuentas a los mayordomos susodichos, para que no se malgastasen las cuantiosas limosnas que, como ya hemos visto, se recibían en la ermita.

5. *La primera Cofradía Guadalupana del Tepeyac*

Por la misma carta de ese virrey sabemos que desde 1555, o poco después, se fundó una cofradía de Nuestra Señora de Guadalupe de México, que para 1575 contaba con unos cuatrocientos cofrades.

Según Fray Diego de Santa María, de quien luego hablaremos dando mayores pormenores, los miembros de la cofradía del Tepeyac se imaginaban que por llamarse la suya Cofradía de Nuestra Señora de Guadalupe, gozarían de las mismas gracias espirituales que los cofrades del gran santuario guadalupano de Extremadura de España.

Mas Fray Diego les hizo ver que no existía ninguna conexión de hecho ni de derecho entre el santuario extremeño y el santuario mexicano, aunque uno y otro se llamasen de Guadalupe; y por tanto que tampoco existía ninguna conexión entre la cofradía novo-hispana y la extremeña. Además demostró a los cofrades del Tepeyac que si quisieran gozar de las mismas gracias espirituales concedidas al santuario jerónimo de Extremadura, deberían inscribirse en la cofradía del mismo.

Pero ni el señor Arzobispo de México ni los cofrades de Nueva España vinieron en ello. Sabemos a ciencia cierta que un antecesor de Gregorio XIII (1572-1585) concedió una indulgencia especial al Santuario de Nuestra Señora de Guadalupe de México y a su cofradía, pero hasta ahora no se ha descubierto el nombre de ese papa, algunos piensan que fue Paulo IV que gobernó la Iglesia de 1555 a 1559, y por tanto la fundación de la Cofradía Guadalupana del Tepeyac, tuvo lugar durante su reinado. Sin embargo de ello, otros piensan que debió de fundarse esa cofradía después de 1570, pues el capellán del santuario en su relación de ese año no la menciona para nada. En tal caso ese antecesor de Gregorio XIII, habría sido S. Pío V quien gobernó la iglesia desde 1566 a 1572.

Es muy digno de notarse que Gregorio XIII concedió "la prorrogación de la indulgencia concedida a la ermita de Nuestra Señora de Guadalupe" y añade otro documento: "la prorrogación del Jubileo que pidieron los cofrades de la ermita de Nuestra Señora de Tepeaquilla".[46]

Una palabra de explicación: el jubileo consiste esencialmente en una solemne indulgencia plenaria concedida por el romano pontífice, con facultades anexas, especiales para los confesores, en favor de los fieles que ganan dicho jubileo.

Recordemos además que el año de 1575 fue Año Santo para todo el mundo cristiano y, por tanto, que en el mismo se concedió un jubileo como el dicho para todos los fieles. Por ciertos indicios ese jubileo en la ciudad de México sólo se podía ganar en la Catedral y en la Ermita de Nuestra Señora de Guadalupe.[47]

6. *Un catecismo de Pedro de Gante*

Según antigua tradición confirmada por algunos testigos de las Informaciones de 1666, Fray Pedro de Gante, el insigne fraile educador, tuvo alguna intervención, como testigo, en las célebres apariciones de Nuestra Señora en 1531.

Don Marcos Pacheco, natural de Cuauhtitlan declaró en esas informaciones "que en el dormitorio antiguo y el primero que se hizo en la iglesia de este dicho pueblo (de Cuauhtitlan), estaba y está una Virgen Santísima (de Guadalupe) de pincel en un lienzo, y en la pared de él había visto pintado un religioso lego Fray Fulano de Gante".

Por otra parte Don Juan Juárez, asimismo nativo de ese pueblo, afirmó: ". . .(la efigie de Juan Diego) la vio este testigo pintada en el dormitorio antiquísimo de la iglesia de este dicho pueblo y a su tío Juan Bernardino a un lado de la Virgen Santísima, que estaba pintada en dicho dormitorio, y al otro lado un padre lego de la Orden de Señor San Francisco, que se acuerda le llamaban el Padre Gante . . ."[48]

Sabemos, por otra parte, que mediaban muy amistosas relaciones entre el señor Obispo Don Fray Juan de Zumárraga y Fray Pedro de Gante. De modo que es verosímil que el propio prelado haya tomado consejo de Fray Pedro en todo lo referente a las apariciones del Tepeyac.[49] ¿Quién mejor que que el dicho Fray Pedro, buen conocedor de la lengua mexicana, podía averiguar el origen, condiciones, carácter, educación y demás circunstancias de Juan Diego y de Juan Bernardino?

De las pocas cartas que hasta el presente conocemos de Fray Pedro, ninguna habla de la Virgen de Guadalupe, pero tenemos un documento en el cual se deja traslucir un indicio del culto que se tributaba a la Virgen Morena allá en su tiempo.

Se trata de un catecismo testeriano, esto es, en figuras y jeroglíficos indo-cristianos. cuyo original se conserva en la Biblioteca Nacional de Madrid. En la hoja de guarda se lee: *Este librito es de figuras con que los Misioneros enseñaban a los Indios la Doctrina a principios de la conquista.* (Hay edición facsimilar, Madrid, 1970).

En realidad no se trata de un solo texto de catecismo, sino de dos, al primero le faltaba la conclusión, y al segundo el principio; y de los dos se hicieron o encuadernaron uno solo.

Digno de advertir, por lo que a nuestro argumento atañe, es la representación de la Virgen María, representación que en su ingenua tosquedad —propia de esta clase de textos— recuerda la imagen de la Guadalupana del Tepeyac: está pintada a colores, manto azul y túnica rosa. Así aparece representada en el Ave María, en el Credo y en los Artículos de la Fe, en el Yo Pecador, etc. La penúltima figura del segundo texto —pues ya vimos que consta de dos— es la imagen susodicha con esos colores. Solamente en la Salve Regina no se le presenta así, de frente, sino de perfil y con otros colores.

Desgraciadamente, este catecismo no está fechado. Gracias a la firma de Fray Pedro de Gante, que figura en la página de guarda final, podemos asegurar que esos textos son anteriores a 1572 (año en que murió el célebre lego) y posteriores a 1548, por las semejanzas evidentes que tienen, cuanto al contenido, con la *Doctrina Breve*, traducida en náhuatl, por Fray Alonso de Molina, publicada en 1548 e impuesta por el Señor Zumárraga.

En vista de lo anterior, no puede menos de ser muy interesante el advertir esa representación de la Sma. Virgen con los colores de la Guadalupana del Tepeyac, en una obrita elemental que lleva la firma de Fray Pedro y que debió de salir de la escuela catequética que este religioso tenía establecida en San José de los Naturales de la ciudad de México, desde 1526.

En conexión con este o estos catecismos en figuras, podemos recordar el Códice Jeroglífico de Tlatelolco, ilustrado con hermosas pinturas, y misteriosos jeroglíficos y algunos ilegibles brevísimos textos castellanos. Su editor, Mr. Robert H. Barlow, asegura que fue escrito en los tiempos en que el P. Fray Bernardino de Sahagún residía en Tlatelolco. Para el año de 1560, vemos allí un interesante cuadrete, entre cuyas figuras se destaca la ermita del Tepeyac, figurada como de planta hexagonal u ochavada. Sería ésta la más antigua representación pictórica que tenemos de la Ermita, a no ser que tal honor se quiera reservar al *Mapa de la Ciudad de México*, de Alonso de Santa Cruz, que no debemos confundir con el célebre cosmógrafo de Carlos V, pues nuestro Santa Cruz no era sino un excelente alumno del Colegio de Santiago Tlatelolco. Algunos datan este mapa como delineado el año de 1555, otros lo fechan para 1560. Allí aparece la ermita como una elevada iglesia entre dos edificios aledaños.[50]

7. *Testamentos y Mandas Guadalupanos*

Numerosos fieles dejaban alguna manda en sus testamentos a la Virgen del Tepeyac. Recordemos a Don Sebastián Tomelín, vecino de la ciudad de Puebla de los Angeles, el cual en su testamento (4 de abril de 1562) ordenaba: "Item mando a Nuestra Señora de Guadalupe de la Ciudad de México, diez pesos de oro común, los cuales se paguen de mis bienes".[51]

Asimismo Doña Elvira Ramírez, vecina de la ciudad de Colima disponía: "Mando que en la ciudad de México, en Nuestra Señora de Guadalupe, se digan tres misas rezadas, la una a la Encarnación, y la otra a la Concepción de Nuestra Señora y la otra al Espíritu Santo y se pague la limosna acostumbrada. Item, mando que se digan en la misma casa de Nuestra Señora de Guadalupe, cinco misas rezadas, la una al Bdo. Blas e Santo Antonio y las tres misas por las ánimas del Purgatorio, y se paguen de mis bienes" (Villa de Colima, 30 de abril de 1567).[52]

Todavía podemos recordar otro célebre testamento de una natural, hija de Juan Martín, que lo hizo escribir en lengua mexicana. La traducción del texto correspondiente es como sigue:

"Hoy día sábado, once de marzo de 1559, hago mis apuntes acerca de mi casa que se halla en Cuauhtitlan... Ahora con toda mi alma, con todo mi corazón y con toda mi voluntad, dejo a la misma Señora (de Guadalupe) toda la arboleda de Perú, que llega hasta el caserío. Todo se lo dejo y se lo apropio con todo lo ya referido. Mando que se lea y relea este papel delante de los vecinos de San José Caltitlan Texapa. Escribano Morales".[53]

Estos testamentos y mandas nos recuerdan una frase de un celoso jerónimo que vino a investigar, por 1572, la ermita mexicana de Guadalupe. En carta al rey, en 24 de marzo de 1573, notificaba que el culto y devoción a la Virgen del Tepeyac "han hecho olvidarse a la gente de esta tierra totalmente de la devoción de aquella santa casa de Guadalupe (de Extremadura)..., en este tiempo poco menos que todos las hacen (las mandas) a Nuestra Señora de Guadalupe extramuros de la ciudad de México, lo cual parece bien por las cláusulas de los testamentos que se han hecho y hacen". Merece la pena digamos dos palabras sobre este personaje y las noticias que proporciona sobre nuestro tema.

8. *Un Fraile de Guadalupe de Extremadura visita Guadalupe de México*

Como es bien sabido del lector, en Extremadura, España, y precisamente en la provincia civil de Cáceres, existe un antiguo monasterio y santuario mariano en la villa de Guadalupe, y allí se venera una antiquísima imagen de la Virgen, con el título y nombre de esa villa. El monasterio perteneció a la Orden de San Jerónimo y actualmente está al cuidado de los Franciscanos de la Provincia de Andalucía.

Los devotos extremeños que vinieron a radicar a América, trajeron consigo su ardiente devoción a Nuestra Señora de Guadalupe de España, la Morenita de Villuercas, como le llaman cariñosamente. Pronto su devoción y culto se difundió por nuestras regiones hispanoamericanas.

Es muy comprensible que los Padres Jerónimos, teniendo alguna noticia de cómo se había propagado el culto guadalupano de su santuario por nuestras regiones, despacharan por 1572 dos religiosos comisionados para investigar los santuarios y ermitas que en las Indias, como llamaban entonces a nuestra América, se habían erigido en honor de su santa patrona. Débese tener en cuenta, además, que la Santa Sede había concedido a esos religiosos determinados privilegios, merced a los cuales podían reclamar parte de las limosnas, exvotos y mandas testamentarios que los fieles hubiesen ofrecido en honor de la Guadalupana Extremeña.

El comisionado para México resultó ser Fray Diego de Santa María. Llegó a nuestro país en 1572, hizo algunas investigaciones que le parecieron suficientes y, en carta del 12 de diciembre del año dicho, ya escribía a Felipe II:[54]

"...Yo hallé en esta ciudad (de México) una ermita de la advocación de Nuestra Señora de Guadalupe, media legua de ella, donde concurre mucha gente". Ya vimos arriba, cómo notificaba que el culto rendido en el Tepeyac, había hecho olvidar el debido al santuario extremeño. También habla en esa carta de la Cofradía guadalupana del Tepeyac; pero en su opinión los cofrades de México resultaban defraudados pues "se tienen por verdaderos cofrades de la santa casa de Guadalupe (de Extremadura) y de los frailes de ella, y que gozan de los sufragios, oraciones y beneficios espirituales de la cofradía antiquísima de aquella santa casa de Nuestra Señora (de Guadalupe) con verse asentar en la cofradía de los vecinos de esta ciudad (de México)", siendo así, como resulta del escrito del informante, que no existía ninguna relación canónica ni moral entre aquella cofradía extremeña y la tepeyacense, ni entre las respectivas imágenes.

Impresionante, pues, era el culto de la Morenita del Tepeyac, según esos datos. Por lo cual, teniendo en cuenta las rentas (unos dos mil pesos, según creía Fray Diego) y las limosnas (otros dos mil, según su opinión) de que gozaba la ermita mexicana, pedía el fervoroso jerónimo que se estableciese en México una casa filial del monasterio guadalupano de Cáceres, pero no precisamente en el Tepeyac, por "ser lugar malsano y salitroso" y carente de agua potable, sino que la dicha ermita se trasladase a una "granja" que se hallaba cerca de esta ciudad de México, "que se llama Chapultepec" y añadía: "Es de Vuestra Majestad y sirve de irse a holgar a ella algunas veces el Vissorey y Oidores".

En caso de que no fuera aceptada su proposición, suplicaba a Su Majestad que a la ermita de México se "le quitase el nombre de Guadalupe", pues a ello se sentía obligado Fray Diego por su profesión de pertenecer a la santa casa de Guadalupe de Extremadura, y así se evitarían confusiones penosas para el santuario español.

Otra observación de Fray Diego merece breve comentario. En su primera carta al Rey, hacía notar que el edificio de la ermita mexicana de Guadalupe "era muy pobre". Esta apreciación no está de acuerdo con el testimonio del inglés Mr. Miles Philips, ni con las notas del diario de Juan Bautista, ya citadas atrás. El primero de estos últimos no duda en calificar la "ermita" como una magnífica iglesia en cuyo interior pendían tantas lámparas de plata cuantos días tiene el año. ¿Cómo llamar pobre a un templo con tanta riqueza? Por aquí se ve que nuestro monje no siempre informaba con exactitud y verdad.

9. *Solemnes funerales de D. Alonso de Villaseca en el Santuario del Tepeyac*

Recordarán nuestros lectores el nombre y servicios del gran bienhechor y administrador que fue de la Ermita del Tepeyac, don

Alonso de Villaseca, uno de los hombres más ricos y más caritativos de México en el siglo XVI.[55]

Murió precisamente el 8 de septiembre de 1580, día en que por entonces se celebraba la fiesta titular de la Iglesia del Tepeyac. Asistiólo en sus postreros momentos el P. Bernardo Acosta, de la Compañía de Jesús. Este hecho nos trae a la memoria que los primeros jesuitas habían llegado a México el año de 1572 y que Villaseca fue el principal bienhechor de los mismos en la Ciudad de México y sus alrededores.

Por expresa voluntad suya, su cadáver embalsamado "se trajo a México, escribe un historiador, y estuvo depositado tres días en la iglesia de Nuestra Señora de Guadalupe, mientras se disponía el entierro, que fue solemnísimo, con asistencia del Virrey, la Audiencia. . . Al salir el entierro se presentaron para cargar el cuerpo los principales padres jesuitas, y por otra parte acudieron al mismo tiempo, con igual pretensión, los Oidores de la Real Audiencia. . . los jesuitas, quienes tomaron el cadáver y lo condujeron con gran pompa a su primitiva iglesia de Xacalteopan, fabricada por los indios de Tacuba en el lugar que había donado Villaseca y donde más tarde estuvo el colegio de San Gregorio".

10. *Los Jesuitas y su devoción a Nuestra Señora de Guadalupe*

Los jesuitas pronto fueron conquistados por los beneficios espirituales y temporales que recibieron de Nuestra Señora de Guadalupe de México; beneficios que debieron hacerse patentes en parte, a través de la hombría de bien y de la generosidad de D. Alonso de Villaseca, de quien arriba hablamos.

Afortunadamente estos nuevos misioneros, no estaban prejuiciados en contra del Tepeyac, como los misioneros antiguos que, por razones de métodos pastorales y por otros secundarios motivos, eran desafectos entonces al culto guadalupano.

Por otra parte, aquella máxima de San Ignacio: "Alabar reliquias de sanctos, haciendo veneración a ellas, y oración a ellos; alabando estaciones, peregrinaciones, indulgencias, perdonanzas con cruzadas y candelas encendidas en las iglesias",[56] predisponía favorablemente, a los hijos del gran santo, a descubrir los valores positivos de la devoción guadalupana.

Por lo demás, hasta el mismo P. General de la Compañía de Jesús, Everardo Mercuriano, hizo diligencias en Roma, cerca de Su Santidad, para obtener la prorrogación de las indulgencias que un antecesor del Padre Santo Gregorio XIII había concedido al santuario mexicano de Nuestra Señora de Guadalupe, como ya apuntamos brevemente atrás. En efecto con fecha 12 de marzo de 1576, dicho Padre General escribía al señor arzobispo D. Pedro Moya y Contreras:

"También ha habido la prorrogación de la indulgencia concedida a la ermita de nuestra Señora de Guadalupe, y la conmutación del día como se ha pedido y va con ésta el breve".[57]

Cuanto a "la conmutación del día" de que habla el documento citado, debe tratarse del día en que se podía ganar la indulgencia, no el día ocho de septiembre, como anteriormente, sino el día 12 de diciembre, en recuerdo de la aparición de la milagrosa Imagen ante Don Fray Juan de Zumárraga. Pero no se trata ciertamente del cambio de la festividad guadalupana, del 8 de septiembre al doce de diciembre, que sólo se verificó muchos años más tarde en la liturgia concedida por Benedicto XIV a la Iglesia de México. Merece la pena citarse aquí un texto reciente del P. Churruca:

"La iniciativa de renovar la indulgencia brotó de los cofrades de la Ermita. La existencia de esta cofradía a la que secundó D. Pedro Moya de Contreras, es un hecho importante. Mucho más lo es que el Papa Gregorio XIII haya concedido la indulgencia a sólo dos iglesias: a la Catedral Metropolitana (que es llamada —en los documentos a que nos referimos— el sumo templo mexicano) y a la (en cuanto a dimensiones) pequeña ermita. Esta equivalencia demuestra la importancia cada vez mayor que adquiría el culto guadalupano, dato confirmado por otros más conocidos".[58]

Advierto empero que éso de "pequeña ermita", es traducción del término latino "sacellum" con que los autores de esos tiempos traducían la palabra española "ermita". Nótese que, en documentos de la época, a la gran iglesia guadalupana del Tepeyac de 1609 se le llama todavía "sacellum". De modo que este término, aunque de suyo, signifique "capilla, iglesia pequeña, oratorio y hasta ermita" cuando se aplica a un santuario como el del Tepeyac, propiamente no se refiere a sus dimensiones, sino a su denominación tradicional.

El P. Pérez Rivas en su *Corónica . . .* (o *Crónica*) *de la Compañía de Jesús*, escribe: :

"En una necesidad pública que esta ciudad de México padeció el año de 1593, acudió esta Congregación (la de estudios menores) a pedir a la Virgen Sma. su remedio. Y salieron a pie de nuestro Colegio los congregantes, hasta la ermita de la milagrosa Imagen de Nuestra Señora de Guadalupe, una legua distante de la ciudad, siendo acto de notable edificación y ternura ver tantos mancebos de tierna edad, en una bien ordenada procesión con sus luces en las manos, cantando devotamente las letanías y otras santas oraciones por el camino, pidiendo a Dios misericordia y a la Madre de ella su ayuda. Habiendo llegado a la Iglesia y oído Misa que dijo uno de los nuestros y recibida la sagrada Comunión en ella, ofrecieron a la Sma. Virgen todas las velas que llevaban, y se volvieron con la misma edificación con que habían ido".

Nótese aquí cómo el P. Pérez Rivas llama indiferentemente "ermita" e "iglesia" al santuario del Tepeyac, lo que confirma lo arriba asentado: ese templo era llamado "ermita" en el último cuarto del siglo XVI y muchos años después, no por sus dimensiones, sino por denominación tradicional.

La espectacular demostración de culto guadalupano de parte de los Jesuitas y de sus alumnos debió de ejercer saludable influjo en la sociedad mexicana de aquellos tiempos, pues muchas personas se dirían entre sí o comentarían: Si los hijos de San Ignacio que son tan virtuosos y sabios no tienen recelos para con la devoción guadalupana del Tepeyac, ¿no significará eso que los temores y sospechas de los antiguos misioneros son exagerados y poco fundados? La opinión pública de aquel tiempo, gracias a los Padres de la Compañía, fue gradualmente haciéndose cada vez más favorable para con el culto guadalupano.[59]

CAPITULO II

EL CULTO GUADALUPANO DE MEXICO EN EL SIGLO XVII

ARTICULO I

1600: La insuficiencia de la iglesia del Tepeyac de 1566 y la necesidad de un nuevo templo

En 1600 el Cabildo Eclesiástico Metropolitano, estando vacante la sede arzobispal, consideró la necesidad apremiante de levantar una nueva iglesia guadalupana en el Tepeyac, porque la existente entonces resultaba insuficiente para dar cabida a las numerosas peregrinaciones que acudían a encomendarse a Nuestra Señora.

Pareció además a los señores capitulares que el lugar en donde se levantaba dicho templo, llamado ermita por tradicional denominación, no era conveniente, por la poca resistencia del terreno y por hallarse un tanto alejado de la calzada o camino real. Determinaron en consecuencia que la nueva edificación se erigiese en las proximidades del camino real, poco más o menos donde al presente se ve la antigua y ahora clausurada Basílica.

Estas determinaciones del Cabildo metropolitano estaban muy bien fundadas en derecho, pues consta que el propio cabildo estaba encargado de la administración de la iglesia del Tepeyac.[60]

En cumplimiento de esas resoluciones, se bendijo en 1601[61] la primera piedra; y las obras de edificación debieron de continuar con buen ritmo, pues el nuevo arzobispo Don Fray Diego de Santa María y Mendoza y Zúñiga, monje jerónimo, gran devoto de la Virgen de Guadalupe de Extremadura, lo fue también de nuestra Virgencita del Tepeyac, como lo delata la ocasión en que fue sorprendido por el doctor Alonso Muñoz de la Torre, deán de la Catedral, mientras leía sumamente conmovido hasta derramar lágrimas, los autos y procesos de las apariciones de Nuestra Señora de Guadalupe.[62]

El Ilmo. Señor Arzobispo dicho, no tuvo la gracia de ver concluida la nueva iglesia, pues murió en 1606, pera la dejó tan adelantada que su sucesor, Don García Guerra, dominico, pudo bendecir la nueva "ermita" el año de 1609, como lo revela una lámina de plomo que se encontró el año de 1695 en los cimientos de la iglesia guadalupana que fuera derribada ese año.

La dicha lámina de plomo, escrita en latín, dice así, vuelta a nuestra lengua:

A DIOS OPTIMO MAXIMO

A la Sma. Virgen María, Reina de los Cielos y Patrona Singularísima de la provincia mexicana, fue dedicada esta ermita (sacellum) y levantada desde sus cimientos, en la que se gastaron muy cuantiosas limosnas, el año del Señor de 1609, siendo Pontífice Romano, Paulo V, Rey de España y del Nuevo Mundo el catolicísimo Felipe III, Virrey D. Luis de Velasco y Arzobispo don Fray García Guerra, de la Orden de Santo Domingo.[63]

El señor arzobispo García Guerra falleció el 22 de febrero de 1612, sucediόle en la sede arzobispal Don Juan Pérez de la Serna, quien entró en México el 29 de septiembre de ese año y gobernó su diócesis hasta 1625, en que fue trasladado a Zamora de España.

Don Juan Pérez de la Serna tomó muy cordial devoción a la Guadalupana del Tepeyac, mandó ampliar la nueva iglesia[64] y quiso impregnar de devoción guadalupana a los llamados a las sagradas órdenes.

El sábado 15 de marzo de 1614, ordenó en la "ermita" al subdiácono D. Alonso Dávalos, y el sábado 24 de mayo del mismo año le confirió el diaconado, y le promovió al presbiterado el 4 de abril de 1616, siempre en la iglesia de Nuestra Señora de Guadalupe.[65]

Este sacerdote, Don Alonso Dávalos, llegaría con el tiempo a ser arzobispo de México, y antes sería consagrado obispo de Oaxaca a donde llevó el culto guadalupano.

Merece la pena que citemos por entero, aunque traducidas al castellano, las testimoniales de una de esas ordenaciones. Dicen así:

El Ilmo. D. Juan Pérez de la Serna, por la gracia de Dios y de la Sede Apostólica, Arzobispo de México y del Real Consejo de S.M. etc. . . hacemos saber que el año de 1614 del nacimiento del Señor, el sábado de las cuatro témporas, después de la fiesta de la Exaltación de la Santa Cruz, celebrando ordenaciones generales en la Iglesia o Ermita de la Bienaventurada Virgen María de Guadalupe fuera de los muros de la ciudad de México, estimamos promover al presbiterado, previo examen y aprobación, con dispensa de los intersticios y con licencia de su prelado, al diácono Luis de Santillana, domiciliado en la Nueva Galicia, hijo legítimo de Fernando de Santillana y de Luisa Pérez, cónyuges, vecinos de la ciudad de Córdoba, en España, en la fecha y celebración arriba referidos.

Juan, Arzobispo de México.
Por mandado del Ilmo. Sr. Arzobispo
Can. Domingo de Ocaña, Srio.
un sello.[66]

Según Torquemada,[67] para las primeras décadas del siglo XVII, el culto del Santuario del Tepeyac estaría casi olvidado; y lo mismo repiten D. Joaquín García Icazbalceta y sus discípulos. Pero no había tal, pues vemos a tres arzobispos, Don Diego Mendoza, Don García Guerra y Don Juan Pérez de la Serna, que levantaban, erigían y ampliaban la iglesia de Guadalupe del Tepeyac, y para ese fin se recogían según reza la placa de plomo de 1609, cuatiosas limosnas. Más aún, algunos de estos señores, sino es que todos ellos, se complacían en celebrar ordenaciones generales en esa misma iglesia, ordenaciones que generalmente llevan al cabo los prelados en sus catedrales, pero para D. Juan Pérez de la Serna, como para su antecesor Don Pedro Moya de Contreras, la iglesia de Guadalupe era la primera de su arquidiócesis, después de Catedral.

ARTICULO II

Una magnífica placa historiada de las apariciones y milagros de la Virgen de Guadalupe, del tiempo del señor Arz. D. Juan Pérez de la Serna (1613-1622)

No ha muchos años que el señor H. H. Behrens descubrió y adquirió en Oaxaca una plancha de cobre para grabar estampas. En esa placa aparecen datos muy interesantes para el culto guadalupano entre 1613 y 1622.[68]

La plancha o placa fue burilada por Samuel Stradanus, latinización del apellido belga Van der Straet. Era éste, un belga natural de Amberes quien grabó en México las portadas de importantes obras, entre ellas la del SANCTUM CONCILIUM PROVINCIALE de 1585, vuelto a imprimir en 1622.

La placa arriba dicha lleva el nombre de su autor, de modo que no cabe duda sobre el mismo. Esa lámina de cobre estaba destinada para imprimir estampas guadalupanas, tamaño oficio, que se darían a toda persona que diese una limosna para acabar la obra de la iglesia de Nuestra Señora de Guadalupe. No se trata evidentemente de la iglesia que se bendijo en 1609, sino probablemente de una ampliación de la misma ordenada por el señor arzobispo D. Juan Pérez de la Serna.

Merece la pena que describamos esta preciosa placa: mide 32.5 centímetros de alto por 21 de ancho. Está partida en tres secciones verticales. La central de éstas mide 11 centímetros de ancho; las laterales 5 centímetros cada una.

La sección central se encuentra a su vez dividida en dos paneles. El superior tiene 14.7 centímetros de altura; el inferior 17.8 centímetros (*Figuras* 11 y 12).

En el pánel superior aparece la imagen de Nuestra Señora de Guadalupe, entre dos lámparas y dos candelabros, a uno y otro lado. De la parte más alta cuelgan seis exvotos o milagros. Al pie de la Virgen Guadalupana figura el nombre del autor: *Samuel Stradanus excudit* (Samuel Stradano buriló). La representación de Nuestra Señora es la clásica, salvo que lleva corona sobre la cabeza, y en lugar de los rayos que la circundan, aparecen monísimos mini-querubines: cuatro a la derecha y tres a la izquierda, de los cuales nos ha guardado memoria el P. Florencia.

Más abajo se lee esta inscripción:

"El Ilmo. Sr. D. Juan de la Serna, por la gracia de Dios y de la Santa Sede Apostólica, archobizpo (!) de México, del Consejo del Rey nuestro señor etc., concede los cuarenta días de indulgencias que le son concedidas por la Santa Sede Apostólica y (el) Derecho, a cualquier persona que recibiere y tomare para sí un trasunto de esta Imagen de la Virgen Nuestra Señora de Guadalupe, y diere la limosna aplicada para la obra que se va haciendo de la Iglesia nueva en su santa casa y ermita, a que todos los fieles deben ayudar por no tener con qué se pueda acabar y ser la obra tan piadosa y de la Virgen".

Vése, más abajo, el escudo de armas del señor Arzobispo, y otra inscripción en latín, la cual vuelta a nuestra lengua dice así:

"Samuel Stradano, grabador de Amberes, calurosamente desea mediante este escudo, al Ilmo. y Rmo. Sr. D. Juan de la Serna, por la gracia de Dios y de la Sede Apostó-

lica, Arzobispo de México y Consejero del Rey, larga vida y salud".

En los paneles laterales, están encuadrados con mucha gracia ocho de los "ex-votos" que recuerdan favores concedidos por la Sma. Virgen de Guadalupe a sus devotos españoles, y son los mismos que trae el *Nican Motecpana* en los lugares 4o., 5o., 6o., 9o., 10o., 11o., 12o. y 13o.

Reproducimos a continuación las breves inscripciones que acompañan al calce respectivo cada mini-retablo:

A la derecha de la Virgen:

1."Bartolomé Granado, tenía gran dolor de cabeza y de oídos; no halló remedio; fue a novenas; llevó una cabeza de plata que está colgada en su Iglesia de Guadalupe y sanó milagrosamente".

2."México-Tenochtitlan, Catarina de Monta. . . hidrópica de once años, sin experanzas de salud, vino a novenas y bebió el agua de la fuente donde apareció N. S. de Guadalupe y luego sanó".

3."Pachuca. Fray Pedro de Valderrama, descalzo, tenía un dedo del pie. . . sanó luego y fue a pie hasta Pachuca dende Guadalupe".

4."Guadalupe. Don Luis de Castilla estando malo en la cama de una pierna, no halló remedio hasta que prometió a N. S. una pierna de plata, que está colgada en su Iglesia de Guadalupe, y quedó luego sano". . .

A la izquierda de la imagen de Nuestra Señora:

1. "Tulancingo. Don Antonio de Carbajar (!), Alcalde Mayor de Tulancingo, llevó un niño a caballo; arrastróle el caballo por unas barrancas, y dijo el niño que N. S. había aparecido y guardádole de todo mal".

2. "Rezando estaba un hombre de rodillas; se le cayó una lámpara muy pesada en la cabeza y no lo lastimó ni la lámpara se abolló ni se derramo el aceite, ni tampoco se quebró el vidrio".

3. "La Gran Ciudad de México. Juan Pavón, sacristán de N. S. tenía un niño malo de una apostema en la garganta y untóle con aceite de la lámpara de N. S. y se. . . y luego sanó sin más remedio".

4. "El P. Juan Vázquez de Acuña, Vicario de la Virgen estando aguardando para decir misa en el altar, vio que las candelas para encender se encendieron milagrosamente por N. S.".

Estas relaciones de favores no dependen, ciertamente, del *Nican Motecpana*, porque contienen datos, a pesar de su brevedad, que no siempre se hallan en dicho escrito náhuatl; pero uno y otro, es decir, tanto el autor del *Nican Motecpana*, como Samuel Stradano, dependen de los retablitos populares que, como nos refiere el P. Florencia, testigo de vista, pendían de las paredes del mismo santuario.

Nótese que faltan seis de los "favores o milagros" relatados por el *Nican Motecpana*, de los cuales uno solo se refiere a una española, y los cinco restantes se relacionan con indios. Pero recuérdese que en la parte superior del retablo alto superior, sobre la misma corona de Nuestra Señora se ven, en la placa susodicha, seis ex-votos que corresponden precisamente a los omitidos. Stradano dio preferencia a los relatos de españoles, porque ellos, como generalmente más ricos, podían dar mayores limosnas al tomar la susodicha estampa.

En una palabra, esta placa para imprimir estampas guadalupanas, confirma los relatos del *Nican Motecpana* y del P. Florencia.

El resultado de la distribución de estas estampas y de las exhortaciones del clero y de los devotos, pronto pudieron verse en la consagración de la nueva iglesia de Nuestra Señora de Guadalupe, el año de 1622, probablemente por el mes de noviembre.

Como la construcción del templo guadalupano, promovida por el arzobispo D. Juan Pérez de la Serna se concluyó en 1622, se concluye que la dicha placa fue burilada algunos años antes de este último año, por tanto, poco más o menos por 1617.

11. Lámina de cobre grabada por Samuel Stradanus hacia 1615. (32.5 × 21 cms.)

12. *Impresión de la lámina de Stradanus.*

ARTICULO III

Un terciario franciscano, el capitán Angel de Betancourt canta la milagrosa aparición de Nuestra Señora

La Tercera Orden Secular de San Francisco, aun cuando parezca a primera vista increíble, no se estableció en forma corporativa en México, sino hasta el año de 1617, y precisamente en el templo de San Francisco de esa ciudad. Entre los miembros de esa corporación, se cuenta el capitán Don Angel de Betancourt, quien debía de consagrar sus ratos libres al cultivo de la poesía.

Se ha descubierto de él, un poema dedicado a la Virgen de los Remedios, célebre también en la capital y que se veneraba en el cerro del Totoltépec.

Inspirándose en el "milagro" número 3 que narra el *Nican Motecpana* o en el retablo correspondiente que se podía ver en los muros de la Iglesia guadalupana, el buen militar, nos ofrece un diálogo de Nuestra Señora con D. Juan (distinto de Juan Diego), al cual habría dicho entre otras cosas:

Mira la sangre de los sacrificios
Que en aqueste idolismo está caliente;
Vendrá a purificarse de sus vicios
La Cristiandad de mi rosado Oriente;
A Tepeaquilla baja diligente,
Y entre tajadas peñas y redondas
Verás mi imagen cerca de las ondas,
No como aquí, de bulto, de pinceles
Que en blanca manta el gran Apeles tupe,
Porque Dios, verdadero Praxiteles,
Allí me advocará de Guadalupe.
Harásme un templo allí cuando los fieles
La cruz levanten, y este hemisferio ocupe,
Después de la conquista esta tierra,
Porque no hay cosa buena con la guerra.[69]

Es claro que el capitán Betancourt no manejaba la lira con la misma destreza que la espada, pero lo importante para nosotros es la clara alusión a la tradición del origen milagroso de la Imagen de Tepeaquilla o Tepeyac.

Este testimonio tiene mayor importancia, por tratarse precisamente de un terciario franciscano, quien, como es de suponerse, estaría en frecuente contacto espiritual con sus hermanos de la Primera Orden, los misioneros franciscanos. Este testimonio por tanto sugiere que entre los dichos misioneros comenzaba a desmoronarse la oposición a la devoción guadalupana de México.

ARTICULO IV

La imagen original de la Virgen del Tepeyac y la inundación de 1629

La ciudad de México, asentada en la cuenca de una región lacustre se ha visto, a lo largo de su historia, afligida por serias inundaciones que las modernas técnicas han logrado, con mayor o menor felicidad, superar en nuestros tiempos.

Acaso la más desastrosa inundación que haya sufrido nuestra ciudad fue la de 1629, que se prolongó por cinco años hasta el de 1634.

Esta inundación, con todos sus desastrosos efectos, realizó un profundo cambio en la mentalidad de los antiguos misioneros franciscanos, dominicos y agustinos, como vamos a ver.[70]

El señor Arzobispo, que lo era entonces Don Francisco Manso y Zúñiga, dispuso que para alcanzar del Cielo el remedio a tan grave calamidad, se trasladase la Imagen Original de Nuestra Señora de Guadalupe, desde su Santuario del Tepeyac, a la Iglesia Catedral de la capital, como se realizó el 25 de septiembre de ese mismo año de 1629.

La gran procesión presidida por el mismo Señor Arzobispo y realzada por la presencia del Virrey, Marqués de Cerralvo, estuvo formada por los principales representantes de ambos cleros, diocesano y regular, quienes a bordo de numerosas canoas, pues las calles y calzadas estaban totalmente inundadas, acompañaron la santa efigie.

Trasladóse la Sagrada Imagen desde su santuario a la parroquia de Santa Catalina y de allí al palacio episcopal y, finalmente, al día siguiente, a la Catedral, en cuyo altar mayor fue solemnemente colocada.

Notemos que en esa procesión tuvieron señalado lugar los miembros de las antiguas órdenes misioneras de San Francisco, Santo Domingo y San Agustín. Presionados por la necesidad de encontrar remedio a la grave necesidad, y urgidos por la invitación del señor arzobispo, no pudieron excusarse de tomar parte en aquella devota peregrinación.

No hace falta narrar circunstanciadamente todos los diversos actos religiosos que ese año y los siguientes, hasta el de 1634, se llevaron a cabo en la catedral ante la Imagen de la Virgen Morena, implorando su auxilio y socorro en tan grave lance.

Durante todos esos años de calamidad, se multiplicaron las novenas a la Virgen de Guadalupe y las órdenes religiosas se turnaban los novenarios, distinguiéndose muy especialmente los Mercedarios y su Provincial.

Por otra parte, el Virrey dividió las varias secciones de la ciudad entre las órdenes religiosas para formar un censo de las familias necesitadas y proveerlas de lo necesario.

Los miembros de las antiguas órdenes tuvieron oportunidad de comprobar los estragos de la inundación y de palpar, por así decirlo, la viva fe del pueblo sencillo en su Madrecita de Guadalupe. Algunos de esos religiosos, acaso no la veneraban aún bajo esa advocación; pero aquellos testimonios de fe ardiente e ingenua de la gente humilde debieron conmoverlos hondamente.

Pero a pesar de las multiplicadas plegarias, la gracia implorada de que cesase la inundación no se concedió por largo tiempo, y ello no obstante, el pueblo piadoso y devoto tenía conciencia de que algo misterioso se estaba operando en ellos, algo que no acertaban a definir. Algo semejante acontece a aquellos enfermos que, armados de viva fe, imploran del Señor la salud corporal sin alcanzarla. No desesperan, no pierden la fe, y en la misma denegación de la gracia tan ardientemente anhelada, descubren una gracia mayor, de orden moral y espiritual, que estiman en más que la propia salud corporal.

Algo de esto aconteció, en estos largos cinco años de inundación continua, a la ciudad de México. Uno de esos efectos, fue el paulatino cambio de mentalidad que tuvo lugar entre muchos religiosos de las antiguas órdenes religiosas que habían iniciado y proseguido la evangelización de nuestra Patria desde el siglo XVI.

Ya hemos visto anteriormente, cómo desconfiaban de esa devoción y cómo la tachaban, cuando menos de sospechosa, sino es que de idólatra. Pero al presente —en esa inundación— tenían a la Sagrada Imagen en la misma catedral, y, sobre todo, tenían el testimonio viviente, sincero, ingenuo de tantas víctimas de la terrible inundación, quienes, a pesar de todo, no perdían la fe en la Virgen del Tepeyac. No era la fe, de esa pobre gente, una fe y una religiosidad interesadas; buscaban algo más hondo y más trascendental que verse libres de una calamidad material. Se conformaban con la Voluntad divina; y en su manifiesto desamparo, su fe —la fe de ese pueblo— se purificaba y acrisolaba.

En una palabra, aquella dolorosa inundación de cinco años, fue el crisol de la fe auténtica de aquella pobre gente.

Todo eso lo comprobaban diariamente los franciscanos, dominicos y agustinos y otros religiosos, muchos de los cuales se señalaron no menos que el Arzobispo y el Virrey por una caridad delicada y operante para con los desdichados.

Cuando, finalmente cesó la inundación, el año de 1634, muchos eclesiásticos y religiosos, veían con nuevos ojos, de una fe más pura, más sencilla y más honda, la imagen original de Santa María de Guadalupe.

Un poeta, al parecer eclesiástico, entonó estas coplas a la Sagrada Imagen, cuando regresaba a su "ermita":

Pues sois el maná de gracia,
Hoy, atrevida mi lengua,
Os pide amparo de madre
Y favor como a princesa.

Para rendiros las gracias
Por tantas mercedes hechas,
En medio de penas tantas,
A México patria nuestra.

Cuyas esperanzas tristes
Sólo con Vos se consuelan,
Pues con vuestro Hijo sois
La más cierta medianera.

Y añade más adelante:

Vos, Virgen, sois dibujada
Del que hizo cielos y tierra,
Cuyo portento no es mucho
Dé indicios que sois la mesma.

Si venís de tales manos
¿Qué mucho llore la tierra
Una ausencia que es forzosa
De un milagro que se ausenta?[71]

A partir de entonces, los dominicos y franciscanos comenzaron a tomarle mayor devoción a Nuestra Señora de Guadalupe de México.[72] Entre 1632 y 1633, los Frailes Predicadores expusieron una imagen de la Guadalupana en Santo Domingo de México, y algunos años después, los Franciscanos del Convento Grande de la misma ciudad, descubrieron una antigua mesa que había sido del Señor Obispo Don Fray Juan de Zumárraga, y sobre la cual, según antigua tradición, el mismo prelado había extendido la tilma milagrosa de Juan Diego.[73]

Encargaron a un célebre maestro, probablemente Baltasar Rioja de Echave, que sobre el tablado de esa antigua mesa, pintase la imagen de la Virgen Morena de México, y la expusieron posteriormente en uno de los laterales de la iglesia del Convento Grande de la Metrópoli.

En el respaldo de ese tablado se lee la siguiente inscripción que se conserva hasta nuestros días:

TABLA DE LA MESA DEL SEÑOR ZUMARRAGA Y EN LA CUAL EL DICHOSO NEOFITO PUSO LA TILMA EN QUE ESTABA ESTAMPADA LA MARAVILLOSA IMAGEN.[74]

Según el cronista Fray Agustín de Vetancurt, dicho cuadro habría sido colocado a la veneración pública en 1675; pero su veneración privada, en las capillas interiores del antiguo convento de San Francisco de México, bien pudo ser bastante anterior. Al presente, esta pintura de Nuestra Señora de Guadalupe se venera en el lugar principal del retablo de la capilla que antiguamente se llamó de Balvanera y hoy precisamente de Guadalupe, en San Francisco de México.

ARTICULO V

Multiplicación de estampas Guadalupanas

Nos refiere Don Cayetano Cabrera:[75] "Pidió al arte la devoción las plumas o pinceles de Dédalo . . . y sacó de colores no sé qué medidas del sagrado vulto (rostro) y cabeza. Deshacíase y anhelaba la devoción por estos rasgos de su dueño, proporciones de su hermosura. Y como no pudiesen satisfacer el ansia de todos, o por lo prolijo o costoso, tuvo lugar, o la pobreza o la codicia, de engañar y disfrutar la devoción: adulteró y amontonó tal copia de éstas que se llenó el reino de engaños, y las copias que tenían cabeza y no pies, andaban ya sin pies ni cabeza, enriqueciendo a modo de moneda corriente las granjerías indignas que las vendían por cuentas, y las mantenían tocadas al rosal de la santa imagen. Y hubiera tomado más cuerpo el engaño si el señor Deán, juez administrador del santuario y sus propios, no ocurriese al remedio por edicto que publicó, con penas y censuras gravísimas, recogiendo las medidas adulteradas y exponiendo las verdaderas. Publicóse este edicto y fijóse en la catedral el 8 de octubre de 1637 . . .".

Con licencia del Ordinario. En Mexico, en la Emprenta de Diego Garrido. Año, 1621.

13. Portada de un folleto impreso por Diego Garrido, México, 1622.

SERMON
DE LA NATIVIDAD
DE LA VIRGEN MARIA SEÑORA NVESTRA, PREDICADO EN LA ERMITA DE GVADALVPE, EXTRAMVROS DE LA CIVDAD DE MEXICO EN LA FIESTA DE LA MISMA YGLESIA.

Por Fray Iuan de Cepeda Eremita.

A N. muy R. P. M. F. AGVSTIN de ARDVI, PROVINCIAL en esta Prouincia MEXICANA de AGVSTINOS del SS. nombre de IESVS.

Año 1622.

CON LICENCIA

En Mexico, en la Imprenta del Bachiller Iuan de Alcaçar.

14. Portada de un sermón impreso por el Br. Juan (Blanco) de Alcázar, México, 1622.

15. Grabado de las Novenas del Br. Miguel Sánchez, impresas por la Vda. de Bernardo Calderón, México, 1655.

COPLAS
A LA PARTIDA, QVE LA Soberana Virgen de GVADALUPE, hizo de esta (*) Ciudad de Mexico, para su Hermita. (*)

Compuestas por vn deuoto suyo.

16. Portada de un folleto impreso por Francisco Rodríguez Lupercio, México, 1634.

Por este documento se ve que no es exacto Gutiérrez Dávila[76] cuando afirma que a mediados del siglo XVII no se hallaban copias de la Imagen de Nuestra Señora de Guadalupe, sino sólo en Santo Domingo de México. La inexactitud de esta misma noticia resulta también de la multitud de estampas que debieron de imprimirse con la plancha de Stradanus, de que ya dijimos arriba. Estas estampas se distribuyeron por innumerables hogares e iglesias de México y de toda la Nueva España.

ARTICULO VI

Otros efectos de la presencia de la Sagrada Imagen durante la inundación ya dicha

El principal y mayor efecto de esa presencia fue el acrecentamiento considerable de la devoción a Nuestra Señora de Guadalupe, no sólo de parte del pueblo sencillo, sino también de parte de personas muy principales. Por ejemplo el Virrey Don García Sarmiento de Sotomayor y Luna (que gobernó de 1642 a 1648) manifestó generosamente su devoción costeando en gran parte "el tabernáculo de plata maciza, de más de trescientos cincuenta marcos de peso; cuya materia con ser tanta y tan preciosa, cede a los primores del arte con que está labrado. En éste está colocada la santa Imagen, debajo de puerta y llave; y es la puerta de dos bellas lunas de cristal, tan grandes que cogen la Imagen de pies a cabeza; demás de dos ricos velos o cortinas con que está retirada a la vista, cuando no se dice misa en el altar mayor o cuando no hay personas de respeto, que para velar ante ella piden se corran".[77]

ARTICULO VII

Nueva concesión de indulgencias otorgadas por S. S. Urbano VIII

Como se comprende fácilmente, dado el aumento siempre creciente de fervor y devoción guadalupanos, la Cofradía Guadalupana establecida en el Tepeyac, demandó la renovación de las indulgencias anteriormente concedidas por Gregorio XIII y sus sucesores. Tal concesión se dignó otorgar Urbano VIII, como consta por un sumario que de esas gracias espirituales se publicó entonces con el siguiente título:

SUMARIO DE LAS INDULGENCIAS CONCEDIDAS POR EL SANTO PADRE URBANO OCTAVO A LA COFRADIA DE NUESTRA SEÑORA DE GUADALUPE, EXTRAMUROS DE LA CIUDAD DE MEXICO. En México, en la imprenta de la viuda de Bernardo Calderón, en la calle San Agustín, año de 1644.[78]

La gracia principal, entre las muchas que se concedían, era una indulgencia plenaria a los que visitaran el Santuario en la fiesta titular.

ARTICULO VIII

Devoción creciente de los regulares para con Nuestra Señora de Guadalupe de México

Ya hemos visto cómo los Dominicos, entre 1632 y 1633, colocaron a la pública veneración una hermosa imagen de Nuestra Señora de Guadalupe en el antiguo retablo dedicado a Santo Domingo de Soriano. Lo que denota un cierto cambio de mentalidad respecto del culto guadalupano, como ya dijimos.

Acaso un ejemplo más demostrativo de esa mutación de mentalidad, nos lo depare el caso del P. Fray Alonso Franco y Ortega, O. P, quien entre 1637 y 1645 compuso la continuación de la *Crónica de la Provincia de Santiago de los Predicadores: SEGUNDA PARTE DE LA HISTORIA DE LA PROVINCIA DE SANTIAGO DEL ORDEN DE PREDICADORES.*[79]

En esta obra desaparece por completo el mutismo que su antecesor, el P. Dávila Padilla, en su *Historia* de la dicha Provincia, había guardado con respecto al culto guadalupano del Tepeyac. El P. Franco, en cambio, relata con pormenores la inundación de 1629-34, y en sus diversos episodios pone de manifiesto la intervención espiritual de la Virgen Guadalupe de México.

Entre los Padres de la Compañía de Jesús —no hay ni para qué recordarlo—, también procedía en aumento la devoción guadalupana, como se colige, de entre otros hechos, el favorable despacho que en 1633 el P. Provincial de los mismos dio, a la petición de los colegiales indios del Colegio de San Gregorio, para que retornase a ese colegio el P. Baltasar González, petición que hicieron interponiendo la mediación e intercesión de la Virgen de Guadalupe.

Cuenta el P. Antonio Núñez[80] que los dichos estudiantes redactaron al efecto un memorial que colocaron en el altar de la Virgen de Guadalupe. Llegóse el P. Provincial a visitar la venerada imagen, descubrió el memorial, y, tras consultar con sus asesores, lo despachó favorablemente, indicio manifiesto de la buena disposición de esos padres para con la devoción guadalupana.

ARTICULO IX

Los primeros divulgadores de la devoción Guadalupana

Salva la prioridad indiscutible que toca a Don Antonio Valeriano, como primer y fundamental historiador guadalupano, recordemos al P. Baltasar González, notable por sus conocimientos en la lengua mexicana. El escribió en el siglo XVII una buena historia en náhuatl, de las apariciones de Nuestra Señora en el Tepeyac. Desgraciadamente obra tan valiosa no llegó a publicarse.[81]

Sin embargo de ello, era a todos manifiesto que la Compañía de Jesús, de día en día, se mostraba más favorable a la devoción mencionada.

No fue empero un jesuita, sino un sacerdote del clero diocesano, Don Miguel Sánchez, el primero que se atrevió a divulgar y publicar la tradición indígena relativa a las apariciones guadalupanas.

En efecto, dicho sacerdote, notable por su elocuencia y por la seriedad de vida, publicó el año de 1648 la tradición susodicha adornada con paráfrasis exegéticas, con el siguiente título: *Imagen de la Virgen María, Madre de Dios, de Guadalupe milagrosamente aparecida en la ciudad de México.*[82]

Expone el autor —quien más tarde ingresó en el Oratorio de San Felipe Neri— la historia de las apariciones guadalupanas en lengua castellana, exornándolas con textos tomados de la Sagrada Escritura, sobre todo del Apocalipsis, para dar a esas apariciones mayor autoridad.

La historia guadalupana que narra el P. Sánchez es tan admirable y fuera de lo común, aun en materia de apariciones cristianas, que, a primera vista, parece un cuento de hadas o una mera ficción piadosa.

Comprendemos que hasta entonces no se hubiera puesto en letras de molde, sobre todo en el siglo XVI, cuando los misioneros, como ya hemos visto, abrigaban tantas suspicacias contra la devoción guadalupana del Tepeyac.

Pero los tiempos habían cambiado, muchas suspicacias habían desaparecido, y una poderosa corriente de opinión pública era favorable a la historia guadalupana. Por eso el Br. Miguel Sánchez no temió presentarla como una verdadera historia, ni temió rubricarla con su nombre. Cierto que contaba con muy buenos padrinos: el Dr. Don Juan Poblete, entonces deán de la metropolitana de México, quien vigorosamente escribió aprobando el libro: "Nada falta en esta (historia) de la Virgen de Guadalupe, pues no contento su Autor con referir su milagrosa aparición, autenticada con testimonios verídicos y tradicionales del hecho, la ha exornado con divinos presagios . . .".

Asimismo aprobó el libro Fray Pedro de las Rosas, agustino, doctor y catedrático de otomí y de teología en la Real Universidad.

Sendas cartas laudatorias del Dr. Don Francisco Siles, catedrático de Teología en la misma Universidad, del Lic. Don Luis Lasso de la Vega, vicario del Santuario del Tepeyac y del Br. Don Francisco Bárcenas,

IMAGEN
DE
LA VIRGEN MARIA
MADRE DE DIOS DE GVADALVPE,
MILAGROSAMENTE APARECIDA EN LA CIVDAD
DE MEXICO.
CELEBRADA
En ſu Hiſtoria, con la Profecia del capitulo doze del
Apocalipſis. A devocion del Bachiller Miguel
Sanchez Presbitero.
DEDICADA.
AL SEÑOR DOCTOR DON PEDRO DE BARRIENTOS
Lomelin, del Conſejo de ſu Mageſtad, Teſorero de la Santa Yglesia Metropolitana de Mexico. Goernador, Provisor, y Vicario de todos los Conventos de Religioſas de eſta Ciudad, Conſultor del Santo Officio de la Inquiſicion. Comiſſario Apoſtolico de la Santa Cruzada en todos los Reynos, y Provincias de eſte Nueva Eſpaña, &c.

Año de 1648.

CON LICENCIA. Y PRIVILEGIO,
En Mexico, En la Imprenta de la Viuda de Bernardo Calderon.
Vendeſe en ſu tienda en la calle de San Aguſtin.

17. *Portada del libro* Imagen de la Virgen, *del Br. Miguel Sánchez impreso por la Vda. de Bernardo Calderón, México, 1648.*

18. *Grabado, en lámina, de ese mismo libro.*

19. *La aparición a Fray Juan de Zumárraga, grabado en lámina de la misma obra.*

Grabado en la obra publicada por el maestro Juan de Correa. en 1648. (Biblioteca Nacional. Méx.).

20. *Grabado en madera del* Tratado de la cualidad manifiesta . . . , *de Juan Correa, impreso por Hipólito Ribera, México, 1948.*

publicadas en los preliminares de la misma obra, abonaban la seriedad histórica de la misma.

Sabía, además, el autor que contaba con el implícito respaldo de ilustres jesuítas quienes, en caso de impugnación de la obra, podrían salir a la defensa de la misma y de su persona. Por ejemplo, el P. Baltasar González de quien atrás hablamos ya.

El libro del Br. Don Miguel Sánchez invitó a otros escritores a seguir su ejemplo. Entre ellos debemos recordar al ya citado Lic. Don Luis Lasso de la Vega quien, contando con mejores documentos que el mismo Br. Sánchez, sin embargo hasta entonces no se había atrevido a sacar, en letras de molde, la historia primitiva guadalupana.

Así pues, en 1649 publicó en la lengua original náhuatl los escritos de Antonio Valeriano y de Fernando Alva Ixtlixóchitl sobre las Apariciones y los milagros subsiguientes: *Huei tlamahuizoltica in ilhuicac tlatoca zihuapilli Santa María Totlazonantzin Guadalupe . . .*[83] que quiere decir: *se apareció maravillosamente la Reina del Cielo Santa María, Nuestra Amada Madre de Guadalupe, aquí cerca de la ciudad de México, en el lugar nombrado Tepeyácac*, México, en la Imprenta de Juan Ruys. Año de 1649.

El P. Baltasar González, jesuíta, ya citado dio un parecer muy favorable a la publicación de ese libro:

"*Por mandato del señor Dr. Don Pedro de Barrientos Lomelín, Comisario del Tribunal de la Santa Cruzada . . . Vicario General de su Arzobispado, he visto la Milagrosa aparición de la Imagen de la Virgen Sma. Madre de Dios y Señora nuestra (que se venera en su santuario y ermita de Guadalupe) que en propio y elegante idioma mexicano pretende dar a la imprenta el Br. Luis Lasso de la Vega, Capellán y Vicario del dicho Santuario. Hallo ésta ajustada a lo que por tradición y anales se sabe del hecho y porque será muy provechosa para avivar la devoción en los tibios, y engendrarla de nuevo en los que ignorantes viven del misterioso origen de este celestial retrato de la Reina del Cielo, y porque no hallo cosa que se oponga a la verdad y misterios de nuestra Santa Fe, merece el encendido y afectuoso celo al mayor culto y veneración del santuario que es a su cargo del autor, se le dé la licencia que pide, así lo siento, y lo firmé de mi nombre en este Seminario de Naturales del Señor San Gregorio en 9 de enero de 1649 años.*

Baltazar González."

Esta aprobación del eminente jesuíta, la mayor autoridad en asuntos guadalupanos en aquella época, era propia para aquilatar la autoridad de la historia milagrosa, narrada en las obritas de Lasso de la Vega y de Miguel Sánchez.

La lectura de las mismas encontró general aprobación, como lo comprobamos por los escritores e historiadores del culto mariano que reprodujeron la historia de las apariciones guadalupanas y por los poetas que las cantaron.

ARTICULO X

La devoción Guadalupana de México después de 1649 hasta 1666

1. Los historiadores

En síntesis podemos decir que los historiadores extranjeros devotos de Nuestra Señora, acogieron con amor la noticia de las apariciones guadalupanas de México y las dieron a conocer en el extranjero. Recordemos a tres jesuítas y un franciscano. Procediendo por orden cronológico recordemos, ante todo, al P. Juan de Allosa, de la Compañía de Jesús, quien escribió en 1649 la obra *CIELO ESTRELLADO DE MIL Y VEINTE Y DOS EXEMPLOS DE MARIA . . .* Madrid, 1649. En el libro IV, n. 18, nos da la historia de la Aparición de la Virgen en el Tepeyac, bajo el siguiente rubro: *Manda la Sma. Virgen por modo milagroso al Arzobispo de México que le edifique una iglesia cerca de la ciudad* (p. 46).

Allí leemos, entre otras cosas:

"Mandóle (al indio) el Arzobispo que las echase (las flores) sobre una mesa que allí estaba; al ir el Indio a echar las flores, se convirtieron en una hermosísima Imagen que quedó estampada en la manta con vivos y finísimos colores . . ."

Algunos pormenores no concuerdan exactamente con la tradición tal como la consignó don Antonio Valeriano, lo que se debe a que el autor, como él mismo lo confiesa, supo la historia de esas apariciones independientemente del libro del Br. Sánchez. Escribe, en efecto: "Oí este caso a personas fidedignas que han estado en la Ciudad de México, y dicen que es cosa comúnmente sabida de todos los de aquel Reino . . ."[84]

Otro ilustre escritor es el P. Guillermo Gumperberg, también jesuíta quien en su ATLAS MARIANUS, Munich 1672,[85] describe la historia de la sagrada imagen de Guadalupe de México, según los informes que recibió de los padres jesuítas Alfonso Rodríguez y Diego de Monroy, procurador de la provincia mexicana de la Compañía de Jesús. Refiere fielmente la historia guadalupana, aunque muy brevemente.

Recordemos además la descripción exacta de la tradición guadalupana del Tepeyac, que nos da el P. Eusebio Nieremberg en su TROPHAEA MARIANA... Amberes, 1658. Su narración es tan exacta que fue incluida entre los documentos de las INFORMACIONES DE 1666, mandadas practicar en México.[86]

También el franciscano Fray Pedro de Alta y Astorga, en su obra MILITIA IMMACULATAE CONCEPTIONIS . . . Lovaina, 1663, dedicó varios párrafos a narrar la historia de la Milagrosa Imagen.

Si de los extranjeros pasamos a los nacionales, recordemos al P. Andrés Pérez de Rivas quien en su CORONICA E HISTORIA RELIGIOSA DE LA PROVINCIA DE LA COMPAÑIA DE JESUS DE MEXICO EN NUEVA ESPAÑA, nos da noticias de las apariciones guadalupanas. Su obra no se publicó entonces; ello no obstante, autores posteriores, como el P. Florencia, también jesuíta, y conocedor de los archivos de su Orden, aprovechó ampliamente en su obra ESTRELLA DEL NORTE, las informaciones contenidas en el libro de su antecesor.

Más afortunado fue el P. Mateo de la Cruz, S.I., quien, tomando como base la obra del Br. Miguel Sánchez y poniéndola en mejor estilo a la vez que suprimiendo las digresiones impertinentes, publicó en 1660: *Relación de la milagrosa aparición de la Santa Imagen de la Virgen de Guadalupe de México, sacada de la historia que compuso el Br. Miguel Sánchez . . . Puebla, 1660.* Esta obrita fue reimpresa en Madrid el año de 1662 y posteriormente en 1875, y recientemente se ha vuelto a publicar en México.[87]

2. Los poetas

Los vates cantaron el origen milagroso de la santa imagen, entre ellos Don Juan Rivero, maestro flebotomiano, compuso estos versos para un amigo suyo, Don Juan Correa, médico, que acababa de dar a la luz pública una obra de medicina, dedicada a la Virgen de Guadalupe:

Flores ofrece María
de su milagro brotadas
y a un indio Juan entregadas,
a otro Juan se las envía;
Ninguno el fin conocía,
oculto en aquellas flores,
hasta que de sus colores
en la manta desplegada,
se descubrió retratada
con celestiales primores.

Estos versos se publicaron en 1648, precisamente en el mismo año en que D. Miguel Sánchez sacó a luz su historia guadalupana ya citada.[88]

Don Ambrosio de Solís Aguirre, en el folleto titulado *Altar de Nuestra Señora la Antigua* (México, 1652), dedicó algunas octavas a cantar el milagroso origen de la Imagen original guadalupana.

El eximio hombre de letras Don Carlos de Sigüenza y Góngora, el año de 1662 consagró su poema *PRIMAVERA INDIANA* a cantar las maravillas de la misma sagrada imagen y de su historia. El lector en otro lugar de este álbum podrá ver ese poema.

Basta notar por ahora que Sigüenza y Góngora no depende del libro de D. Miguel Sánchez, pues hizo acuciosas investigaciones históricas sobre el tema, como consta por sus escritos inéditos.

Que aún para el año de 1662, corrieran ciertos prejuicios contra la devoción guadalupana del Tepeyac, se puede deducir de ciertas críticas, a lo que parece meramente orales, con que algunos acogieron el poema anterior. Don Carlos Sigüenza sintió la necesidad de vindicarse y con este objeto tomó de nueva cuenta la pluma y escribió una apología de su poema anterior con el título: *Apologeticum pro Vere Indiano, seu de Guadalupia Imagene poema.*[89]

3. *Los fieles*

Diversos acontecimientos nos revelan la creciente devoción del pueblo y de las altas autoridades a la Sma. Virgen de Guadalupe.

Sabemos del Virrey Conde de Alva de Liste que llevó consigo el año de 1649[90] al Perú, cuyo gobierno se le había encomendado, una imagen de nuestra Guadalupana.

Otro singular ejemplo de amor a la misma Virgen lo dio, el mismo año de 1649, el recién electo arzobispo de México, D. Marcelo López de Azcona quien quiso pasar tres días de retiro espiritual a la sombra del santuario del Tepeyac, antes de hacer su ingreso en la capital a tomar posesión del arzobispado.[91] El año de 1654 D. Pedro de Gálvez, Visitador de Nueva España, llevó a su patria una imagen de la Guadalupana de México y la mandó colocar en un oratorio del Colegio de Doña María Arellano, en Madrid.[92]

Al año siguiente se iniciaron las prácticas conducentes para erigir en las cercanías de la ciudad mexicana de San Luis Potosí un santuario a la Virgen del Tepeyac, que, por lo demás, era venerada en las cercanías de esa ciudad desde 1625.[93]

Aquí conviene recordar que en el lejano Yucatán, ya se habían erigido ermitas a Nuestra Señora de Guadalupe de México, desde el mismo siglo XVI,[94] como resulta de las investigaciones practicadas en el Archivo de la Inquisición por Rubio Mañé.

El año de 1658, el señor obispo recién electo de Oaxaca, Don Alonso de Cuevas y Dávalos que, como vimos atrás, recibió las órdenes sagradas en la "ermita" guadalupana del Tepeyac, llevó una hermosa imagen de la misma Virgen de esta advocación a su diócesis de Oaxaca y la hizo instalar en su catedral.[95]

Ese mismo año, los queretanos devotos de la dicha advocación mariana, iniciaron las prácticas conducentes a establecer y levantar una iglesia en su propia ciudad en honor de la misma.[96]

No olvidemos que Fray García de San Francisco, misionero franciscano en el Nuevo México, erigió una doctrina con su iglesia en el lejano Paso del Norte, hoy Ciudad Juárez, bajo la advocación y patrocinio de la Virgen del Tepeyac: lo que tuvo lugar en 1659.[97]

Al año siguiente se dedicó una suntuosa capilla de la catedral de Puebla a la Virgen del Tepeyac; con este motivo el P. Mateo de la Cruz, S.I., del cual ya hablamos arriba, compuso su relación histórica sobre los orígenes milagrosos de la sagrada imagen original.[98]

Era entonces obispo de Puebla, Don Diego Osorio Escobar y Llamas, gran devoto guadalupano. Recusó, por desgracia, el arzobispado de México, cuya mitra se le ofrecía. Ello no obstante, ejerció por algún tiempo el cargo de gobernador eclesiástico del mismo arzobispado, así como el del virreinato de la Nueva España.

En su carácter de encargado del gobierno del arzobispado, elevó al Papa Alejandro VII un memorial en el cual le suplicaba concediese que se celebrase la solemnidad de Nuestra Señora de Guadalupe el 12 de diciembre, aniversario de la sobrenatural impresión de la imagen guadalupana en la tilma de Juan Diego.[99]

Es importante advertir que la petición del señor Obispo D. Diego Osorio Escobar, iba respaldada por las súplicas de las principales corporaciones eclesiásticas y civiles de la Ciudad de México. Entre esas corporaciones eclesiásticas, estaban precisamente los definitorios o consejos de las provincias mexicanas de las órdenes de San Agustín, Santo Domingo y San Francisco.

Este hecho demuestra un hondo cambio en la mentalidad de los antiguos misioneros, considerados en conjunto. Bien se puede decir que la flor y nata de la intelectualidad mexicana de aquellos tiempos representada por ambos cabildos, los doctores de la Real y Pontificia Universidad y las órdenes religiosas, creía y confesaba y admitía el origen milagroso de la sagrada imagen original del Tepeyac, médula de la tradición guadalupana de México.

ARTICULO XI

Las informaciones de 1666

Con el objeto de verificar la tradición guadalupana de México, el Cabildo eclesiástico del Arzobispado mandó levantar informaciones jurídicas al respecto. No intervino el Sr. Arzobispo, porque la sede correspondiente estaba vacante a la sazón.

Las referidas informaciones se efectuaron desde el tres de enero de 1666 hasta el 14 de abril del propio año. En las mismas fueron interrogadas dos categorías de testigos: la primera formada por ocho naturales del pueblo de Cuauhtitlán, de donde era originario Juan Diego; la edad de estos testigos fluctuaba entre los setenta y los ciento quince años, y eran todos ellos personas respetables y dignas de fe.

La segunda categoría estaba constituida por trece personas, entre criollos y españoles con domicilio por largos años en la ciudad de México y todos ellos conocedores de su historia y tradiciones. De estos trece testigos, once eran eclesiásticos y dos seglares. Ninguna mujer fue admitida a testimoniar en esta segunda categoría; y en la primera sólo se admitieron a dos mujeres, una de ochenta y cinco años de edad y la otra de cien años.

Ahora bien, los veintiún testigos interrogados estuvieron todos de acuerdo sobre la sustancia de los hechos referentes a las apariciones guadalupanas del Tepeyac y sobre el origen milagroso de la imagen respectiva, y asimismo estuvieron acordes en afirmar el haber recibido esas noticias, los nacidos en el país, de parte de sus abuelos, padres o tíos que conocieron personalmente al indio Juan Diego, el vidente del Tepeyac; y los nacidos fuera de la Nueva España, afirmaron haber tenido conocimiento de esa tradición desde que llegaron al país.[100]

A mayor abundamiento, citemos los nombres de algunos de los principales testigos: Lic. D. Miguel Sánchez, sacerdote del Oratorio, de sesenta años de edad; Lic. D. Luis Becerra Tanco, sacerdote asimismo del Oratorio, de 61 años; Fray Pedro de Oyanguren, sacerdote dominico, de ochenta y cinco años de edad; Fray Bartolomé Tapia, ex-provincial de los franciscanos de la Provincia de México y Fray Juan de San José, asimismo ex-provincial, de la provincia de San Diego, de cincuenta y cinco y setenta y seis años, respectivamente; Fray Antonio de Mendoza, sacerdote agustino, definidor, de sesenta y seis años de edad; Fray Pedro de San Simón, carmelita español con más de treinta y dos años de estadía en México; el P. Diego de Monroy, jesuíta, de sesenta y cinco años de edad; Fray Nicolás de Cerdán, provincial de la Orden de San Hipólito, de 61 años de edad, etc. Omitimos los restantes nombres, en gracia a la brevedad; basten los indicados para ver que se trata de personas muy respetables por su estado, condición, edad, experiencia, conciencia y saber.

Todas estas personas declararon, bajo juramento, sobre la verdad de la tradición guadalupana del Tepeyac, según se la habían referido sus padres, abuelos u otras personas de ciencia y conciencia. Todas ellas estuvieron concordes sobre los hechos fundamentales y no se descubrió ninguna contradicción en sus dichos ni con los dichos de otros testigos.

Además dos comisiones, una de médicos, y otra de pintores, recibieron el encargo de estudiar directamente la sagrada imagen original, desde el punto de vista físico y desde el punto de vista pictórico.

La comisión de médicos estuvo integrada por los Dres. Luis de Cárdenas, catedrático

21. *D. Fray Payo Enríquez de Ribera, Arzobispo de México. Oleo sobre tela. Catedral Primada de México.*

22. *D. Francisco Aguiar y Seijas, Arzobispo de México. Oleo sobre tela. Catedral Primada de México.*

de la Universidad, Jerónimo Ortiz, decano de la Facultad de Medicina y Juan de Melgarejo, catedrático de Metodología Médica.

La comisión de pintores reunió a los siguientes maestros: Lic. Juan Salguero, Br. D. Tomás Conrado, D. Sebastián López de Avalos y tres más, cuyos nombres omitimos por brevedad.

El testimonio de los médicos universitarios es digno de notarse: "No hay causa natural que explique la conservación del milagroso ayate en que está representada la santa imagen".[101]

Por su parte los maestros pintores declararon: " . . . que han tocado con sus propias manos dicha pintura . . . y que no han podido hallar ni descubrir en ella cosa que no sea misteriosa y milagrosa y que otro que Dios Nuestro Señor no pudo obrar cosa tan bella y de tanta perfección . . ., y por lo imposible de poderse aparejar y pintar en dicha tilma o lienzo de ayate, tienen por sin duda y sin escrúpulo que el estar en el ayate o tilma del dicho Juan Diego estampada la dicha santa imagen . . . fue y debe atribuirse y entenderse, haber sido obra sobrenatural y secreto reservado a la Divina Majestad . . ."[102]

Estas informaciones en copia autorizada fueron remitidas a Sevilla y de allí a Roma, pero por falta de un procurador hábil y experto, finalmente se extraviaron. Gracias a Dios, una copia fidedigna y autenticada del original se conservó en el archivo arzobispal de México, de donde más tarde fue posible sacar copias auténticas que publicó el benemérito señor D. Fortino Hipólito Vera, más tarde obispo de Cuernavaca, y constituyen al presente uno de los mejores documentos guadalupanos del Tepeyac.

Se dice que el papa Clemente IX (20 de junio de 1667 a 9 de diciembre de 1669) autorizó para que se abriera el proceso apostólico para verificar la historicidad de las apariciones sobredichas. Por desgracia no aparece el documento correspondiente. Pero es indudable que desde 1666, el Cabildo metropolitano practicó las ya referidas Informaciones para obtener de la Santa Sede la aprobación de un oficio litúrgico propio de la Misa y de las Horas Canónicas, en honor de nuestra Virgen de Guadalupe, cuya fiesta —se pedía también al Padre Santo— se celebrase el día 12 de diciembre, aniversario de la principal aparición; ya que hasta entonces la fiesta respectiva se celebraba el ocho de septiembre, con el oficio y misa propios de la Natividad de la Sma. Virgen, como todos los santuarios marianos que carecen de día propio litúrgico. Un formulario litúrgico de esa clase, es absolutamente genérico y como tal no contiene ninguna alusión a la historia guadalupana de México.

Las súplicas del Cabildo Metropolitano fueron presentadas en Roma por el R.P. Francisco de Florencia, S.I.; pero por entonces no pudieron ser atendidas, porque de acuerdo con las estrictas normas litúrgicas de esa época, el acceder a esas peticiones, hubiera equivalido a canonizar las imágenes piadosas respectivas, según explicó el Card. Rospigliosi al sobredicho padre Florencia.[103]

En confirmación, aduce el citado autor lo que el propio Cardenal escribió a un amigo suyo de México:

"Tocante a lo que deseaba el Sr. Canónigo de México (D. Antonio de Peralta y Castañeda), amigo de Vuestra Señoría, en orden al milagro que la Madre de Dios ha obrado en una imagen suya, yo, en llegándome la relación que V.S. me significa quererme enviar con el duplicado de su carta, no dejaré de emplear mis diligencias para cuanto pudiesen ser provechosas al intento; pero no dejo de participar entre tanto a Vuestra Señoría que estas materias son muy difíciles, no acostumbrando en ellas la Santa Sede hacer declaraciones. Cuatro o cinco años ha, continúa el Cardenal, que un gentilhombre español me entregó un duplicado de una carta de ese señor y también una muy larga y distinta relación del suceso y un cuadernillo en que estaban registradas las instancias que todas las religiones y colegios de esa ciudad (de México) hacían a Su Beatitud (Alejandro VII) para la aprobación de tal fiesta, y, juntamente, una imagen muy linda de esmalte que representaba la forma como está pintada la Sma. Virgen en el paño en que se venera.

Todo lo entregué con la debida reverencia a Su Santidad, a quien representé puntualmente lo que se escribía en tal materia; y Su Beatitud, con toda benignidad, lo agradeció, pero en lo que pertenece a la gracia que se suplicaba, no se hizo cosa alguna, y juzgo que no será fácil la consecución de lo que se pide en tales negocios".

Que realmente fuese muy difícil conseguir la aprobación de un oficio y misa propios para Nuestra Señora de Guadalupe de México, lo certifica el hecho de que tal misa y oficios litúrgicos no se habían concedido, hasta entonces, para Nuestra Señora de Guadalupe de Extremadura, ni para otros célebres santuarios marianos de Europa.

La dificultad máxima que entonces se oponía en la Curia Romana a la aprobación del nuevo oficio litúrgico, queda bien expuesta en la obra del P. Florencia:

" . . . una máxima muy prudente que observan así el Sumo Pontífice como la Congregación de Ritos, es la de no abrir la puerta a canonizar imágenes milagrosas de que hay tanta copia en la Cristiandad; que si se hace ejemplar en una, no podía después resistirse a todas, interponiendo su autoridad los reyes y príncipes en cuyos estados son tenidas.[104]

El Cardenal Rospigliosi, a la muerte de Alejandro VII, fue elevado al trono de San Pedro y tomó el nombre de Clemente IX. No otorgó tampoco la gracia que se había solicitado de su antecesor inmediato, Alejandro VII; sin embargo de ello concedió un amplísimo jubileo para la fiesta de Nuestra Señora de Guadalupe de México que por error del amanuense, fue señalada para el 12 de septiembre, en lugar del 12 de diciembre. A pesar de este error del escribano, se advierte por esta singular gracia la veneración que el propio Clemente IX profesaba a nuestra Guadalupana.

CAPITULO III

EL CULTO DE NUESTRA SEÑORA DE GUADALUPE EN EL S. XVIII

Sin género de duda, el siglo XVIII superó al anterior en manifestaciones de honor y devoción a Nuestra Madre Sma. de Guadalupe. En la imposibilidad de enumerar todas esas demostraciones de singular culto, nos limitaremos a las más importantes.

ARTICULO I

La "Ermita" de Guadalupe es elevada a la categoría de Colegiata

Entre los pontífices romanos que se han distinguido por su amor y devoción a Nuestra Señora de Guadalupe de México en el siglo XVIII, debemos recordar de modo especial a Benedicto XIII y a Benedicto XIV.

El primero de ellos, en vista de la ardiente devoción del pueblo de México hacia su Sma. Patrona, y para acrecentar mayormente la vida cristiana de ese mismo pueblo, se dignó erigir e instituir la "ermita", que en realidad, como ya hemos visto, era una gran iglesia, en insigne y parroquial COLEGIATA. Esto es, el Padre Santo decretó, con fecha 9 de febrero de 1725, que el santuario del Tepeyac, a partir del año de 1726 fuera servido por una corporación eclesiástica, llamada Colegio, constituida por un abad y diversos canónigos y otras dignidades eclesiásticas menores. Los miembros de este Colegio, estarían obligados día y noche a celebrar los divinos oficios[105] en esa iglesia, y a atender con particular esmero a los fieles que concurriesen al mismo o morasen en la respectiva jurisdicción parroquial. Eso es lo que se entiende por Colegiata, y como ésta habría de atender pastoralmente a los fieles sobre dichos, recibió asimismo el calificativo de parroquial. Se le designó también como INSIGNE por la alta calidad del santuario y por las excelentes prendas morales y espirituales de los sujetos que por ley habrían de ser escogidos y seleccionados para formar el cabildo de la propia Colegiata.

ARTICULO II

Nuestra Señora de Guadalupe es proclamada episcopal y pontificiamente patrona principal de México

A fines de agosto del año de 1736 se hizo sentir una desoladora epidemia de matlazáhuatl, esto es, de fiebre tifoidea que, en los dieciocho meses que duró, segó la vida de más de dos millones de personas en el territorio de la Nueva España.

Las autoridades civiles y eclesiásticas emplearon gruesas sumas de dinero para procurar toda suerte de remedios, hasta la edificación de tres hospitales; pero todo era inútil y la epidemia seguía cundiendo.

El Cabildo civil propuso al Señor Arzobispo y Virrey, D. Juan Antonio de Vizarrón, que trasladase desde su santuario hasta la Iglesia Catedral, la Milagrosa Imagen de Nuestra Señora de Guadalupe para que, en vista de las continuas súplicas de la ciudad, la Sma. Virgen la defendiera de la epidemia.

El Ilmo. Prelado accedió de buen grado a tan devota súplica y ordenó una serie de novenas solemnísimas en honor de Nuestra Señora, pidiéndole la cesación de la plaga.

Esta comenzó a ceder efectivamente sobre todo en el territorio del Santuario y de sus alrededores, pero no tanto en la ciudad de México; por lo cual de nueva cuenta el Cabildo Civil propuso que se proclamara Patrona Principal de la Ciudad de México a Nuestra Señora en su advocación de Guadalupe, si la peste llegaba a desaparecer del todo.[106]

El 16 de febrero de 1737, el Ayuntamiento despachó formalmente el poder que daba a dos Comisionados para promover ante el señor arzobispo tal iniciativa. El Prelado, a su vez sometió al Cabildo Eclesiástico la dicha proposición que resultó aprobada. Cumplidos otros trámites de rigor, el Arzobispo Virrey "aprobó en cuanto ha lugar y con sumisión a la Congregación Sagrada de Ritos y a sus decretos, la elección de Patrona Principal de esta ciudad de México a Nuestra Señora, bajo el milagroso título de Guadalupe; y que en consecuencia asignaba el día sábado que contarán 27 del corriente (abril de 1737) para que a las diez horas de la mañana, en la Real Capilla de este Palacio, comparezcan los Diputados de uno y otro Cabildo, Eclesiástico y Secular, ante Su Excelencia Ilma. a hacer el juramento . . ."

Así se hizo en efecto, y los diputados "juraron Patrona Principal de México y su Territorio a Nuestra Señora la Virgen María de Guadalupe y de guardar y hacer se guardase perpetuamente por festivos y de precepto, a voto común, en esta Ciudad y sus contornos, el día doce de diciembre de cada año en que se celebra su prodigiosísima y admirable Aparición. Obligáronse también expresamente a solemnizar dicho día y hacer la fiesta con todo aparato posible en la Iglesia de su Santuario, con las cualidades que expresaron en sus consultas ambos Cabildos; a enviar a la Sagrada Congregación de Ritos para confirmar la festividad y patronato, impetrar oficio propio, octava y elevación de rito, como a poner el más vivo empeño a extender el mismo patronato a todo el reino y a ocurrir al superior gobierno a que se consignase de tabla dicha fiesta". "De tabla", es decir, según la terminología de aquellos tiempos, de obligación.

El señor arzobispo en su calidad de virrey corrió los debidos trámites a fin de que esta última condición quedara legalmente sancionada.

Este juramento, de los diputados y representantes de la ciudad de México, fue solemnemente promulgado el 26 de mayo de 1737.

La peste cesó. "Parece, escribe el P. Alegre,[107] que el ángel exterminador no esperaba más que esta resolución (del juramento que se practicó con increíble regocijo de la ciudad el 26 de mayo) para envainar la espada que había acabado con tantas vidas. Desde ese momento se comenzó a tratar con calor el dicho Patronato, comenzó a disminuir el número de muertos que en 25 de mayo, víspera de la solemne jura, no se enterraron sino tres cadáveres en el Campo Santo de San Lázaro, donde diariamente pasaban de cuarenta y cinco".

23. D. Pedro Ruiz de Castañeda, insigne benefactor del Santuario de Guadalupe. Oleo sobre tela, anónimo, de mediados del S. XVIII. Museo de la Basílica.

24. Benedicto XIV. Oleo sobre tela, firmado y fechado por Miguel Cabrera en 1751. Museo de la Basílica.

Los Comisionados del Ayuntamiento de la Ciudad de México, fieles a su promesa, se apresuraron a cumplir con la cláusula del Juramento, en la cual se había impuesto el deber de que todas las poblaciones de la Nueva España, no menos remediadas de aquel gravísimo flagelo por la intercesión de la Virgen de Guadalupe, hicieran suyo aquel juramento. Tan justificada propuesta fue aceptada por esas ciudades y villas y hasta por los más pequeños poblados.

"Por decir algo en particular, escribe un autor, los poderes otorgados a los Comisarios (o Comisionados) de la Capital, los primeros en llegar fueron los de Puebla de los Angeles; siguiéronles después los de Valladolid (hoy Morelia), Oaxaca, Guadalajara, Durango, Guatemala, Querétaro, Toluca, Atlixco, Guanajuato, Zamora, Aguascalientes, Cholula y San Miguel el Grande. Los Cabildos Eclesiásticos mandaron sus poderes a los Comisarios del Cabildo Metropolitano, y los Ayuntamientos a los Comisarios del Ayuntamiento de la Nobilísima Ciudad de México".[108]

"La distancia de las otras provincias, escribe Cabrera,[109] no nos permite la puntual averiguación que se desea sobre la especial elección y juramento de cada una". Así sucedió en realidad, de modo que, por unas causas o por otras, hubo que esperar hasta el año de mil setecientos cuarenta y seis, en el cual por el mes de septiembre casi simultáneamente arribaron los mandatos o poderes suplicados.

Sometidos éstos a los trámites de derecho y habiendo sido hallados legales y valederos, el señor Arzobispo llevó a cabo la proclamación por juramento de la Sma. Virgen, en su advocación de Guadalupe, por patrona de toda la Nación, el 4 de diciembre en la Capilla del Palacio arzobispal, por razón de sus personales y graves achaques, y el doce de diciembre en el Santuario de Nuestra Señora de Guadalupe, como efectivamente en forma menos solemne se llevó al cabo en ese mismo año de mil setecientos cuarenta y seis, y con toda solemnidad en doce de diciembre del año siguiente. Hízose así porque el año anterior, por el mes de julio, pasó de esta vida el rey Felipe V de España, hermano mayor de la Cofradía de Nuestra Señora de Guadalupe y, en señal de duelo, se guardaron los aplazamientos referidos.

En virtud del juramento anterior, Nuestra Señora de Guadalupe de México quedó constituida en Patrona Nacional de la Nación Mexicana. Para dar mayor fuerza y vigor a esta proclama, la Nación entera presentada por sus autoridades civiles y eclesiásticas resolvió obtener de la Santa Sede la debida confirmación.

Al efecto dichas autoridades nombraron procurador de la causa al Padre Juan Francisco López, de la Compañía de Jesús, para que en Roma ante la Santa Sede consiguiera la dicha confirmación y además otras gracias, entre ellas la aprobación del oficio litúrgico completo y de la misa de Nuestra Señora de Guadalupe, compuestos de tal manera "que se vea que pertenecen únicamente a nuestro Santuario, con la adición, al fin de la sexta lección (del oficio de maitines), de la breve noticia de la Aparición de la Santa Imagen y de la elección de la Virgen Nuestra Señora, en esa advocación, por patrona de la Nueva España".

Era entonces pontífice sumo Benedicto XIV quien, tras maduro estudio y examen de estas peticiones, accedió benignamente a las mismas, como consta por las Cartas Apostólicas que en forma de Breve fueron expedidas y lujosamente impresas en Roma el año de mil setecientos cincuenta y cuatro.[110]

Place reproducir las palabras mismas del gran papa:

"Nos, por tanto, habiendo atentamente considerado todo lo que se contiene en la preinserta súplica y decreto, también por el íntimo y filial afecto de piedad, amor y ardiente deseo que tenemos de propagar, promover y confirmar en todas sus partes la devoción y culto divino y en honor de la mencionada Virgen María, por el tenor de estas Letras aprobamos y confirmamos con AUTORIDAD APOSTOLICA la elección de la misma Sma. Virgen María bajo el título de Guadalupe, por PATRONA PRINCIPAL Y PROTECTORA DE NUEVA ESPAÑA, cuya sagrada imagen se venera en la suntuosa iglesia colegiata y parroquial extramuros de la ciudad de México, con todas y cada una de las prerrogativas que, según las rúbricas del Breviario Romano, se deben a los Santos Patronos y Protectores Principales: elección que fue hecha por los comunes votos y sufragios, así de los Venerables Hermanos los Obispos y del Clero Secular y Regular de aquel reino, como de todos los pueblos de aquellas regiones".

"Aprobamos también, continúa Su Santidad, y confirmamos el preinserto Oficio y Misa con octava; y DECLARAMOS, DECRETAMOS Y MANDAMOS que la mencionada Madre de Dios, Santa María de Guadalupe, sea reconocida, invocada y venerada como Principal Patrona y Protectora de la Nueva España".

"Después de esto, continúa el Papa, a fin de que en lo venidero la solemne memoria de tan gran Patrona y Protectora sea celebrada cada año con mayor obsequio y devoción que antes, y con la misma autoridad apostólica, por el tenor de las presentes letras, OTORGAMOS Y MANDAMOS que la fiesta anual del día DOCE de diciembre en honor de la Sma. Virgen María de Guadalupe, sea celebrada y solemnizada en perpetuo con rito doble de primera clase con octava, y que se rece el preinserto oficio y se celebre la preinserta misa".

Es de advertir que en el nuevo oficio aprobado a que se refieren las palabras ahora citadas, se anotaba, en la sexta lección de Maitines, una compendiosa noticia de las apariciones guadalupanas y del patronato sobre toda la Nación Mexicana. La aprobación pontificia de este oficio canonizaba en cierto modo la tradición guadalupana de México.

Si nos detenemos un momento a considerar el recorrido de la devoción y culto guadalupano del Tepeyac, desde 1531 hasta 1754, tenemos que admitir que su crecimiento y ascensión ha sido espectacular: en esos doscientos veintitrés años de historia, la humilde ermita de adobe del Tepeyac ha ido creciendo en mole y sobre todo en influencia moral y espiritual hasta convertirse en el templo más venerado y celebrado, primero de la ciudad de México, como lo comprobamos sin lugar a dudas ya en mil quinientos cincuenta y seis,[111] después de todo el centro y norte del país, desde El Paso del Norte y San Luis Potosí hasta Oaxaca en el s. XVII, omitiendo por lo demás, datos importantes de las Islas Filipinas, de las Islas Marianas, por un lado, y de Perú, Madrid y Roma, por el otro. Finalmente, en 1737 y en 1754 al brillar con singular fuerza la protección de Nuestra Señora, la ciudad de México, en primer lugar, y después toda la Nueva España, y finalmente la misma Roma, por boca del Padre Santo Benedicto XIV, consagran a María de Guadalupe como Patrona de toda la Nación, y su Santuario, como uno de los más célebres y gloriosos de toda la Cristiandad.

Pero no concluye aquí el desarrollo y desenvolvimiento del culto guadalupano, sino continúa evolucionando imponente y poderoso, a pesar de las rigurosas pruebas a que lo habrá de someter la nueva civilización de los siglos XIX y XX.

CAPITULO IV

EL CULTO GUADALUPANO EN EL SIGLO XIX

ARTICULO I

La epopeya de la Independencia Nacional

El glorioso movimiento de la Independencia Nacional se inició y se consumó bajo la protección de Santa María de Guadalupe. El señor cura Don Miguel Hidalgo y Costilla, iniciador de ese justo levantamiento, enarboló como estandarte nacional una imagen de Nuestra Señora de Guadalupe que tomó de la sacristía de la iglesia de Atotonilco, Guanajuato.

El pueblo enardecido por las proclamas de Hidalgo y demás jefes insurgentes, se sintió

25. D. Juan Antonio Vizarrón y Eguiarreta, Arzobispo de México. Oleo sobre tela. Catedral Primada de México.

26. Estandarte de Hidalgo. Museo Nacional de Historia.

amparado y fortalecido por la efigie de la Virgen de Guadalupe. Fueron once años de cruenta lucha, y de victorias y derrotas que, finalmente, se coronaron con la solemne proclamación de la Independencia Nacional en la voz y por la persona de Don Agustín de Iturbide.

El Congreso Constituyente, con toda razón, el 3 de julio de 1822 mandó que "en uno de los lienzos o lados del salón se colocara una imagen de la poderosa patrona de la Nación, María Santísima de Guadalupe".

Con este motivo, los capitulares de la Colegiata del Tepeyac enviaron una preciosa imagen de la Guadalupana a los señores Diputados, acompañada del siguiente oficio, que fue leído y aceptado por unanimidad en pública sesión del Congreso Nacional:

"El Cabildo de esta insigne Colegiata ha entendido que el Soberano Congreso Constituyente Mexicano, animado de un espíritu verdaderamente católico y deseando hacer una pública piadosa ostentación de su amor y reconocimiento hacia la poderosa Patrona del Imperio, María Santísima de Guadalupe, ha resuelto que su sagrada imagen se coloque en el salón de sesiones. Si la devoción a la Madre de Dios en éste su portentoso simulacro ha sido siempre la divisa característica de todos los hijos del felicísimo Anáhuac; si en Ella tiene vinculada nuestra nación la segura esperanza de su engrandecimiento y prosperidad, y bajo su augusto nombre se pronunció y llevó a cabo la gloriosa obra de nuestra Independencia, ¿a quién pertenece con mayor derecho promover los cultos y solicitar la protección de la Madre común, que a este Cabildo, el cual por una dicha envidiable está destinado para custodiar tan sagrado tesoro y venerarlo más de cerca? Con estas justas consideraciones remite a Vuestras Excelencias este Cabildo esta devota imagen, bendita y tocada a su original, suplicándoles rendidamente tengan la bondad de presentarla a su nombre al Soberano Congreso con el fin de que si se dignara aceptarla, mande se coloque en el salón, conforme a lo decretado en el artículo 8 del reglamento para su gobierno interior. El obsequio no corresponde a la majestad del lugar ni a la grandeza del objeto a que se dedica, pero será ciertamente un monumento eterno de la observancia y respeto de este Cabildo a la soberanía de esta Nación representada en sus dignísimos diputados.—Dios guarde a VV.EE. muchos años.—Sala Capitular de Santa María de Guadalupe y Julio 9 de 1822, segundo de la independencia mexicana".

Los señores diputados nombraron una comisión de veinticuatro individuos de su corporación que recibieron solemnemente la sagrada Imagen, y todos, a una indicación del Presidente, la veneraron respetuosamente. La sagrada Imagen se colocó bajo solio. (Cuevas, M., S. I. *Album Guadalupano*, 1931, pp. 227 y 234).

ARTICULO II

Los embates de la crítica histórica y el culto guadalupano en el siglo XIX

El culto guadalupano de México, muy particularmente en cuanto atañe a sus orígenes sobrenaturales, ha sido objeto, en la segunda mitad del siglo XIX, de una severísima crítica histórica que pretendió reducir la historia de las apariciones guadalupanas a una mera conseja piadosa que se habría originado por el año de 1648.

Diversos historiadores de renombre sostuvieron esta tesis, muy acorde con las tendencias criticistas de fines del siglo pasado, y que se han renovado con gran vigor en nuestros días.

Pero está bien observar que la tradición guadalupana de México no sólo se funda en testimonios históricos más o menos satisfactorios, sino en una realidad compleja cuya credibilidad se finca en argumentos históricos y científicos, o, si se quiere, metacientíficos. Y éstos resultan de extraordinaria valía.

¿Cuáles son esos argumentos científicos o más bien metacientíficos? Todos aquellos que se fundan en hechos bien comprobados por la ciencia positiva y que, sin embargo, ni ella ni la historia criticista pueden explicar satisfactoriamente.

A modo de ejemplo y en dos palabras, digamos que entre algunos de esos argumentos científicos, resalta el relativo a la conservación de la sagrada imagen original, estampada en una tela deleznable, sujeta a destrucción inexorable al cabo de unos veinte años, como es toda tela de izcle (*ichtli*). Los científicos especialistas que la han estudiado no han podido explicar científicamente este hecho: se trata por tanto de un fenómeno que está más allá de la ciencia.[112]

Otro argumento de la misma índole es el relativo a los prodigios de dibujo y colorido que atesora esa imagen y que los pintores competentes no han podido explicar.

Tampoco es científicamente explicable el prodigio de las mini-imágenes que se descubren en los ojos de la Guadalupana del Tepeyac. Ni el arte ni la pintura ni la ciencia pueden darnos razón de estos hechos.[113]

Luego en esa sagrada efigie, si somos imparciales y objetivos, tenemos que reconocer fenómenos de tal naturaleza que exceden los límites de la ciencia y de la técnica de la pintura.

Estos y otros hechos que omitimos por brevedad, están de acuerdo con la narración de las apariciones guadalupanas tales como las presentamos al principio de este escrito. Pero si negamos esas apariciones, nos encontramos con ciertos hechos que presenta la Imagen original y que la ciencia no puede explicar. La única explicación posible y correcta es el origen sobrenatural de la dicha efigie de Nuestra Señora de Guadalupe.

Otro argumento de excepcional valor para los católicos, es la devoción que los Sumos Pontífices de la Iglesia Católica han manifestado para con nuestra Guadalupana, aparecida en un rincón ignorado entonces, cuando apenas comenzaban a brillar las primeras luces de la Fe sobre nuestra patria.

Y hemos visto cómo algunos Papas, tales como Gregorio XIII, Urbano VIII, Benedicto XIII y sobre todo Benedicto XIV, prodigaron las gracias espirituales en favor de la veneración y culto de Nuestra Señora de Guadalupe. Este hecho nos revela que los propios Romanos Pontífices, auxiliados por competentes comisiones de historiadores y teólogos, han logrado, sobre todo gracias a su carisma pastoral, descubrir los sólidos fundamentos de la tradición guadalupana de México.

Tras esta breve digresión, necesaria para la mejor inteligencia de lo que sigue, narremos las intervenciones de suma importancia del Papa León XIII en favor del culto de Nuestra Señora de Guadalupe.

La segunda mitad del siglo XIX fue particularmente difícil para la Iglesia de México: las órdenes religiosas y sus obras apostólicas pastorales, asistenciales y educativas fueron severamente marginadas y los fondos pecuniarios con que se sostenían fueron incautados por el poder civil. Buena parte de las alhajas de la misma Colegiata de Guadalupe sufrieron la misma suerte. Se implantó además la escuela laica que se esforzó por establecer el más completo y vigoroso secularismo en la sociedad, y combatió, como decían los fautores de esa misma escuela, toda clase de fanatismos, incluyendo, por supuesto, toda manifestación pública de fe católica.[114]

La tradición guadalupana del Tepeyac, fue combatida en cuanto fundada en hechos sobrenaturales y se adoptó una sutil interpretación con respecto a la misma, a saber, que dicha Virgen no era sino un símbolo de la Patria, símbolo que prolongaba más o menos oscuramente el recuerdo y culto pagano de la Tonantzin Cihuacoatl de la antigua religión azteca.[115]

En vista de estas circunstancias tan aciagas para el catolicismo de México, el gran papa León XIII comprendió que era menester vigorizar el credo cristiano de ese mismo pueblo y percibió claramente que uno de los baluartes de esa misma fe de la Nación, era y es la creencia y confianza en su Celestial Patrona Nacional, la Virgen Sma. de Guadalupe.

ARTICULO III

León XIII decreta la coronación pontificia de N. Señora de Guadalupe

Por las razones arriba dichas, el 8 de febrero de 1887 León XIII autorizaba la coronación solemne de la sagrada imagen original de Guadalupe.[116]

Para darle el mayor realce posible a tan solemne acto, el abad de la Colegiata, Don Antonio Plancarte, renovó parcialmente la iglesia y mandó hacer un nuevo altar mayor en cuyo baldaquino de mármol de Carrara se elevaba la Sagrada Imagen original, teniendo a sus pies, en acto de humilde veneración a Juan Diego y al V. Don Fray Juan de Zumárraga.

Para dar mayor realce a esa coronación, el Ilmo. Sr. Arzobispo de México envió invitaciones a todos los obispos de América para asistir a la coronación. Además, los arzobispos y obispos de la República enviaron sendas pastorales a sus diocesanos para que con sus oraciones y cooperación ayudaran a la realización de tan solemne acto nacional, a la vez que en dichas pastorales explicaban el sentido espiritual de esa coronación.

Se procedió también a la solemne consagración de la Colegiata que, por la renovación que en ella se había llevado a cabo, debía de considerarse, litúrgicamente hablando, como un nuevo templo. El arzobispo de México, Don Próspero María Alarcón y de la Barquera, acompañado de los obispos de Cuernavaca, Saltillo, Tehuantepec, Tepic, Colima, Chilapa, Chihuahua, Qerétaro, Zacatecas, León, y del arzobispo de Michoacán, verificó los ritos de consagración con toda la solemnidad que reclaman tales actos.

Finalmente, el 12 de octubre de 1895, procedió, en nombre de Su Santidad León XIII, a coronar la Sagrada Imagen original con una riquísima corona de oro, adornada de finísimas piedras preciosas.

Casi al terminar la solemne ceremonia, el obispo franciscano D. José de Jesús Portugal sugirió que todos los obispos depositasen sus insignias episcopales a los pies de la Virgen coronada. Siguiendo esta sugerencia el señor obispo de Querétaro proclamó en alta voz: "Invito a los Ilmos. Señores Arzobispos y Obispos a depositar Mitra y Báculo en el altar de la Sma. Virgen de Guadalupe, porque Ella es la Reina de las Américas y de la Patria".

Al punto los ilustrísimos prelados reverentemente depusieron sus mitras y báculos a los pies de la sagrada imagen.

Así concluyó esta memorable solemnidad de la coronación de Santa María de Guadalupe de México, decretada por León XIII.

El mismo Padre Santo, considerando el cambio de las circunstancias político-sociales en la República Mexicana, aceptó que se estudiara, como lo proponía el Vble. Episcopado Mexicano, una nueva redacción y composición del Oficio y Misa concedidos, por Benedicto XIV, para la solemnidad del 12 de diciembre, día de la Virgen de Guadalupe.

El Padre Santo, según su acostumbrada prudencia, sujetó el nuevo texto litúrgico a una rigurosa verificación, no sólo desde el punto de vista histórico, sino también desde la perspectiva de las circunstancias excepcionales que, en su misma contextura y representación, entraña la sagrada imagen original.

Por mandato del Papa, una comisión especializada instituyó un largo y riguroso examen, para cuya mayor exactitud, se nombró a un promotor de la fe, vulgarmente llamado "el abogado del diablo". Este opuso cuantas dificultades históricas, litúrgicas, morales, etc., etc., pudo excogitar en contra de la historicidad de la tradición guadalupana de México. A las mismas, nuestro episcopado, representado por una competente comisión de procuradores ante la Santa Sede, dio cumplida respuesta.

Finalmente, el nuevo texto de la Misa y Oficio fue aprobado por la Congregación de Ritos y por el mismo Santo Padre. Con este motivo, el augusto pontífice envió una significativa carta a todo el Episcopado de México, cuyos principales párrafos es importante considerar:

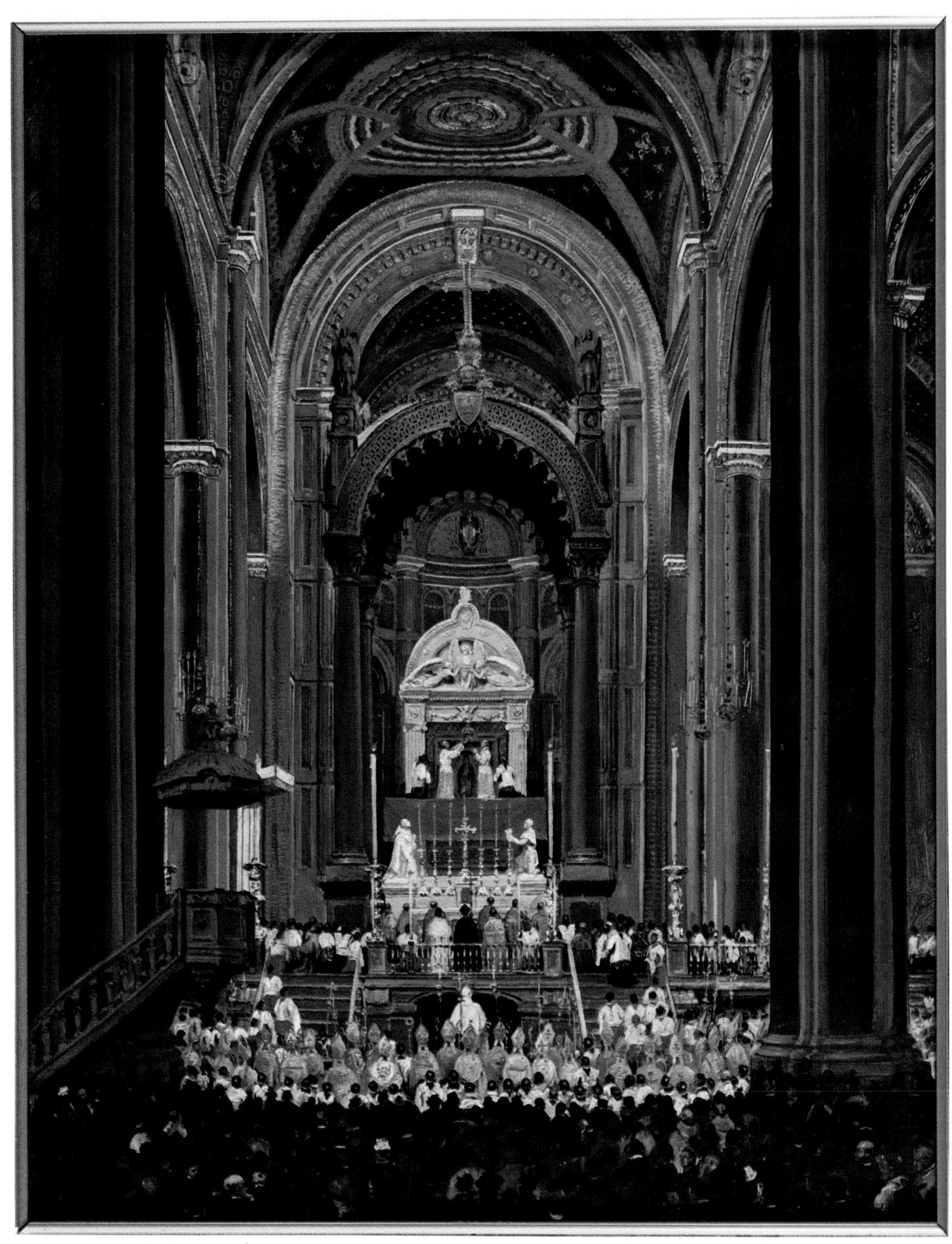

27. Ceremonia de la coronación pontificia de Nuestra Señora de Guadalupe, 12 de octubre de 1895. Oleo del P. Gonzalo Carrasco, S. J. (72 × 57 cms.) Museo de la Basílica.

"Venerables Hermanos, os saludamos impartiéndoos la bendición apostólica. Hemos juzgado acceder de buen grado a vuestra petición de que Nos, añadiendo algunas frases, arreglemos el texto del Oficio Divino que, en honor de la Bienaventurada Virgen María, Patrona Principal de vuestra Nación, había compuesto nuestro ilustre antecesor Benedicto XIV."

"Sabemos en efecto cuán estrechos vínculos tiene la Madre de Dios con los principios y propagación de la Fe Cristiana en México; su misma admirable imagen y los acontecimientos en que tuvo origen, según lo refieren vuestros anales, así lo acreditan desde su principio".

"Nos es conocida la creciente piedad que se manifiesta en su sagrado santuario, en cuya restauración habéis trabajado con tanto ahínco. A este templo, como al común centro de todos los anhelos, aun desde muy lejos acuden las multitudes de toda la República con fervorosa frecuencia".

"Estas mismas razones nos movieron a que Nos, hace algunos años, mandáramos que su Sagrada Imagen fuera coronada en nuestro nombre y con nuestra autoridad".

"En todo esto Nos place ahora declarar, Venerables Hermanos, y atestiguar de manera especial, cuánto placer nos procura la concordia que reina felizmente entre vosotros y con vuestro clero y con todo el pueblo cristiano; por donde se manifiesta más firme la vinculación con la Sede Apostólica".

"Siendo así, Venerables Hermanos, que vosotros mismos reconocéis como Autora y Conservadora de esa gran concordia de ánimos (la cual os une a esta Apostólica Sede), a la piadosísima Madre de Dios que se venera bajo el título de Guadalupe".

"Con todo el amor de nuestro corazón exhortamos, por vuestro medio, a la Nación Mexicana a que mire siempre y conserve esta veneración y amor a la Divina Madre, como la gloria más insigne, y fuente de los bienes más apreciables, y, sobre todo, respecto de la Fe Católica que es el tesoro más precioso, porque corre el riesgo de perderse en estos tiempos; persuádanse todos y estén hondamente convencidos que durará entre vosotros, en toda su integridad y firmeza, mientras se mantenga esta piedad digna en todo de vuestros antepasados. Por consiguiente procuren todos con el mayor afecto venerarla y amarla; los beneficios de su siempre actualísimo patrocinio redundarán sin cesar para el bien común de todas las clases sociales".[117]

Los párrafos citados de esta carta manifiestan, mejor que ningún otro documento, la extraordinaria importancia y valor religioso que el Padre Santo reconocía a la devoción y culto guadalupanos.

No estará por demás advertir que en el Oficio Litúrgico mandado arreglar por León XIII en honor de la misma Virgen Sma., se corrigieron aquellas expresiones que en el texto aprobado por Benedicto XIV, se prestaban a torcidas interpretaciones de parte de los críticos exagerados. Expresiones "uti fertur" (como se dice, o según se dice) que se encontraban en dos ocasiones en ese texto, fueron canceladas; y la tradición de México quedó llana y sencillamente expresada de conformidad con la relación histórica de D. Antonio Valeriano, la cual resumida elegantemente en lengua latina fue presentada en las lecciones del segundo nocturno del oficio de maitines.

Con estas correcciones, como es evidente, el reconocimiento de la historicidad de las apariciones de la Virgen de Guadalupe en el Tepeyac, cobró mayor vigor.[118]

CAPITULO V

EL SIGLO XX Y EL CULTO DE NUESTRA SEÑORA DE GUADALUPE

Parecería que después de los altísimos honores que León XIII consagró a Nuestra Señora de Guadalupe de México, nada más se podría desear; y sin embargo el siglo XX ha superado todas las expectativas.

ARTICULO I

Patronato de Nuestra Señora de Guadalupe de México sobre toda la America Latina

El año de 1910, setenta arzobispos y obispos de la América Latina pidieron al Padre Santo Pío X que se dignase proclamar a la Sma. Virgen de Guadalupe de México, patrona de toda la América Latina y de cada una de sus respectivas naciones.

San Pío X accedió a estas piadosas súplicas tan puestas en razón y por tanto: "Su Santidad aprobando y ratificando la sentencia de la misma Sagrada Congregación (de Ritos), en virtud de su Autoridad suprema, declaró y constituyó celestial Patrona de toda la América Latina a la Sma. Virgen María, en su advocación de Guadalupe, concediendo a la misma todos los privilegios y honores que en derecho pertenecen a los patronos principales de los lugares".[119]

Y en efecto, echando una mirada sobre la América Latina, llama la atención el cómo se ha extendido a cada una de sus naciones el culto y protección de la Sma. Virgen en su advocación de Guadalupe del Tepeyac.

Propongamos unos cuantos ejemplos: En 1737 la ciudad de Guatemala, los días diez y diecinueve de octubre, en nombre propio y de toda la jurisdicción, juró Patrona a la Guadalupana del Tepeyac.[120]

En el Salvador, Fray Antonio Margil de Jesús, gran apóstol guadalupano, dejó sólidamente establecida la devoción respectiva. Célebres son las solemnidades que a la misma Virgen Sma., en su advocación de Guadalupe, se le consagran en Sonsonate y en Santa Ana.

El primer obispo de Honduras, Don Cristóbal de Pedraza había sido con anterioridad administrador de la Santa Casa del Tepeyac, y como es lógico dejó firmemente establecido el culto guadalupano en su diócesis. El Dr. Palacio, hondureño, escribe:

"Refieren los indios cómo sus antepasados conducían el cuadro (de Nuestra Señora de Guadalupe de México) desde el interior de las montañas a Copán, organizando danzas y bailes a la usanza y haciendo hogueras con ocote durante la noche, a la vez que conducían el Cuadro, mirando siempre al Oriente, regiones copanecas donde encontramos figurillas de plata de la Virgen de Guadalupe".

En Nicaragua y Costa Rica, encontramos hermosos monumentos guadalupanos, gracias asimismo al ya citado P. Margil y a sus misioneros queretanos y guatemaltecos.

En Colombia, a fines del siglo XVI, se levantaba una ermita dedicada a la Virgen del Tepeyac, en Pasto. Las Concepcionistas establecieron también una capilla en honor de la misma Guadalupana, cuya imagen se conserva hasta el presente, en el caserío de Catambuco, a donde fue trasladada, si bien no la festejan el 12 de diciembre, sino el 20 de enero, fecha de un singular milagro que obró en favor de la población de Pasto.

Perú conoció la devoción a la Guadalupana gracias a una imagen de la misma que llevó, como arriba dijimos, a Lima el Virrey Conde de Alva de Liste, Don Luis Enríquez de Guzmán, al partir de México para esa nación. Los devotos peruanos, por lo demás, enviaban al santuario del Tepeyac notables presentes, por ejemplo, en el año de 1677, remitieron un blandón de plata de trescientos marcos (69 Kgs.).

A cuatro kilómetros de la ciudad de Santa Fe, Argentina, se venera una imagen de Nuestra Señora del Tepeyac, a la cual se atribuye la conversión de los naturales. El año de 1928 se levantó una basílica en honor de la venerada imagen.

Pío XI alentó a los obispos de Venezuela a fomentar el culto de Nuestra Señora de Guadalupe con estas palabras: "Ella es la gloria y el refugio de las naciones de la América Latina".

ARTICULO II

Coronaciones de Nuestra Señora de Guadalupe de México en diversas naciones

Pero el bendito y amabilísimo culto de Nuestra Señora de Guadalupe, no sólo se ha propagado por la América Latina, sino por muchas naciones del viejo mundo, como lo demuestra el gran número de coronaciones pontificias de las réplicas de esa santa imagen, tanto en el pasado como en el presente siglo.[121]

Ya relatamos brevemente la coronación de la sagrada Imagen original verificado el 12 de octubre de 1895. Pero ¡caso admirable!, cuatro años antes, precisamente el 31 de agosto de 1891, León XIII mismo había autorizado se coronara una pequeña copia de nuestra Guadalupana que se venera en la población de Arsoli, a cuarenta Km. de Roma. Por otro lado, el mismo día 12 de octubre de 1895, cuando en México era coronada la Sma. Imagen original, en Roma se llevaba a cabo la coronación de otra copia de la misma Guadalupana, grandemente venerada en la iglesia de San Ildefonso de Roma, de los PP. Agustinos. Más aún, el 16 de julio de 1926 se impuso la corona pontificia a la imagen de Nuestra Señora de Guadalupe de México que se venera en el Colegio de los Hermanos de las Escuelas Cristianas.

Ya dijimos del santuario y basílica guadalupana de Santa Fe de Argentina, pues su imagen titular, réplica de la nuestra, fue coronada pontificiamente el 22 de abril de 1928. Y así sucesivamente se han coronado otras imágenes guadalupanas: en Roma (1933), en San Salvador (1943), en Managua, Nicaragua (1944), en París (1949), en Madrid (1950), en La Habana (1953), en Nueva York (1952), en Newark, New Jersey (1959), en Chu Kuan, Formosa (1971), en Jerusalén (1977), en Canelones, Uruguay (1979) y en Tulpetlac, Edo. de México (1980). Por una distracción omitimos la coronación que, en 1933, se efectuó de una Imagen de la misma Guadalupana que se venera en el Convento de la Visitación de Roma.

Esta sucesión de coronaciones, sin contar la que en México se verificó el año de 1955, en la cual se impuso a la Imagen Original la corona de Reina del Trabajo, demuestran la difusión realmente sorprendente, maravillosa, de la devoción y culto de Nuestra Señora del Tepeyac. Ha trascendido ampliamente los estrechos límites de la Patria, y se extiende ya por ambas Américas, Europa y Asia. Entretanto los Misioneros de Guadalupe, y otros misioneros y misioneras mexicanos, van extendiendo calladamente el culto y amor a nuestra Madre Santísima por el Japón y por Africa, sobre todo en Kenia y Angola.

ARTICULO III

La Guadalupana en el Vaticano

1. *En San Pedro*

Con la enumeración, aunque rapidísima, de las coronaciones pontificias de la Imagen Original y de sus más veneradas copias, podríamos haber cerrado este artículo; pero aún nos quedan sucesos muy significativos que recordar.

El año de 1926 y siguientes, la fe del pueblo de México pasó por ruda prueba, pues estalló el "Kulturkampf" decretado por el presidente Calles. Los fieles acudieron más que nunca a la protección de la Madre Santísima de Guadalupe, pero Esta no quiso protegerlos como a niños asustadizos, sino que suscitó corazones valientes y abnegados que revistiéndose de la fe en Cristo y proclamando sus sagrados derechos, defendieron intrépidamente a la Cristiandad mexicana. Muchos de ellos cayeron gloriosamente en el campo de batalla, vitoreando a Cristo Rey y a Santa María de Guadalupe.

A 18 de noviembre de 1926, Pío XI, hondamente conmovido, dirigió al Episcopado y al Pueblo de México una valiosa encíclica, "Iniquis afflictisque", en la cual escribía:

"No tenemos otro recurso que dirigirnos a Nuestra Señora de Guadalupe, Venerables Hermanos, la Patrona de la Nación Mexicana, para pedirle y suplicarle que, perdonando los crímenes que se han cometido en contra de Ella, alcance el beneficio de la paz para su pueblo. Pero si en los ocultos designios del Señor, ese día todavía estuviere lejos, que Ella inunde con su prudencia los corazones de sus hijos de México y les conceda fortaleza para luchar por la libertad de la Iglesia Católica".[122]

Y efectivamente nuestra Señora inundó de prudencia y fortaleza ejemplar a los mejores de sus hijos y muchos de ellos se batieron intrépidamente, como nuevos Macabeos, en los campos de batalla. Muchos de ellos ofrendaron el generoso sacrificio total de su sangre y de sus vidas. Y muchos más, los sobrevivientes, aun cuando por obediencia a la Iglesia, hubieron de deponer las armas, conquistaron el reconocimiento parcial de los derechos religiosos del pueblo mexicano a profesar francamente su fe.

Por este gran beneficio, Pío XI, anticipándose en cuatro años al segundo centenario de la declaración del Patronato de Nuestra Señora de Guadalupe sobre la Nación Mexicana, quiso aprovechar la espléndida oportunidad que le deparaba el Año Santo de 1933, para conmemorar solemnemente, en la propia Basílica de San Pedro, tan fausto acontecimiento guadalupano, ahora rubricado con la sangre generosa de sus más excelsos hijos.

El que esto escribe fue testigo de los hechos.

Una gran reproducción —de más de ocho metros de altura— de la imagen de Nuestra Señora de Guadalupe de México fue colocada en la "Gloria" de Bernini, que ocupa el fondo del ábside de la Basílica de San Pedro.

En esa "gloria", se acostumbra colocar las imágenes de los nuevos santos y santas cuya canonización se celebra, por decreto papal, ese día. Pero en esta ocasión no se festejaba la canonización de ningún santo, sino sólo a la Virgen de Guadalupe, Patrona de México y de la América Latina.

Era indescriptible el realce que, en aquel día venturoso, cobró la imagen de la Guadalupana que resplandecía materialmente de gloria en lugar tan destacado y espléndidamente escogido para hacer resaltar su maternal bondad y su celestial belleza.

Ese día, inesperadamente, se nos concedió asueto a todos los estudiantes eclesiásticos de Roma, y todos los que quisimos pudimos concurrir a la solemne misa celebrada, ante el trono del Papa que estaba presente, por el Sr. Arzobispo de Guadalajara, Don Francisco de Orozco y Jiménez, acompañado de otros obispos mexicanos. Con su presencia, el Papa quiso realzar la solemnidad de la renovación del patronato de Nuestra Señora de Guadalupe sobre México y la América Latina y además, según yo entiendo, quiso agradecer a Nuestra Señora la paz religiosa, magra aún, pero esperanzadora, que comenzaba a proyectarse sobre la nación mexicana.

Por la noche de ese mismo día, 12 de diciembre de 1933, se iluminaron espléndidamente la cúpula y las cornisas de la Basílica de San Pedro y las balaustradas de la columnata de Bernini en la plaza respectiva, como era tradicional hacerlo en las fiestas de las canonizaciones. Los gastos de esa inmensa iluminación, debieron de correrse, según supongo, por cuenta de algunas de las instituciones francesas que habían festejado el día ocho de diciembre anterior, la canonización de Santa Bernardita Soubirou y de San Andrés Fournier. Pero ni el día ocho, ni el nueve, ni el diez, ni el once, a causa del mal tiempo persistente en Roma, fue posible iluminar la Plaza de San Pedro y su Basílica con las folclóricas cazoletas, llenas de brea y de otras materias inflamables, que se acostumbran para tales solemnidades. Hubo de esperarse, precisamente, hasta el día doce de diciembre en que amaneció el cielo más sereno y tranquilo. Se diría que los Santos Andrés y Bernardita quisieron que el honor que a ellos se destinaba, se enderezara ante todo a la Inmaculada de Guadalupe: y así la noche de ese memorable doce de diciembre, brilló esplendorosamente San Pedro y su plaza en honor de la Virgen del Tepeyac.[123]

2. *Santa María de Guadalupe de México en los jardines del Vaticano*

El Padre Santo Pío XII, tomando la iniciativa de su predecesor, tuvo un gesto de singular amor para con la Patrona de México, al permitir que en los jardines del Vaticano se levantara un grupo escultórico en mármol y mosaico, que representa a Juan Diego en el momento en que, al desplegar la tilma ante el Señor Obispo Zumárraga, se dibuja la imagen de Nuestra Señora de Gua-

28. Monumento guadalupano en los jardines del Vaticano.

dalupe. El monumento fue inaugurado el 24 de septiembre de 1939, en el extremo bastión poniente de la Ciudad del Vaticano. Su Santidad Juan XXIII lo hizo trasladar a un jardín más céntrico, junto a la Torre de San Juan.[124]

Con fecha doce de diciembre de 1945, con motivo del cincuentenario de la primera coronación pontificia, el pueblo de México y la Jerarquía eclesiástica resolvieron realizar una solemnísima conmemoración de la coronación de 1895. Recurrieron a Pío XII suplicando la aprobación de esa iniciativa, que el Padre Santo concedió de muy buen grado y autorizó que, en su nombre, la Sagrada Imagen original se coronara de nueva cuenta. Con este objeto envió como Legado "a latere", es decir, como Legado Especialísimo suyo, al Cardenal Rodrigo de Villeneuve, arzobispo de Quebec, Canadá.

El recibimiento y festejos que se hicieron a este Legado Especialísimo de Su Santidad excedieron cuanto se puede imaginar,[125] dentro siempre del más profundo respeto. Las solemnidades correspondientes no tuvieron paralelo con las anteriormente celebradas. El Excmo. Cardenal Villeneuve, en representación de Pío XII, se dignó coronar con una riquísima nueva corona a la Reina de México. Y ese mismo día S. S. Pío XII se dignó pronunciar, desde el Vaticano, el discurso de coronación, transmitido fielmente por las ondas de la radio. Entonces el pueblo de México tuvo la dicha de escuchar palabras tan conmovedoras, como éstas:

"¡Salve, oh Virgen de Guadalupe! Nos, a quien la admirable disposición de la Divina Providencia confió, sin tener en cuenta nuestra indignidad, el sagrado tesoro de la Divina Sabiduría en la Tierra, para la salvación de todas las almas, colocamos hoy de nuevo sobre tus sienes la corona que pone para siempre bajo tu poderoso patrocinio la pureza y la integridad de la santa fe en México y en todo el Continente Americano; porque estamos ciertos de que mientras Tú seas reconocida como Reina y Madre, América y México estarán a salvo".

Y pocos momentos antes, en ese mismo discurso, Su Santidad se había complacido en recordar sucintamente el gran acontecimiento guadalupano de 1531:

"...a orillas del Lago de Tezcoco floreció el milagro. En la tilma del pobrecito Juan Diego, como refiere la tradición, pinceles que no eran de acá abajo, dejaban pintada una imagen dulcísima que la labor corrosiva de los siglos maravillosamente respetará".[126]

Hermosa aceptación de la tradición guadalupana de parte de la más alta autoridad eclesiástica.

Esta misma tradición, su sucesor Juan XXIII, en su radiomensaje de 1961, quiso avalar de nueva cuenta y de manera, si cabe, más formal, al proclamar:

"La siempre Virgen Santa María derramó su ternura y delicadeza maternal en la Colina del Tepeyac, confiando al indio Juan Diego, con su mensaje, unas rosas que caen de su tilma y dejan el retrato dulcísimo de Ella, retrato que manos humanas no pintaron".[127]

Las palabras anteriores las leemos en el discurso que el propio Padre Santo, Juan XXIII radió el 12 de octubre de 1961, con motivo del Segundo Congreso Mariano Interamericano que se celebró precisamente en el Santuario del Tepeyac.

ARTICULO IV

La Rosa de Oro para Nuestra Señora de Guadalupe de México

Entre las especiales muestras de fe y devoción que el Papa Paulo VI consagró a Nuestra Reina Guadalupana, debemos recordar ante todo la concesión de la ROSA DE ORO PONTIFICIA.

La ROSA DE ORO es un don regio y a la vez simbólico que a las veces mandaban los Romanos Pontífices, en señal de especial gratitud y benevolencia, a los soberanos, reyes y reinas de su tiempo. Antiguamente era una simple rosa, otras veces un ramo de estas flores, y desde Sixto IV (✠ 1484) adoptó la forma presente de una rosa toda de oro y adornada con gemas preciosas. Esa áurea rosa, lleva en su cáliz una miniredoma, rebosante de delicado y finísimo perfume.

Entre los santuarios marianos honrados en los últimos tiempos con la Rosa Pontificia de Oro, recordemos el Santuario de Loreto, la Basílica de Santa María del Fiore en Florencia (Italia), la Basílica de Lourdes en Francia y la Basílica de Fátima en Portugal. Esta última recibió esa distinción en 1965.

En 1966 se concedió este singular honor a nuestra Reina Santa María de Guadalupe, en su Santuario y Basílica del Tepeyac.

En el discurso con que Su Santidad solemnizó la bendición de esta rosa de oro, declaró (20 de marzo de 1966):

"...Esta distinción, pequeña en su ser, mas grande en su simbolismo, México se la merece. La ternura de la devoción mariana llena las páginas de la historia cristiana de vuestro país, dando fisonomía peculiar a las empresas patrias, a su vida colectiva y social, a la intimidad de los hogares, a la actitud personal de todos. En las horas de prueba y de dolor, los nombres de Cristo Rey y de María de Guadalupe, han templado la fibra católica de un pueblo que no ha retrocedido ante el heroísmo impuesto por la fidelidad al Evangelio".[128]

En la lógica del pensamiento de Paulo VI estaba que, al retocar según la nueva Liturgia, el Oficio de Lectura de las horas en honor de la Virgen de Guadalupe, la Sagrada Congregación para el Culto Divino acentuara vigorosamente la historicidad de las narraciones guadalupanas del Tepeyac y la calidad sobrehumana de la Imagen original de la misma Guadalupana y, lo que hasta entonces nunca había acontecido, se insertasen trozos escogidos de la Relación de Valeriano, llamada *NICAN MOPOHUA* en la segunda lectura de ese oficio. De esta suerte el escrito de un autor indio ha sido introducido legítimamente en la Sagrada Liturgia, honor ciertamente digno de toda estimación.

ARTICULO V

El Papa Juan Pablo II en el Tepeyac

Todavía está fresca en la memoria de todo el pueblo de México, la saludable y extraordinaria impresión que dejó en nuestro país la peregrinación de Juan Pablo II al Santuario de Nuestra Señora de Guadalupe de México, con motivo de la Tercera Conferencia General del Episcopado Latino-Americano, celebrada en la ciudad de Puebla de los Angeles (1979).

No podemos olvidar que la homilía preinaugural a la dicha Conferencia quiso pronunciarla precisamente en la nueva gran basílica de Nuestra Señora, ante la Sagrada Imagen Original de Guadalupe.

Allí, en esa ocasión, Su Santidad invocó a Nuestra Señora con los acentos más tiernos y a la vez más comprometedores, como jamás Pontífice Romano alguno lo había hecho.

Recordemos la primeras palabras de su exordio:

"¡Salve María! ¡Cuán profundo es mi gozo, Queridos Hermanos en el Episcopado y Amadísimos Hijos!, porque los primeros pasos de mi peregrinación, como sucesor de Pablo VI y de Juan Pablo I, me traen precisamente aquí. Me traen a Ti, María, en este Santuario del pueblo de México y de toda la América Latina, en el que desde hace tantos siglos se ha manifestado tu maternidad".

Después recordó el Padre Santo la intervención del humilde Juan Diego:

"De hecho los primeros misioneros llegados a América, provenientes de tierras de eminente tradición mariana, junto con los rudimentos de la fe cristiana, van enseñando el amor a Ti, Madre de Jesús y de todos los hombres. Y desde que el indio Juan Diego habló a la dulce Señora del Tepeyac, Tú, Madre de Guadalupe, entras de modo determinante en la vida cristiana del Pueblo de México...".

Más adelante Juan Pablo II nos descubre una intuición personal suya:

"Este Papa percibe en lo hondo de su corazón los vínculos particulares que Te unen a Ti con este Pueblo y a este Pueblo contigo. Este pueblo que afectuosamente Te llama *la Morenita*. Este Pueblo —e indirectamente todo este Continente— vive su unidad espiritual gracias al hecho de que Tú eres la Madre. Una Madre, que con su amor crea, conserva, multiplica espacios de cercanía entre sus hijos. ¡Salve Madre de México! ¡Salve Madre de la América Latina!"

Consciente, Juan Pablo II, de sus altísimas funciones como Sumo Pastor de la Iglesia, prosiguió:

"Te ofrecemos todo este Pueblo de Dios, Te ofrecemos la Iglesia de México y de todo el Continente. Te la ofrecemos como propiedad tuya. Tú has entrado muy adentro en los corazones de los fieles, a través de la señal de tu presencia que es tu Imagen en el Santuario de Guadalupe; vive en tu casa en estos corazones, también en el futuro. Sé una de casa, en nuestras familias, en nuestras parroquias, misiones, diócesis y en todos los pueblos".[129]

Y a continuación prosiguió la Eucaristía solemnísima, que el propio Juan Pablo II concelebró con la más selecta representación de los Cardenales, Arzobispos y Obispos de la América Latina.

La nueva Basílica a pesar de su gran capacidad, estaba colmada en absoluto; descorriéronse las puertas periféricas, para que la inmensa muchedumbre congregada en el atrio pudiera participar activamente en el más solemne acto de culto divino que jamás se había celebrado hasta entonces en el Tepeyac: era el sábado 27 de enero de 1979.

¿Se habría imaginado jamás, no digo ya Juan Diego, pero ni siquiera Don Fray Juan de Zumárraga, que un sábado, cuatrocientos cuarenta y siete años después, el Pastor Supremo de la Iglesia, habría de venir en humilde peregrinación hasta la casa que pidió Santa María de Guadalupe, a implorar gracia y protección para sí y para la Iglesia del Continente?

La realidad de la historia supera, a veces, las más audaces esperanzas. . .

28-A. Estampa popular, S. XVIII.

NOTAS

[1] Aste Tonnsmann, Dr. José, "Análisis por computadora de los ojos de la Virgen de Guadalupe", en *La Virgen de Guadalupe*, núm. extraord. de *México Desconocido*, invierno de 1980, 42s.

[2] El relato que hemos presentado en páginas anteriores, está fundado fielmente en el *Nican Mopohua*, escrito atribuido muy razonablemente a D. Antonio Valeriano, quien murió de muy avanzada edad en 1605. Tal escrito, de 1548, según unos, o de 1576, según otros, fue publicado por vez primera por el Br. Luis Lasso de la Vega, en su libro titulado *Huei Tlamahuizoltica*, México, 1649, fols. 1r-9r. Existen ediciones modernas de esta importante obrita; la primera, hecha por la Academia de Santa María de Guadalupe, en México, 1926. La reprodujo facsimilarmente D. Alfonso Junco en su libro *Un Radical Problema Guadalupano*, México, 1953. El relato original de Valeriano es citado por sus dos primeras palabras: Nican Mopohua.

[3] Ver el *Nican Motecpana*, complemento importante del *Nican Mopohua*, arriba citado y reproducido en las obras ya señaladas: fols. 9r-15v.

[4] *Memoriales*, I parte, cap. 44, según las ediciones de García Pimentel y de Fidel Lejarza, de 1903 y 1970 respectivamente, o en el cap. 45 de la edición de O'Gorman.

[5] *Nican Motecpana*, fol. 9.

[6] Ver, del que esto escribe, *El Culto Guadalupano del Tepeyac*, México 1978, 25s y bibliografía ahí citada.

[7] Ver lo que decimos en el cap. II, art. 2, sobre la placa de Samuel Stradanus.

[8] *Verdadera Historia de la Conquista de la Nueva España*, cap. 211.

[9] *Idem*, cap. 210.

[10] *Memoria sobre las Apariciones* y *Culto de Nuestra Señora de Guadalupe de México*, por Juan Bautista Muñoz, reproducida íntegra y fielmente en la obra del Dr. José Miguel Guridi y Alcocer, *Apología de la Aparición...*, México, 1820, 21 y 167.

[11] *Cartas de Indias*, Madrid, 1887, o también *Epistolario de la Nueva España*, Carta del Arzobispo de México al Rey, 1556, tomo VIII, 73ss.

[12] Descripción del Arzobispado de México en 1570, *Papeles de la Nueva España*, III, 18, 40. No se cita en estos lugares la ermita de Guadalupe, pero su traslado a la inmediata jurisdicción del arzobispo de México, se infiere de las circunstancias referidas en esos documentos. Tal traslado debió tener lugar a los principios del gobierno del Sr. Montúfar, a menos que el propio Sr. Zumárraga lo hubiera realizado en los últimos años de su gobierno, como otros documentos parecen sugerirlo. (Ver en este capítulo, art. IV, núm. 4).

[13] Escritura de un censo sobre las casas grandes de Martín de Aranguren, en *Primer Siglo Guadalupano*, de J. García Gutiérrez, 80ss.

[14] Relación de D. Antonio Freyre, en *Descripción del Arzobispado de México*, 28s, edición de García Pimentel.

[15] *Cuevas, M. Historia de la Iglesia en México*, I, 286s. *Nican Motecpana*, fol. 11, ya citado, confirmado por el retablo de Samuel Stradanus, ver en este escrito, el cap. II, art. II. Chauvet, *El Culto Guadalupano en el Tepeyac*, ya citado, 137-143. El Sr. D. Hipólito Vera en su muy apreciable *Tesoro Guadalupano*, I, 227, ss. fecha este milagro entre 1559 y 1563; pero la fecha que señala (1544) para el nacimiento del joven Antonio, me parece tardía; soy de opinión que éste debió de nacer entre 1535 y 1540; y que el milagro referido debió de tener lugar en 1555, como decimos en el texto. Una aparición de la Virgen de Guadalupe en dicho año está atestiguada por los testigos que citamos en el texto.

[16] Garibay, A. M., "El Diario de Juan Bautista", en *Abside*, IX (1945), 2.

[17] Chimalpahin, *Relación Original*, trad. de Silvia Rendón, 264.

[18] *Mt. 13, 16.*

[19] *Información que... D. Fr. Alonso de Montúfar mandó practicar en 1556*, fol. 11v. Hemos reproducido íntegra y fielmente esta información en *El Culto Guadalupano* ya citado, pp. 212-251.

[20] *Información* citada, fol. 2a. ss.

[21] *Información citada*, fol. 12a.

[22] *Información* citada, fol. 14ab.

[23] *Ibidem*, fol. 14.

[24] *Ibidem*, fol. 18a.

[25] *Ibidem*, fol. 19b.

[26] *Ibidem*, fol. 11b.

[27] *Ibidem*, fol. 15a.

[28] *Ibidem*, fol. 5a.

[29] Mendieta, J., *Historia Eclesiástica Indiana*, p. 702 de la edición príncipe.

[30] *El Culto Guadalupano del Tepeyac*, ya citado, 99-116.

[31] *Epistolario de la Nueva España*, II, n. 493; Cuevas, M., *Historia de la Iglesia en México*, I, 284.

[32] Cuevas, o.c., 283.

[33] Garibay, A. M., "Temas Guadalupanos: I, Anales Indígenas", en *Abside*, II (1945), 36-64.

[34] García Gutiérrez, J., o.c., 86.

[35] *Ibidem.*

[36] *Historia de las apariciones de Nuestra Señora de Guadalupe*, México, 1969, 116.

[37] *Huei Tlamahuizoltica*, ya citado, fol. 12v.

[38] *Monarquía Indiana*, I, 5, 27.

[39] García Gutiérrez J., o.c., 86.

[40] *Ibidem*, 86.

[41] *Ibidem*, 111.

[42] Suárez de Peralta, Juan, *Tratado del descubrimiento de las Indias*, escrito en 1589, pero publicado hasta 1878; México, 1949, 161.

[43] García Gutiérrez, J., o.c., 82.

[44] *Zumárraga, Letters to his Family, Vizcaya, 1536-48, transcribed and introduced by Richard E. Greenleaf, translated by Neal Kaveny OFM*, Academy of American Franciscan History, Washington, D. C., 1979 69 en conexión con García Gutiérrez, o.c., 80ss y con García Icazbalceta, *Don Fray Juan de Zumárraga*, IV, 19ss.

[45] *Cartas de Indias*, ya citadas, 305-315; Cuevas, M., o.c. I, 286s.

[46] *Diccionario Bio-bibliográfico de la Compañía de Jesús en México*, I, 202-7. Debo esta cita al Lic. Alfonso René Gutiérrez, a quien desde estas líneas presento el homenaje de mi gratitud.

[47] Churruca, A., *Primeras fundaciones jesuitas en Nueva España*, 1572-1580, México, 1980, 376ss.

[48] *Informaciones de 1666*, publicadas por el Pbro. Fortino Hipólito Vera, México 1889; reed. por el P. Lauro López Beltrán, México 1948, 28.

[49] Cfr. Carta de Fray Pedro de Gante al Emperador, México, 1548, en De la Torre Villar, Ernesto, *Fray Pedro de Gante, Maestro y Civilizador de América*, México, 1973, 85.

[50] H. Berlin y R. H. Barlow, *El Códice de Tlatelolco*, México, 1948, 103-25.

[51] *El Culto Guadalupano*, ya citado, 53.

[52] *Ibidem.*

[53] *Ibidem.*

[54] Cuevas, M., *Historia de la Iglesia en México*, II, apéndice, 491 y 495.

[55] *El Culto Guadalupano*, ya citado, 56s.

[56] *Exercicios Spirituales de San Ignacio de Loyola*, Autógrafo español, 9a. ed., Madrid, 1956, 6a. regla, p. 195.

[57] Churruca, A. o.c., *Ibidem.*

[58] *Ibidem.*

[59] *El Culto Guadalupano*, ya citado, 191ss.

[60] *Ibidem*, 47.

[61] García Gutiérrez, J., o.c., 105ss.

[62] *Informaciones de 1666*, ya citadas, 73.

[63] Velázquez, P. F., *La Aparición de Santa María de Guadalupe*, México, 1931, 254ss.

[64] Sólo así se pueden conciliar los datos aparentemente contradictorios que trae García Gutiérrez, en *El Primer Siglo Guadalupano*, ya citado, 60ss.

[65] García Gutiérrez, o.c., *Ibidem.*

[66] La reproducción facsimilar con texto en latín, fue publicada en *Tepeyac*, IV, 56, agosto de 1979, y en el diario *Excélsior* del 14 de junio de 1980, Sección B. Debemos estos

documentos al acucioso investigador D. Ramón Sánchez Flores. La traducción al castellano es del que esto escribe.

[67] *Monarquía Indiana*, X, 7; II, 245s.

[68] *Historia de las Apariciones de Nuestra Señora de Guadalupe*, México, 1969; en esta obrita se reproduce íntegro el valioso estudio de D. Manuel Romero de Terreros, de la Real Academia de San Fernando, sobre el clisé o placa de Stradanus, 112-123, con la reproducción en grabado de dicha placa.

[69] García Gutiérrez, o.c., 113ss.

[70] Florencia, Francisco de, *Estrella del Norte*, México 1688, c. 20.

[71] García Gutiérrez, o.c., 127.

[72] Vera, *Tesoro Guadalupano*, II, 15s.

[73] Vetancurt, Agustín, *Teatro Mexicano*, IV, 36 de la edición príncipe. Además: *Informe crítico-legal dado al M. I. y V. Cabildo de la Iglesia Metropolitana, por los Comisionados que nombró para el reconocimiento de la Mesa del Ilmo. Sr. Obispo D. Fr. Juan de Zumárraga...* México 1835.

[74] *Ibidem.*

[75] Cabrera, C., *Escudo de Armas de México...*, México, 1746, n. 717.

[76] *Memorias Históricas*, I parte, n. 619.

[77] Florencia, o.c., cap. 8, p. 31 de la ed. de 1885.

[78] García Gutiérrez, o.c. Este autor pretendió que esta concesión pontificia de indulgencias habría sido la primera otorgada al Santuario de Guadalupe; pero esto no es exacto, pues como ya vimos más arriba, un antecesor de Gregorio XIII, probablemente San Pío V, fue el primer papa que concedió indulgencias a dicho Santuario.

[79] Franco y Ortega, Fr. A., *Segunda Parte de la Historia de la Provincia de Santiago del Orden de Predicadores.* Esta obra aunque escrita antes de 1645, no se publicó hasta el año de 1900, por cuenta del Gobierno Nacional.

[80] Vera, *Tesoro Guadalupano*, II, 23.

[81] *Ibidem*, 31.

[82] Medina, José Toribio, *La Imprenta en México*, Santiago de Chile, 1909, II, 262-5.

[83] Medina, José Toribio, o.c., 269-73. Conozco dos reproducciones facsimilares modernas, una de 1926, y la otra de 1953, incluida ésta en la obra ya citada de Alfonso Junco.

[84] Vera, *Tesoro Guadalupano*, II, 46ss.

[85] Vera, o.c., 61-6.

[86] *Informaciones de 1666*, ya citadas, 182.

[87] Documentario Guadalupano (1531-1768), en *Monumenta Historica Guadalupannensia*, 3, México, 1980, 65-80.

[88] Correa, Juan, *Tratado de la Qualidad Manifiesta que el Mercurio tiene... Dirigida a la Santísima Virgen María de Guadalupe*, México, 1648. El ejemplo descrito, no conocido de primera mano ni por Beristáin y Souza, ni por José Toribio Medina (Cfr. *La Imprenta en México*, II, año de 1649), se encuentra en la Biblioteca Nacional de México, con la siguiente signatura R/1648/M4CDR. En la misma obra figura también un soneto del Br. Miguel Sánchez, que no citamos en el texto por razones de brevedad.

[89] Vera, o.c., 84 y 168.

[90] *Ibidem*, 54s.

[91] *Ibidem*, 55s.

[92] *Ibidem*, 59s.

[93] *Ibidem*, 61s; pero García Gutiérrez recuerda un sermón que hace remontar la primera manifestación de culto guadalupano, en San Luis Potosí, hasta el año de 1625: o.c., 137.

[94] Pompa y Pompa, Antonio, *El Gran Acontecimiento Guadalupano*, México, 1967, 75.

[95] Vera, o.c., 74.

[96] *Ibidem*, 75.

[97] Vetancurt, *Crónica de la Provincia del Santo Evangelio de México*, ya citada, lugar citado.

[98] Vera, o.c., 80.

[99] Florencia, o.c., 71.

[100] *Informaciones de 1666*, respuesta a la segunda pregunta del interrogatorio.

[101] *Ibidem*, 180.

[102] Florencia, *Estrella del Norte*, Ed. Guadalajara, 1895, p. 69.

[103] *Ibidem*, 137ss.

[104] *Ibidem*, 77.

[105] Vera, o.c., 414.

[106] *Historia de la Aparición de la Sma. Virgen María de Guadalupe de México, desde el año de 1531 al de 1895, por un sacerdote de la Compañía de Jesús*, México 1897, II, 73ss. El autor es el P. Esteban Antícoli. La fuente principal de estas noticias es el *Escudo de Armas...* de Cabrera, ya citado, al cual nos remitimos: ver 472ss.

[107] Alegre, Francisco Javier, *Historia de la Compañía de Jesús en México*, Libro X, tomo III, 267.

[108] *Historia de la Aparición...* de Antícoli, ya citada, II, 40.

[109] Cabrera, C., o.c., nn. 952 y 990.

[110] *Cartas apostólicas en forma de breve de Ntro. Smo. Padre y Señor en Cristo, Benedicto XIV... en que se concede el oficio propio que se debe rezar y la misa propia que se debe celebrar con rito doble de primera clase, con octava, el día 12 de diciembre en honor de la Sma. Virgen María bajo el título de Guadalupe y en que se declara legítimamente elegida como patrona principal de la Nueva España...* Roma, 1754.

[111] Ver *El Culto Guadalupano del Tepeyac*, ya citado, 31-41.

[112] Ver el dictamen del Dr. Sodi Pallares en: Salinas C. y M. de la Mora, *Descubrimiento de un busto humano en los ojos de la Virgen de Guadalupe, dictámenes de médicos y otros estudios científicos*, México, 2a. ed., 1980.

[113] Obra citada, y Dr. José Aste Tonnsmann, "Análisis por computadora en los ojos de la Virgen de Guadalupe...", en la edición especial de *México Desconocido*, citada al principio de estas Notas.

[114] Cuevas, M., *Historia de la Iglesia en México*, 1960, V, 305-311; J. Quirós, *Vicisitudes de la Iglesia en México*, México 1960, 47-144; J. García Gutiérrez, *Acción Anticatólica en México*, México 1934; Gutiérrez Casillas, *Historia de la Iglesia en México*, 1974, 269-322; Jean Meyer, *La Cristiada*, 3 vols., México, 1972.

[115] Altamirano, *Paisajes y Leyendas*, 95-132; especialmente 129 de la edición "Sepan Cuántos".

[116] Antícoli, *Historia...*, ya citada, II, 417-469.

[117] *Acta Sanctae Sedis, 27* (1896).

[118] Antícoli, o.c., II, 408.

[119] *Acta Sanctae Sedis, 2* (1910).

[120] "El culto guadalupano en la América Española", 68-97, en *Cuatro Siglos de Fervor Guadalupano*, México 1931.

[121] López Beltrán, Lauro, "Guadalupanismo Internacional", en la ed. especial de *México Desconocido*, ya citada, 29ss.

[122] *Acta Apostolicae Sedis X* (1926), 465-477.

[123] López Beltrán, Lauro, *Patronatos Guadalupanos*, México, 1953, 176ss.

[124] Gumbinger OFM, C., "Devotion of the Popes to Our Lady of Guadalupe", en *The Age of Mary*, December 1957, 98.

[125] Cantú Corro, José, *Album de las Bodas de Oro*, Cuernavaca, 1948, 29ss.; *Acta Apostolicae Sedis 37* (1945), 254s.

[126] Cantú Corro, o.c., 70s.

[127] *Acta Apostolicae Sedis*, (1961).

[128] *Acta Apostolicae Sedis 58* (1966), 475.

[129] *Tercera Conferencia General del Episcopado Latinoamericano, Puebla.* "La Evangelización en el presente y en el futuro de América Latina". (Documento aprobado), México, 1979, 19-25.

Luis Medina Ascensio, S. J.

Fuentes esenciales de la Historia Guadalupana Su valor histórico

INTRODUCCION

No es fácil desligar el presente tema de los otros puntos conectados con el tema general de Nuestra Señora de Guadalupe. Sin embargo, trataremos de presentar aquellas fuentes de la historia guadalupana que puedan considerarse así, como esenciales para su comprobación histórica.

Tampoco nos será permitido extendernos demasiado en la exposición de esas mismas fuentes históricas. Por esa razón, trataremos de hacerlo en tal forma que, sin ser cansada ni prolongada la exposición, se puedan observar al menos sus lineamientos esenciales, como lo dice el calificativo del título general de esta parte. Creímos de gran utilidad para los lectores presentar, aunque fuese con suma brevedad, la localización de los principales documentos guadalupanos. En esa forma crecerá la confianza en esas mismas pruebas que se enumeran en el presente estudio histórico. No dejan de aparecer por ahí, de vez en cuando, algunos folletos cuyos autores tratan de hacer dudar al pueblo cristiano acerca de las pruebas históricas de las Apariciones.

El orden que seguiremos será el siguiente: después de presentar el escenario histórico y de mencionar, al menos en forma general, las Apariciones mismas, recordaremos las ermitas que constituyen indudablemente un argumento arqueológico favorable al hecho mismo guadalupano. En seguida ponderaremos la fuerza singular de la tradición guadalupana, para valorar luego la serie principal de las pruebas históricas del mismo acontecimiento.

Añadimos al final la descripción de un "Documentario Guadalupano" publicado recientemente por el Centro de Estudios Guadalupanos de la Basílica de Guadalupe con las principales pruebas de las Apariciones. Se sacó con cierta prisa para que sirviese de buena ayuda en la celebración del presente Año Guadalupano (450 Aniversario de las Apariciones). No dejará de servir al pueblo en general para informarse con facilidad y con una fundamental suficiencia acerca del hecho guadalupano.

Esperamos haber logrado presentar en las siguientes páginas aquellas pruebas que pueden considerarse como fundamentales para la comprobación histórica de las Apariciones de Nuestra Señora de Guadalupe.

1: EL ESCENARIO Y LA APARICION

El escenario

Contemplemos lo que puede llamarse el "escenario histórico de las Apariciones Guadalupanas". La diversidad y multiplicidad de las tribus prehispánicas, le dan a ese cuadro una característica muy singular. Si bien es cierto que el llamado Imperio Azteca o Náhuatl era el que predominaba por su extensión y por su poderío en el territorio de lo que más tarde fue la Nueva España (México), había también una infinidad de tribus indígenas desparramadas por todo ese territorio. De ahí nació el grave problema para los españoles, tanto de la conquista militar, como de la espiritual o evangelización.

Una vez consumada la toma de la ciudad de Tenochtitlán (México) en 1521, podría decirse también que se consumaba con ella la total pacificación de ese Reino. Vino luego a planearse y a realizarse lo que tanto había anhelado la Reina Isabel la Católica: la conversión de los indios al Cristianismo. Aparte de los capellanes que fueron llegando con los conquistadores, vinieron los tres primeros franciscanos. A éstos les siguió la famosa Misión de los Doce franciscanos encabezada por Fray Martín de Valencia en 1524. De ahí se siguió el trabajo asiduo, incansable y casi siempre heroico de los Misioneros, tanto franciscanos, como dominicos y agustinos.

Se ha calificado a veces a esa primera evangelización como defectuosa y precipitada. Sin embargo, si bien es cierto que hubo después claros brotes de idolatría entre los neoconversos, ello no fue ni general ni profundo, y menos permanente. Los primeros misioneros no eran unos tontos ni unos imprudentes para hacer las cosas en forma indebida y apresurada. Podría verse cómo defiende Mendieta en su *Historia Eclesiástica Indiana* el proceso de esa evangelización. El resultado de la conversión de los nativos, la llega a calificar el mismo Mendieta como una "buena cristiandad de los indios".

La Aparición de Nuestra Señora de Guadalupe

Con ese fondo de cristiandad elemental, pero suficientemente sincera y no poco arraigada, aparecen ya las familias indígenas de las cercanías de la ciudad de México en el segundo decenio de la Colonia. Esa ciudad, la de México, como es evidente, era la mejor atendida por los misioneros en sus trabajos apostólicos. Entre esas familias se hallaba la de Juan Diego, originario de Cuautitlán; es decir, que ahí había nacido y ahí había vivido sus primeros años. Por el año 1531 se encontraba viviendo, ya viudo, en Tulpetlac con su tío Juan Bernardino.

No había aún abundancia de templos; por eso tenían que ir a oír misa hasta el templo de Santa Cruz de Tlatelolco, en la orilla nor-

29. Grabado en lámina de cobre que ilustra la segunda edición del folleto Felicidad de México, *impreso por la Vda. de Bernardo Calderón, México, 1675. Se reproduce al tamaño original.*

te de la ciudad de México. El sábado 9 de diciembre de 1531, Juan Diego se encaminaba hacia Tlatelolco. Al pasar cerca del cerro del Tepeyácac, oyó un canto que no era de esta tierra. Se detuvo a gozar de él y a ver qué podría significar. Vio arriba como un sol resplandeciente y en medio a una Señora en actitud de oración. Se le acercó la Señora; y después de saludarle, le dijo que era su deseo que se le labrase un templo en ese llano. Le encomendó también que le comunicase ese su deseo al señor obispo. Fue Juan Diego a verle. Con dificultad lo logró; pero no le tomó en serio, y le dijo que volviese otra vez. Se regresó desconsolado Juan Diego. La Santísima Virgen se le apareció otra vez y le dijo que volviese el domingo a ver al señor obispo. Así lo hizo Juan Diego, pero esa vez le pidió una señal comprobatoria de la voluntad de la celestial Señora. La Señora se le apareció de nuevo y le dijo que volviese al día siguiente. El lunes se enfermó de cuidado su tío Juan Bernardino, y hasta el martes fue rumbo a la ciudad a traer un sacerdote que le diese los auxilios espirituales.

Ese día, martes 12, al pasar por el Tepeyácac se le apareció la Santísima Virgen y le preguntó qué le pasaba. Juan Diego le contó la enfermedad de su tío, y le dijo que iba por un sacerdote. Ella le dijo que no se preocupase (a Juan Bernardino se le apareció también, le sanó y le dijo que su nombre era SANTA MARIA DE GUADALUPE), que su tío ya estaba sano. Le dijo luego que subiese al cerro a recoger unas flores. Fue Juan Diego, y en efecto encontró muy bellas y frescas rosas, que ni se daban ahí ni era el tiempo de florecer. Ya con ellas en su ayate, la Santísima Virgen le dijo que las llevase al señor obispo; pero que no desplegase su ayate ni mostrase lo que llevaba a nadie, sino al señor obispo. Así lo hizo Juan Diego. Después de conseguir libre entrada en el obispado, le dijo al señor obispo que ahí le llevaba la prueba que le había pedido. En ese momento soltó su ayate y apareció en él grabada la maravillosa imagen de Nuestra Señora de Guadalupe.

La imagen bendita

Así a simple vista, la imagen de Nuestra Señora de Guadalupe aparece como una pintura nada común, y mucho menos que se hubiese pintado por un principiante o un inexperto. Quienes han conocido la pintura, la consideran como extraordinaria por su finura, por su colorido. El hecho de carecer de preparación la tela o ayate, hace todavía más admirable la pintura. Ha habido quien diga que aparece pintada como si se le hubiese estampado en el ayate con algo a manera de cliché.

El juicio que de esa pintura dan los pintores que conocen su arte, es siempre de gran admiración. Casi siempre encuentran en ella algo que no hallan cómo definir; algo que no es de esta tierra. Algo que es del cielo. Es notable el juicio que dio Don Miguel Cabrera en la época colonial.

La conservación de la imagen en buen estado a pesar del clima húmedo que la ha rodeado siempre, no deja de considerarse como algo de maravillar a quien la contempla. Tampoco ha perjudicado su buena condición el hecho de haber sido movida y cambiada de lugar tantas veces, a lo largo de más de cuatro siglos.

El semblante admirable, tan lleno de bondad y de dulzura, siempre atrae y fascina a todo el que la contempla. La infinita suavidad de sus ojos, rinde a cualquiera que, sin prejuicios adversos, la mire serenamente. Tiene, por tanto, tales cualidades que atrae, convence y domina.

2: LOS TESTIGOS Y MENCION DE LAS PRUEBAS

Desde luego tenemos que fijarnos en el indio Juan Diego, el que tuvo la dicha de ser el confidente, el intermediario, el representante de toda la raza indígena y, con ella, de todos los mexicanos de los tiempos venideros. Por lo que sabemos por los documentos que luego enumeraremos, la persona de Juan Diego era de convincente normalidad y prudencia. Tenía pues las cualidades para ser testigo perfectamente digno de ser creído de lo que nos dijese. Era pues "veraz"; quería decir toda y sola la verdad de lo que vio y oyó. Ciencia o conocimiento suficiente también la tuvo; puesto que él mismo en persona fue quien vio a la Señora y quien llevó el mensaje y la prueba comprobatoria al obispo Zumárraga.

Poseedor de esas dos cualidades, le reconocieron después los declarantes en las Informaciones de 1666. ¿Qué más podíamos desear para considerar a Juan Diego como digno de fe, como digno de creerle lo que nos contase?

Fray Juan de Zumárraga, el primer obispo de México, fue el otro testigo de la aparición de la imagen estampada en el ayate de Juan Diego, al caer las rosas en la sala del obispado. Existen dos testimonios (que luego anotaremos) de que Zumárraga nos dejó efectivamente una doble declaración sobre la misión de Juan Diego y sobre la aparición misma de Nuestra Señora en el ayate del referido Juan Diego.

De los familiares de Zumárraga, sólo sabemos que el P. Juan González (intérprete en el diálogo entre el obispo y Juan Diego) dejó una narración sobre los orígenes Guadalupanos, que ya se ha publicado. Sabemos también la grande admiración de quienes fueron los primeros en contemplar la imagen y rendirle culto, primero en la capilla del obispado y en la Iglesia mayor, y luego en la primera ermita llamada "de Zumárraga", en el lugar indicado por la misma Señora del cielo.

Algunas pruebas indígenas

Desde luego tenemos la relación de Don Antonio Valeriano conocida con el título de NICAN MOPOHUA, escrita en lengua náhuatl entre 1540 y 1550, según el Cngo. Garibay. Valeriano tenía unos 15 años de edad en 1531. Fue primero alumno y después maestro y rector del célebre Colegio de Santa Cruz de Tlatelolco. Los datos que expusimos sobre las Apariciones, están tomados de esa relación de Valeriano.

El mismo Don Angel Ma. Garibay afirmaba que Valeriano no había escrito él solo esa relación; sino que fue compuesta por un grupo de indígenas, entre los cuales estaba el mismo Valeriano. Decía Garibay que se descubrían ahí varios estilos, no uno solo. Si así fue, tendría —a nuestro parecer— todavía más autoridad histórica la exposición de su contenido. Por todo el conjunto que presenta, es considerada esa relación como "el Evangelio de las Apariciones". Cierto aspecto literario que podría tener, no significa que su contenido sea una invención de los que la escribieron. La mayor parte de los datos que contiene, coinciden con los que se hallan en los otros documentos contemporáneos y con los que más tarde dieron los testigos de las Informaciones de 1666.

Aparte hay también once Anales y dos Mapas (divididos por zonas en la poblano-tlaxcalteca y en la del Valle de México). Todos ellos tienen datos del siglo XVI. Por ejemplo, los *Anales de Tlaxcala* dicen: "1510 (por error; corregido es 1531), Año Pedernal. Fue cuando vino Presidente nuevo a gobernar en México; también en este año se dignó aparecer nuestra amada Madre de Hualalope; se dignó aparecerle a un indito de nombre Juan Diego". El subgrupo de Anales "Catedral, Noticias curiosas, Bartolache", nos dice así: "Tecpatl. 1548: murió Juan Diego a quien se apareció la Amada Señora de Guadalupe en México. Granizó en el Iztactepetl". Lo mismo dicen los Anales de Chimalpain y de Juan Bautista, y los que poseyó el P. Baltasar González, S. J.

En el mapa que fue de D. Fernando de Alva Ixtlixóchitl estaba figurada la aparición de Ntra. Sra. de Guadalupe. El otro mapa que poseyó Boturini, ahora perdido, también, como se sabe, tenía alguna información guadalupana.

El Testamento de Cuautitlán de 1559, nos dice: "A los pocos días después, mediante este joven (Juan Diego, que menciona antes) se verificó una cosa prodigiosa allá en Tepeyácac, pues en él se descubrió y apareció la hermosa Señora Nuestra, Santa María, la

30. *Grabado en cobre, de Antonio Castro, que ilustra los folletos* Origen milagroso . . . y Poeticum viridarium, *impresos por la Vda. de Bernardo Calderón, México, 1666 y 1669, respectivamente.*

31. *Retrato de Juan Diego. Grabado en cobre, del mismo Castro, que ilustra el segundo de los folletos arriba mencionados.*

que nos pertenece a nosotros los de esta ciudad de Cuautitlán".

Además de todos estos documentos citados, existen los "cantares" y "coloquios" de los mismos indígenas en los que se hacen no pocas alusiones a Ntra. Sra. de Guadalupe.

Las pruebas españolas

Entre las pruebas de los españoles ya radicados en la Nueva España, tenemos desde luego el testimonio del obispo Fray Juan de Zumárraga. Existen dos constancias, perfectamente dignas de fe, de que dicho prelado escribió, tanto en México como en España, una declaración autorizada sobre el hecho verídico del milagro de la imagen, y también de las apariciones al indio Juan Diego.

El padre Don Miguel Sánchez (el primero que difundió la relación de Valeriano) se basó en la palabra del Lic. Bartolomé García y del Deán D. Alonso Muñoz de la Torre para afirmar que el arzobispo de México, Fray García de Mendoza, por el año 1601 tuvo en su poder los Autos y el proceso de Zumárraga sobre las apariciones. Esos documentos debieron ser los que dejó el mismo Zumárraga en México antes de hacer su viaje a España en 1532. Allá mismo en España también dejó el referido obispo de México (Zumárraga) una relación del hecho de las apariciones guadalupanas. El padre franciscano Pedro de Mezquía aseguró haber visto y leído esa relación en el convento de Vitoria (España). Después el mismo Mezquía declaró no haberla encontrado al intentar traer una copia a México. Dijo que creía que había perecido en un incendio que destruyó el archivo de dicho convento. Aunque lamentablemente no poseamos todavía copias de esas dos relaciones de Zumárraga, sí nos consta que éste las escribió con el fin de darlas a conocer. Quizá algún día no lejano demos con ellas en algún archivo conventual de España y en otro de México.

El otro testimonio, aunque más general, es el de Bernal Díaz del Castillo (compañero de Cortés) en su "Historia verdadera de la Conquista de la Nueva España". En los capítulos 150 y 210 se ocupa del tema guadalupano. En el 210 dice: ". . .y miren las santas iglesias catedrales. . . y la santa iglesia de Nuestra Señora de Guadalupe, questá en lo de Tepeaquilla (Tepeyácac). . . y miren los santos milagros que hace cada día...'"

En 1570 el capellán de la Ermita Montúfar, padre Antonio Freyre, en un Informe de ese año, dijo: ". . .que la ermita de Nuestra Señora de Guadalupe Tepeaca está a media legua de esta dicha ciudad (México) hacia el norte, la cual puede haber catorce años que fundó y edificó el Ilmo. Sr. Arzobispo con las limosnas que dieron los fieles".

Además de mencionar los testimonios sobre la ermita Guadalupana de Fray Diego de Santa María y del Virrey Enríquez de Almanza, digamos, para terminar, la referencia del que fue Alcalde de Cuautitlán, D. Juan Suárez de Peralta en su libro *Descubrimiento de las Indias* (1589). Al hablar de la llegada del Virrey Enríquez de Almanza, dice así: ". . .y así llegó a Nuestra Señora de Guadalupe, que es una imagen devotísima questá de México como dos legüechelas, la cual ha hecho muchos milagros. Aparecióse entre unos riscos y a esta devoción acude toda la tierra".

Y como hemos visto, ese es el famoso siglo (el XVI) del "silencio total Guadalupano". Los afirmantes de este silencio dicen que nada se dijo en ese siglo.

3: LAS ERMITAS GUADALUPANAS

La Ermita Zumárraga

La Virgen María había dicho a Juan Diego que deseaba que ahí, en la llanura, se le labrase o construyese un templo. "Ve al palacio del obispo de México, le dijo, y le dirás cómo yo te envío a manifestarle lo mucho que deseo que aquí en el llano, me edifique un templo". Ese templo, como dijo el padre Bravo Ugarte en uno de sus libros, "moralmente uno, ha sido materialmente múltiple"; no sólo por el constante crecimiento del culto, sino también como consecuencia de la condición demasiado húmeda y blanda del terreno sobre el cual se han edificado las varias construcciones que se han ido haciendo a través de los cuatro siglos y medio ya transcurridos.

Los primeros recintos que acogieron a su imagen maravillosa, fueron la capilla particular del obispado y luego la Iglesia Mayor de México. Desde luego se pensó en hacerle a la Santísima Virgen una construcción propia en el lugar por ella escogido. Zumárraga le dijo a Juan Diego que le mostrase el lugar indicado por la Sma. Señora. Así lo hizo y luego se construyó lo que se llamaba la Primera Ermita o Ermita Zumárraga (1531-1556). El lugar indicado por Juan Diego parece haber sido lo que hoy es la sacristía del templo o parroquia llamada de los Indios, que se halla cerca de la iglesia del Pocito. Así la localizó el Cngo. D. Luis T. Montes de Oca en sus investigaciones de 1932-1933.

Después de que Juan Diego le indicó a Zumárraga el lugar preciso del templo solicitado, "le pidió licencia de irse", nos dice Valeriano. Zumárraga le hospedó en su casa a él y a su tío Juan Bernardino "hasta que se erigió el templo de la Reina en el Tepeyácac, donde la vio Juan Diego".

La fábrica de la ermita se comenzó a raíz de las apariciones, y se concluyó en poco tiempo. Si se le llamaba "ermita", es de creer que no fuese sino una modesta capilla de cortas dimensiones y de material pobre y sencillo. La imagen debió llevarse allá a fines de ese año 1531 o principios de 1532. Parece lo más probable que Zumárraga fue quien la llevó el 26 de diciembre siguiente, o sea, quince días después de su aparición en el ayate. En mayo del siguiente año, 1532, Zumárraga se fue a España. Ese lugar, la 1a. ermita, fue luego centro de gran atracción y devoción, tanto para los indígenas como para los españoles.

La Ermita Montúfar. 1557-1622

Como una consecuencia del continuo crecer de la devoción a Nuestra Señora de Guadalupe, fue el convencimiento de la necesidad de otra ermita más amplia y más digna que la modesta y apresurada ermita de Zumárraga. Y fue precisamente el nuevo arzobispo Fray Alonso de Montúfar quien se interesó por llevarla a cabo. Se ocupó, pues, el espacio de la anterior, la de Zumárraga, pero se amplió algo más. Se quería, por consiguiente, conservarla en el sitio preciso, señalado por Juan Diego.

El Virrey Enríquez de Almanza, al escribirle al Rey en 1575, le decía lo siguiente: "...lo que comúnmente se entiende es que el año 1555 ó 56 estaba allí una ermitilla (la de Zumárraga) en la cual estaba la Imagen que agora está en la Iglesia". Le pareció, pues, al Virrey mucho mejor la nueva ermita de Montúfar. Y por eso la llama así, "Iglesia".

Don Antonio Freyre, que era capellán de dicha iglesia, en su Informe de 10 de enero de 1570 (que ya mencionamos antes como documento español del siglo XVI) decía que la ermita Montúfar estaba a media legua de la ciudad de México, hacia el norte; "la cual, continuaba diciendo, puede haber catorce años que fundó y edificó el Ilustrísimo Señor Arzobispo (Montúfar) con las limosnas que le dieron los fieles cristianos". Pronto se fundó allí una Capellanía. Hubo más tarde ahí hasta dos clérigos, y hasta se pensó en poner otro más. Se fundó también una Cofradía que llegó a tener hasta cuatrocientos cofrades. Con ese crecer de la vida religiosa, se constituyó luego en Vicaría parroquial. Su primer libro de Bautismos comienza en 1596 y el de Matrimonios dos años después, en 1598.

El inglés Miles Philips, que vino en 1568 a la Nueva España en calidad de prisionero por piraterías, nos dejó la siguiente narración sobre esa ermita Montúfar: "A otro día de mañana caminamos para México, hasta ponernos a dos leguas de la ciudad, en un lugar donde los españoles han edificado una magnífica iglesia dedicada a la Virgen. Tiene allí una imagen suya de plata sobredorada, tan grande como una mujer de alta estatura, y delante de ella y en el resto de la iglesia hay tantas lámparas de plata como días tiene el año; todas las cuales se encienden en fiestas solemnes. A esta imagen llaman en español Nuestra Señora de Guadalupe". Esa imagen de plata, era una copia de bulto, donada por Don Alonso de Villaseca, y llevada allí el 15 de septiembre de 1556, que más tarde se transformó en blandón de plata. El relator no hace referencia a la imagen original que ahí estaba.

La Ermita (iglesia, parroquia) de los Indios. 1649

Después de construido el templo de 1622 (que luego veremos), de la Ermita Montúfar sólo quedaron uno paredones viejos; pues al terminarse aquel, quedó abandonada ésta. El P. Francisco de Florencia en su *Estrella del Norte de México,* nos cuenta lo siguiente sobre la erección de la nueva Ermita de los Indios: "Estuvo mucho tiempo (la Ermita Montúfar) con solos unos paredones viejos, reliquias de ella, y que sólo servían para acordarnos que allí había estado la Santa Imagen y dado en él la Soberana Virgen principio a su maravillosa pintura: hasta que el Licenciado Don Luis Lasso de la Vega (vicario de Guadalupe de 1647 a 1657)... labró a costa de los Indios y a diligencias suyas en él una capilla o iglesia pequeña, hermosamente acabada, con su altar y retablo dorado, en que hizo pintar de buena mano a la Soberana Reina de los Angeles entregando a Juan Diego las flores que había de llevar por señal al obispo, y puso en ella otras pinturas y arreos necesarios para una iglesia..." Y sigue diciendo Florencia que ese es uno de los puestos que visitan los que van a la iglesia de la Virgen.

Por devoción a ese lugar, quiso ser enterrado ahí el padre Miguel Sánchez, para estar también cerca de los sepulcros de Juan Diego y de Juan Bernardino. Conforme a una nota que se conserva en la Biblioteca de la Basílica de Guadalupe, se sabe que la fecha en que se terminó esa Iglesia de los Indios, fue el 19 de diciembre de 1649. Unos años después, en 1679, se estableció ahí una Cofradía Guadalupana de Indios.

Cuando en 1694 se resolvió construir una nueva iglesia para la Santa Imagen, mayor que la de 1622, los constructores de esa nueva iglesia pidieron que la Imagen se pasase a la Ermita o iglesia de los Indios, "que está inmediata a la dicha iglesia (la de 1622), en donde alargaremos lo suficiente, decían, y se le pondrá coro y sacristía, que tendrá la ermita más de 20 varas". "Las obras se hicieron rápidamente y el 30 de diciembre inmediato, pudo ser colocada en la ampliada ermita la Santísima Virgen".

4: LA TRADICION GUADALUPANA

En el gran avance de los historiografía crítica, tanto del siglo pasado como del presente, no han faltado autores que sigan reconociendo, como una de las fuentes de la certidumbre de los hechos históricos, a la TRADICION. Podría decirse que ésta es *la conservación cuidadosa del recuerdo de los hechos pasados, transmitida de generación en generación.*

Como es muy natural, de esa transmisión verbal del recuerdo de los hechos históricos, van quedando a través del tiempo algunas constancias. Así por ejemplo, testimonios escritos, edificios, pinturas, monedas o medallas, además de la misma conservación viva y constante de ese RECUERDO NO TAN FACIL DE BORRARSE (el de las Apariciones Guadalupanas del siglo dieciséis).

Antes de hablar de otros elementos de la constatación tradicional del hecho Guadalupano, debemos comenzar por las INFORMACIONES DE 1666 Y DE 1723. Sin detenernos a estudiar dichas Informaciones (en seguida las examinaremos), sólo debemos PONDERAR SUS CARACTERISTICAS, BASADAS EN LA TRANSMISION O TRADICION DEL RECUERDO DEL HECHO GUADALUPANO.

Si de 1531 a 1666, se encuentra un periodo de poco más de CIENTO TREINTA AÑOS, entre las dos fechas median tres generaciones, incluidas las de las dos fechas mencionadas. Y en las declaraciones de los informantes (de no pocos de ellos) descubrimos precisamente el hecho de la transmisión oral de la noticia del Hecho Guadalupano. Hemos de recordar también que esas Informaciones se hicieron con todas las condiciones jurídicas para lograr la veracidad y la verdad de todo lo que se informaba.

A petición del Presbítero Bachiller Don José de Lizardi y Valle, el Arzobispo de México Fray José de Lanciego y Aguilar autorizó la nueva Información de 1723. El objeto era insistir en Roma para la concesión de la Misa y oficio propios de Ntra. Sra. de Guadalupe y la declaración del 12 de diciembre como día festivo. Los declarantes fueron dos: el gran misionero Fray Margil de Jesús OFM y el Canónigo Don Rodrigo García Flores. El resultado de sus declaraciones fue todo lo que ellos sabían (lo conocido por sus viajes, experiencia y conversaciones) acerca de las Apariciones de Nuestra Señora, todo lo que sabían acerca de lo dicho por los informantes de 1666, los datos que sabían acerca de la Imagen y los milagros realizados por su medio y los datos acerca de la continuidad de la tradición manifestada por el culto y su extensión por Nueva España y por otras partes del mundo.

Descubrimos, pues, en esa nueva Información la permanencia del recuerdo de las Apariciones de Nuestra Señora de Guadalupe y su consecuencia en las manifestaciones del culto y la devoción, tanto oficial como del pueblo cristiano.

Aparte de la oficialidad de la devoción Guadalupana, en la que siempre había referencias (directas o indirectas) al hecho Guadalupano (las Apariciones), podemos decir que existió siempre (hasta nuestros días) la manifestación popular de la devoción a la Imagen de Nuestra Señora en el Tepeyac. *La parte oficial* (que en el fondo se basa también en lo popular) se manifestó en los Patronatos (el de la ciudad de México: 1737; el de toda Nueva España; 1746; el de toda Iberoamérica: 1933), en la celebración de los Centenarios: 1831 y 1931, y en la Coronación solemne de la Imagen en 1895.

En *el aspecto popular* han de tenerse en cuenta desde luego (aunque tengan cierto lado de oficialidad) los SERMONES para el pueblo. Aquí podemos recordar el del P. Francisco de Bustamante OFM (1556) que por su aspecto antiguadalupano, despertó la inconformidad de su auditorio que estaba a favor de la Guadalupana. A fines del siglo XVI y principios del XVII fue pronunciado otro sermón con referencias al hecho Guadalupano (lo menciona el Padre M. Cuevas en su ALBUM). Del mismo modo se ha de recordar el sermón del P. Juan de Cepeda (también con datos sobre el hecho Guadalupano) que se publicó en 1622. De esas fechas hasta nuestros tiempos, se encuentran en las bibliografías Guadalupanas muchos sermones que también hacen referencias o son expresamente sobre el tema Guadalupano.

Del *ámbito popular* también deben considerarse los CANTARES ya antes mencionados y que utilizaban los indígenas en sus fiestas o en su peregrinar hacia el Tepeyac. Aunque las PEREGRINACIONES tal como se tienen en nuestros días (con su parte de oficialidad y de popularidad), no parece que se hayan tenido en forma constante desde los comienzos de la devoción Guadalupana, puede muy bien decirse que el peregrinar o simplemente visitar a la Imagen en su Santuario, fue algo que existió desde un principio. Ya en el siglo XVI (en 1589) nos decía Juan Suárez de Peralta, al referirse a la devoción a la Virgen del Tepeyac: "...Y A ESTA DEVOCION ACUDE TODA LA TIERRA".

Como otra de las manifestaciones de la devoción popular, debe considerarse el rezo de las NOVENAS, aunque tengan o puedan tener sus propias formas de hacer referencia al hecho Guadalupano. En las Bibliografías Guadalupanas se hallan de distintas fechas y formas.

No dejan de tener también alguna conexión con la devoción Guadalupana las DANZAS que desde el siglo XVI se tenían como parte de los festejos y como una manifestación de esa misma devoción a Nuestra Seño-

HVEI

TLAMAHVIÇOLTICA

OMONEXITI IN ILHVICAC TLATOCA

CIHVAPILLI

SANTA MARIA,

TOTLAÇONANTZIN

GVADALVPE IN NICAN HVEI ALTEPE-
NAHVAC MEXICO ITOCAYOCAN TEPEYACAC.

Impresso con licencia en MEXICO: en la Imprenta de Iuan Ruyz.
Año de 1649.

32. *Portada del* Huei Tlamahuizoltica *del Br. Luis Lasso de la Vega, impreso por Juan Ruiz, México, 1649.*

SANCTISSIMAM
DEIGENITRICEM,
SINE ORIGINALI LABE CONCEPTAM,
VIRGINEM
MARIAM DE GVADALVPE.
QVAM IN PERICVLOSIS NAVIGATIONIBVS
...
Te inquam pro insula Doctorali promerenda invoco in auxilium; ...
D. DIDACVS OSSORIO ET PERALTA,
...
P. C. D.
AQVA FONTANA SANCTISSIMÆ VIRGINIS DE GVADALVPE, OPTIMVM PRÆEXISTIT, AD OMNIA GENERA MORBORVM MEDICAMEN, TÀM PHYSICÈ, QVAM MORALITER.
S. C. D.
AQVA EIVSDEM FONTIS; SI non miraculosè mouetur, in magna quantitate augetur.
DEFENDENTVR (IPSAMET ADVOCATA PATRONA

33. *Portada de una tesis universitaria, dedicada a la Virgen de Guadalupe.*

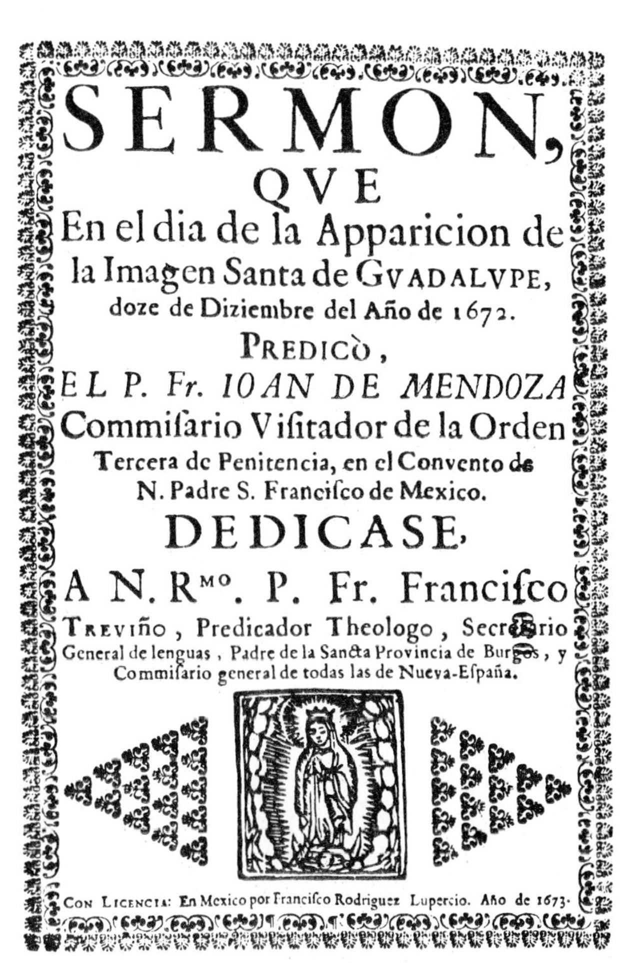

SERMON,
QVE
En el dia de la Apparicion de
la Imagen Santa de GVADALVPE,
doze de Diziembre del Año de 1672.
PREDICÒ,
EL P. Fr. IOAN DE MENDOZA
Commiſſario Viſitador de la Orden
Tercera de Penitencia, en el Convento de
N. Padre S. Franciſco de Mexico.
DEDICASE,
A N. R^MO. P. Fr. Franciſco
TREVIÑO, Predicador Theologo, Secretario
General de lenguas, Padre de la Sancta Provincia de Burgos, y
Commiſſario general de todas las de Nueva-Eſpaña.

CON LICENCIA: En Mexico por Franciſco Rodriguez Lupercio. Año de 1673.

34. *Portada de un folleto impreso por Francisco Rodríguez Lupercio, México, 1673.*

SERMON,

QVE PREDICÒ EL

R^DO P. IVAN DE SAN MIGVEL

Religioſo de la Compañia de IESUS, Rector del
Colegio de Santa Ana de eſta Ciudad
de Mexico.

Al Nacimiento de N. Señora,

y Dedicacion de ſu Capilla de GVADALVPE, en la
Santa Igleſia Cathedral, à expenſas de la Archi-
Cofradia del Santiſſimo Sacramento.

Preſente el Illuſtriſſimo, y Reveren-
diſſimo Señor Arçobiſpo de Mexico.

D. Fr. Payo de Ribera.

DEDICALE,

A la muy iluſtre Archi-Cofradia del
SANTISSIMO SACRAMENTO,
Y A SU INSIGNE R^OR EL CAPITAN
DON IUAN DE CHAVARRIA VALERA
Cavallero del Orden de Santiago.
*EL CAPITAN IVAN MARTINEZ DE
LEON*, Mayordomo de la miſma Santa
Archi-Cofradia.

CON LICENTIA: en Mexiço por Franciſco Rodriguez Luperçio. Año de 1671.

35. *Portada de un sermón impreso por el mismo Rodríguez Lupercio, México, 1671.*

ra de Guadalupe. Los diálogos que se tienen en dichas danzas, no dejaban de hacer alguna mención a los hechos relacionados con el tema Guadalupano.

Todos esos puntos que hemos enumerado, tienen, como se ve, una conexión directa o indirecta con esa fuente de la historicidad del hecho Gualupano: LA TRADICION O TRANSMISION de las noticias recibidas acerca de dicho tema de Nuestra Señora de GUADALUPE.

5: LAS INFORMACIONES DE 1666 SU VALOR HISTORICO

Dentro del conjunto de las pruebas de la historicidad de las Apariciones Guadalupanas, que se suelen aducir, se hallan las Informaciones del año 1666. De ninguna manera pretendemos tratar este asunto en una forma exhaustiva; pero sí al menos en una forma suficientemente clara y comprobatoria.

Especialmente nos basamos de un modo radical en la ciencia, probidad, prudencia y veracidad tanto de Juan Diego como del Ilustrísimo Señor Zumárraga y de sus acompañantes, que debieron ser los testigos del milagro de la impresión de la imagen de Nuestra Señora en la tilma del propio Juan Diego, al caer las rosas que traía este último como señal de la verdad de las apariciones directas y visibles del Tepeyac. El Señor Zumárraga y sus acompañantes debieron comunicar la nada ordinaria noticia a las personas a quienes convenía comunicarla, y por medio de ellas se fue haciendo público el suceso y se fue ampliando la tradición. Esta puede perfectamente descubrirse en los veinte testigos que participaron en las referidas Informaciones oficiales, y con los siguientes calificativos legítimamente aplicables: *amplia, constante* y *uniforme.*

Cuadro Histórico de las Informaciones

Antes de analizar las Informaciones mismas conviene presentar al menos un prospecto histórico general de ellas. El Canónigo Lectoral de México, Don Francisco de Siles, profesor de Teología de la Universidad de dicha ciudad, trató con el Señor Don Diego Osorio Escobar y Llamas, Obispo de Puebla y Gobernador del Arzobispado de México y Virrey de la Nueva España, y con el Cabildo eclesiástico de dicho Arzobispado, de que se pidiese al Papa Alejandro VII que el 12 de diciembre fuese declarado día festivo y se concediese además el rezo del oficio divino para ese día. Aceptaron de buena gana tanto el Señor Escobar y Llamas como el Cabildo. Se escribió a su Santidad y a la Congregación de Ritos por el citado Señor Obispo y por los Cabildos eclesiástico y secular, añadiéndose a las cartas todos los informes necesarios, relacionados con las Apariciones Guadalupanas.

De Roma respondieron diciendo que se preparaba un Rescripto remisorial que contendría las preguntas para el examen de los testigos (mediatos) del milagro y de las circunstancias que le rodearon, y la disposición de señalar los diputados que, en nombre de Su Santidad, tomasen plena información de todo. Después de cumplidos todos esos requisitos, se pasaría luego a la petición formal de las gracias que se pretendían.

Al recibirse en México esa respuesta, el Canónigo Siles creyó prudente que, antes de que llegase de Roma la carta remisorial prometida, y para adelantar algo del trabajo que habría de hacerse después, se tomasen todos los informes necesarios con los testigos (mediatos) que más aptos se encontrasen. Con ese objeto pidió en toda forma en 1665 al Cabildo metropolitano que se hiciese luego una información jurídica, con declaración de testigos sobre las Apariciones y las circunstancias de ella, para lograr una mayor certeza sobre el hecho Guadalupano que se presentaba como razón central de la solicitud enviada a Roma.

El Cabildo aceptó la referida proposición, y ya el 19 de diciembre de ese año, 1665, había nombrado como jueces comisarios a los Canónigos Juan de Poblete (Deán), Juan de la Cámara (Chantre), Juan Díez de la Barrera (Tesorero) y Nicolás del Puerto.

Los informes habían de tomarse conforme a un interrogatorio preparado por el Canónigo Siles, o, como dice el Padre Florencia, que se había recibido de Roma (Cfr. Florencia, *Estrella del Norte de México,* p. 52).

Como algunos de dichos informes tenían que tomarse de personas de fuera de la ciudad de México, se comisionó al Doctor Antonio de Gama, después prebendado de la Catedral, para tomar las declaraciones respectivas de los testigos. Siles y Gama fueron a Cuautitlán por haber sido el lugar de origen, tanto de Juan Diego como de Juan Bernardino, participantes directos en el hecho de las Apariciones. Una vez nombrados el Notario y los necesarios intérpretes, se fueron tomando las Informaciones de los testigos conveniente y debidamente seleccionados (Cfr. Florencia, *o. c.*, pp. 69 y ss.).

De las nueve preguntas del Interrogatorio, a que tenían que someterse los testigos, son dignas de notarse la 1a., la 2a., la 3a., la 5a., y la 9a. La 1a. era la identificación del Canónigo Siles que iba presentando a los testigos. La 2a. se refería a la Aparición misma en la Casa del Sr. Zumárraga. La 3a. al culto de la sagrada Imagen en su iglesia o ermita que se le hizo luego. La 5a. se ocupaba de la probidad y cordura de la persona de Juan Diego. La 9a. era la ratificación de todo lo antes declarado, después de serle leído a cada testigo. Las restantes preguntas se referían a los aspectos extraordinarios o al milagro mismo de la sagrada imagen.

Los que conocemos las narraciones del *Nican Mopohua* bien podemos decir que el contenido de éstas y el de las Informaciones coinciden en lo substancial. Quiere decir, y lo podemos decir aquí de paso, que lo que se contiene en el *Nican Mopohua* no es otra cosa que la tradición misma, *amplia, continua y uniforme,* que se iba pasando de generación en generación, y que quedó jurídicamente grabada en las Informaciones que ahora examinamos.

Valor de los testimonios

Fueron veinte los testigos en total: siete indígenas, un mestizo y doce españoles, diez eclesiásticos y dos seglares. ¿Qué valor pudieron tener esos informes de personas cuya edad oscilaba entre los 55 y los 115 años? En seguida lo veremos.

Esos testigos podrían decirse, según nuestro parecer, casi contemporáneos, comprobadores de una tradición fresca, reciente. Casi tienen el valor de testigos inmediatos, de testigos contemporáneos. Es cierto que no fueron testigos del mismo hecho Guadalupano, pero sí oyeron directamente a quienes fueron testigos *inmediatos de la noticia verídica del hecho mismo de las Apariciones a Juan Diego y de la Aparición de la Imagen en la tilma de ese indio privilegiado.*

Autoridad para testificar sobre la tradición inmediata, la tenían suficiente, como escogidos entre los más aptos, tanto de entre los indígenas como entre los españoles. Tenían conocimiento suficiente y gozaban de veracidad, pues no pudieron ser engañados ni quisieron engañar.

No pudieron ser engañados porque lo oyeron de personas *probas y prudentes,* perfectamente instruidas sobre el hecho de que se trataba. Además, la *concordancia substancial* de sus testimonios lo comprueba suficientemente.

No quisieron engañar, porque ellos mismos eran personas probas y prudentes, y de ninguna manera querían exponerse a aparecer como mentirosas, al compararse sus testimonios con los de los otros testigos, y al poder ser conocidos por sus contemporáneos, igualmente conocedores de la tradición Guadalupana, tal como ellos la exponían. ¿No era por tanto perfectamente creíble todo lo que ellos testificaban? Por otra parte, todo lo que testificaron estaba reforzado por el juramento que previamente hicieron de decir verdad.

Podemos pues creer a tales testigos y estar seguros de la verdad de lo que declararon en tan formal y serio acto, como fue el conjunto de todas esas declaraciones oficialmente tomadas por quienes tenían toda la autoridad para hacerlo así: en una forma oficial. Por consiguiente el hecho del testimonio es evidente y perfectamente comprobable. La ciencia y la veracidad de todos los testigos son totalmente innegables.

Tanto más nos puede constar que realmente conocieron el hecho de la *inmediata tradición guadalupana*, por cuanto que lo percibieron con más evidencia y facilidad, en condiciones idóneas para conservarlo mejor en la memoria. Ciertamente todo ello nos consta por el contenido de las Informaciones, con su sola paciente lectura.

Algunos puntos objetables

Bien podrían ponerse algunas dificultades a las Informaciones que examinamos. Podría desde luego decirse que algunos de los testigos eran *indígenas*, gente que "no era de razón", como se decía durante la Colonia, o sea, gente no bien instruida, ni con tanto trato ni conocimientos, ni finuras sociales.

Es este un asunto que afecta de hecho a todo el Problema Guadalupano. Pero, por de pronto aquí podemos decir que cuando *se ofreció sin regateos* a los indígenas la oportunidad de cultivarse, lo lograron en tal grado, que no pocas veces superaron a los mismos peninsulares, como puede probarse con la sola historia del Colegio de Santa Cruz de Tlatelolco. Quede, por tanto, perfectamente sostenida la habilidad y la aptitud de los indígenas para ser legítimos testigos en un juicio como el que ahora estamos analizando.

De hecho, para completar el cuadro de los testimonios, se añadieron al grupo de los indígenas nada menos que doce testigos españoles, que reforzaron substancialmente todo lo que habían declarado los indígenas.

Para todos los testigos fue la misma ocasión (para ambos grupos respectivamente: indígena y español), con la posibilidad de una *mutua influencia* en los varios actos de la declaración.

Esa posible mutua influencia podría ciertamente menospreciar la verdad de lo testificado al no constar la *independencia* y *espontaneidad* de sus declaraciones. Podemos responder a esa dificultad diciendo que por la formalidad del acto mismo de los testimonios y por las circunstancias que se entrevén en su texto mismo, no puede lógicamente deducirse esa mutua influencia. Se trataba de una tradición que no sólo ellos sabían, sino que era común y constante entre casi todas las personas de sus pueblos. Además, mientras no se pruebe esa mutua influencia, no se puede lógicamente admitir (Cfr. Vera, *Informaciones*, pp. 78 y 85, testigos 10 y 11).

Podría también obstar la demasiada ancianidad de algunos de los testigos. A nosotros nos parece que, si es cierto que puede sobrevenir la amnesia a los ancianos, no siempre ni ordinariamente sucede. Antes al contrario: se graban más profundamente los hechos acaecidos especialmente en la infancia.

Por otra parte, del contenido mismo de los testimonios puede deducirse que su memoria se hallaba en buenas condiciones. Pues, si hay diferencias accidentales entre los varios testimonios, ciertamente en lo esencial están perfectamente concordes.

El hecho o la circunstancia de que sean *testigos de testigos de testigos*, o sea que testimoniaron sobre el testimonio de los que oyeron de Juan Diego y sus otros contemporáneos la narración del hecho guadalupano, tampoco disminuye la fuerza de las Informaciones. Sólo mediaba *un testigo;* fijémonos bien, *un solo testigo* (en graduación de generaciones, prolongada por la notable ancianidad de los testigos, así, a propósito escogidos) entre ellos y el *testigo mismo del milagro.*

Nos permitimos terminar este párrafo con la vigorosa frase del Padre Cuevas, en que llama a las *Informaciones* el "testimonio histórico de primera fuerza y el conjunto de todos los testigos el más concorde y el más sano de cuantos se registran en nuestra historia" (Cfr. *Album Hist. Guad. del IV Cent.*, p. 127).

Consideraciones finales

Lo que pudiera hacer flaquear la fuerza de las Informaciones como prueba histórica

FELICIDAD
DE MEXICO
EN
EL PRINCIPIO, Y MILAGROSO ORIGEN,
quĕ tubo el Santuario de la Virgen MARIA N. Señora
DE GVADALVPE,
Extramuros: En la APPARICION admirable de esta
Soberana Señora, y de su prodigiosa Imagen
Sacada à luz, y añadida por el Bachiller LVIS BEZERRA
TANCO, *Presbytero, difunto; para esta segunda impression;*
que ha procurado el Doctor D. Antonio de
Gama
QVE LA DEDICA,
Al Illustrissimo, y Excellentissimo Señor
M.D.FR.PAYO ENRIQVES DE RIBERA,
Arçobispo de Mexico, del Consejo
de su Magestad, Virrey, Governador,
y Capitan General de esta Nueva
España, y Presidente de la
Real Audiencia de ella
CON LICENCIA.
En Mexico, por la Viuda de Bernardo Calderon Año de 1675

36. Portada de la segunda edición de la Felicidad de México *de Becerra Tanco, impresa por la Vda. de Bernardo Calderón, México, 1675.*

FLORIDO
AROMATICO PANEGYRIS,
QVE
En el dia de la milagrosa Aparicion
de Nuestra Señora de GVADALVPE
patente el SANTISSIMO
SACRAMENTO
ORÓ
El R. P. Fr. Manuel de S. Joseph, Carmelita Descalzo Lector, que fue, de Sagrada Escriptura, y de Theologia Mystica, en su Colegio de S. Angel.
A expensas de la devocion de el
Bachiller Don Juan de Cepeda,
Presbytero.
Y SACA A LVZ
Thomas Fernandez de Guevara
CON LICENCIA DE LOS SVPERIORES.
En Mexico: por Doña Maria de Benavides, Viuda de
Juan de Ribera. En el Empedradillo. Año de
1687.

37. Portada de un sermón impreso por la Vda. de Juan Ribera, México, 1687.

VILLANCICOS,
QUE SE CANTARON
En la Santa Iglesia Metropolitana de MEXICO:
en los Maytines de la APARICION DE N. SEÑORA
DE GUADALUPE.
En Mexico: Por los Herederos de la Viuda de Bernardo
Calderon Año de 1690

38. Portada de los Villancicos *de D. Felipe de Santoyo, impresos por los herederos de la Vda. de Bernardo Calderón, México, 1690.*

EL PHENIX
DE LAS INDIAS
VNICO POR INMACULADO
FLORECIENDO EN VNA TILMA DE PALMA
MARIA EN SV CONCEPCION PVRISSIMA
APARECIDA EN GVADALVPE
Trasuntada en Thamar, y aplaudida de Judas
Pharès, y Zaràn con emblemas, empresas, o
heroglificos.
SERMON,
Que en la plausible fiesta de la Concepcion predicò à su
Inclita, y Venerable Archi Cofradia fundada en el Real,
y Militar Convento de Nuestra Señora de la Merced,
Redempcion de Cautivos.
EL R. P. PRESENTADO FR. IOAN ANTONIO
Lobatto, Visitador General, que fuè de esta Provincia de la Visitacion, y Rector actual del Colegio de San Pedro Pascual de Bethlen.
Dia de la Aparicion de Nuestra Señora de
Guadalupe, quien afectuoso lo dedica à dicha
Inclita, y Venerable Archi-Cofradia
A cuyas expensas se dà à la estampa
Con licencia en Mexico por Doña Maria de Benavides
Viuda de Iuan de Ribera. Año de 1700.

39. Portada de un sermón impreso por la Vda. de Juan Ribera. México, 1700.

sería, como ya se ha dicho, el que sean una comprobación basada en *testigos mediatos* del Hecho Guadalupano, y solamente *inmediatos* de la tradición del mismo hecho. A lo cual podemos responder que si las Informaciones fueron tomadas a una distancia de ciento treinta y cinco años de las Apariciones, los testigos *inmediatos* fueron oídos unos setenta años (como promedio que reducimos demasiado para hacer valer más las pruebas que presentamos) antes del año 1666, a una distancia de sólo sesenta y cinco años del hecho mismo Guadalupano. Este número de años no puede ser considerado como excesivo con relación al hecho concreto de las Apariciones, menos aún con relación a los hechos que se siguieron a las mismas: la construcción de la ermita y la traslación de la imagen de Nuestra Señora de Guadalupe.

Para corroborar nuestros asertos presentamos antes de terminar este breve trabajo algunas citas entresacadas de aquí y de allá de la obra de W. Bauer, *Introducción al estudio de la historia*, que tienen una evidente relación con lo que tratamos de probar:

"Los historiadores de todos los tiempos, dice dicho autor, que eligieron como objeto de su estudio los acontecimientos de un pasado próximo a ellos, han concedido valor también a las fuentes transmitidas por tradición oral" (Cfr. *o. c.*, p. 352).

Según ese mismo autor los testimonios pueden ser seguros y controlados si las fuentes de que se trate se realizaron "bajo el peso de una responsabilidad moral superior", y determina luego, entre otras formas, las "declaraciones judiciales de testigos" (Cfr. *o. c.*, p. 482).

En cuanto al peligro de que los testigos hubiesen querido falsificar el hecho o la tradición que lo contenía, puede citarse esta otra frase: "Allí donde no se trate de un trabajo deliberadamente falsificado, deberá suponerse que el autor de una información histórica ha querido decir la verdad" (Cfr. *o. c.*, p. 487).

A nosotros nos parece añadir que la historia se basa siempre en el legítimo testimonio humano, ya sea directo, ya sea indirecto. Y si no admitimos, por tanto, ese testimonio humano en alguna de sus dos formas, que posea todas las condiciones que exige la crítica histórica, ya podemos despedirnos de la aceptabilidad de la historia, e iremos a dar irremediablemente a un escepticismo histórico racionalmente inadmisible.

Bibliografía Especial

Alejandro, J. M., *Crítica.* Santander, Sal Terrae, 1953, XXIII-383 p.

Bauer, Wilhelm, *Introducción al estudio de la historia.* Barcelona, Bosch, 1944. 626 p.

Cuevas, S. J., Mariano, *Album Histórico Guadalupano del IV Centenario.* México, Esc. Tip. Salesiana, 1930. 291 p.

Florencia, S. J., Francisco, *La Estrella del Norte de México.* Historia de la Milagrosa Imagen de María Santísima de Guadalupe. Guadalajara. Imp. de J. Cabrera, 1895. 194 p. (Edición del Cango. Don Agustín de la Rosa).

Morandini, F., *Crítica.* 3a. Ed. Romae, P. Univ. Gregoriana, 1956. 340 p.

Vera, Fortino Hipólito (Editor), *Informaciones sobre la Milagrosa Aparición de la Santísima Virgen de Guadalupe, recibidas en 1666 y 1723.* Amecameca, Impr. Católica, 1889. 247 p. (Reedición del Padre Lauro López Beltrán).

6: LOS DOCUMENTOS GUADALUPANOS. SU PRESENTACION Y VALORACION

Advertencia previa

Teniendo en cuenta que el tema Guadalupano es un tema histórico, o sea que ya han pasado cuatro siglos y medio desde las Apariciones, se presentan ahora los documentos principales y más críticamente aceptables sobre el mismo.

En general, puede constatarse previamente que toda la documentación referente a Nuestra Señora de Guadalupe (en sus Apariciones), también va dando algunas referencias directas o indirectas acerca de la vida de Juan Diego. Está, pues, unida la comprobación histórica de ambos datos históricos.

También debe tenerse en cuenta que el hecho de las Apariciones en 1531, está cronológica y culturalmente unido con no pocos de los datos de la historia del Reino mexicano o náhuatl de Tenochtitlan. Por esa razón, tanto las fuentes históricas como algunos de los hechos y aspectos culturales del Imperio Mexicano, en su última etapa de vida, están relacionados con el hecho de las Apariciones (y con ellas Juan Diego) y el comienzo del culto a Nuestra Señora de Guadalupe.

El testamento de Juana Martín

Este documento tiene una especial importancia por haber sido redactado a 28 años de distancia del hecho Guadalupano, o sea en 1559 (el 11 de marzo). Trae varios datos sobre la vida de Juan Diego. La referencia clara a las Apariciones es ésta: "Por medio de él se hizo el milagro allá en el Tepeyac, en donde apareció la amada Señora Santa María, cuya amable imagen vimos en Guadalupe".

De este documento existe el original y varias copias. El original se halla en el archivo del Cabildo eclesiástico de la ciudad de Puebla. Las copias están en: Biblioteca Boturini (Villa de Guadalupe), Museo Indiano (Nueva York USA) y en la Biblioteca Nacional de París.

Por los datos que se han presentado, nos parece que ese documento ante el Hecho Guadalupano (y por tanto también sobre Juan Diego), tiene un SUFICIENTE VALOR HISTORICO.

La Relación de Valeriano (o Nican Mopohua)

El *Nican Mopohua* es la primera parte del así llamado *Huey Tlamahuizoltica* (cuya 2a. parte es el *Nican Motecpana* con los milagros; y la 3a. con la pequeña biografía de Juan Diego) que publicó en 1649 el sacerdote Luis Lasso de la Vega en lengua náhuatl o mexicana y que fue traducido hasta 1925 por Don Primo Feliciano Velázquez. Según el célebre especialista en náhuatl, Cngo. Don Angel M. Garibay, por su estilo de escritura, corresponde al decenio 1540-1550.

El documento contiene la narración esencial de las Apariciones Guadalupanas. En ella actúan como personajes, aparte de Nuestra Señora, Juan Diego, su tío Juan Bernardino y el obispo Zumárraga. El autor (a quien autorizadamente se atribuye) es el indígena Don Antonio Valeriano, uno de los discípulos de Fray Bernardino de Sahagún OFM, en el célebre Colegio de Santa Cruz de Tlatelolco (entonces en la orilla norte de la ciudad de México). Históricamente se comprueba que él (Valeriano) fue quien escribió esa Relación, aunque se haya preparado por un equipo o grupo. Así opina el citado Canónigo Garibay (profundo conocedor de la lengua náhuatl) porque encontró varias formas características atribuibles a varias personas. Esa circunstancia le da mayor autoridad al contenido histórico de ese documento, por ser mayor el número de los que aceptaron los hechos ahí narrados que constituyen el Hecho Guadalupano. A la persona de Valeriano se le atribuye por *una no interrumpida tradición* hasta nuestros días. Don Carlos de Sigüenza y Góngora (1645-1700) testificó haber tenido en sus manos el documento original, que hoy no se encuentra sino en copias.

El contenido de la narración está suficientemente confirmado, en especial por las declaraciones de muchos de los testigos de las Informaciones de 1666. Esa conexión descubre la continuidad tradicional de la narración de las Apariciones sobre todos sus aspectos esenciales.

Al terminar el *Nican Mopohua*, en una página y media, se describe la imagen de Nuestra Señora tal como la vemos ahora: con sus rayos alrededor, con la luna y el angelito a sus pies y con las estrellas y los arabescos o flores en su manto.

El Nican Motecpana (2a. parte del Nicán Mopohua)

Esta es la 2a. parte del *Nican Mopohua* o más bien del *Huey Tlamahuizoltica*, palabras con que comienzan las tres partes ya antes citadas. Fue escrita esta segunda parte por Don Fernando de Alva Ixtlixóchitl, como se puede comprobar con mucha probabilidad (así lo dijimos ya antes). Dicho Don Fernando fue notable historiador y lingüista originario de la ciudad de Texcoco, cercana a la ciudad de México. Era descendiente directo de los reyes de Acolhuacán; fue además autor de cuatro obras históricas (de la Nueva España, del reino de Texcoco y otras) y heredó de sus antepasados pinturas con abundantes datos históricos.

Dicha obra, o sea el *Nican Motecpana*, describe someramente la realización de catorce milagros atribuidos a Nuestra Señora de Guadalupe. En los números del 15 al 17 (que siguen a los 14 números de los milagros) se añaden algunos *datos biográficos* de Juan Diego, en el periodo posterior a las Apariciones. Esta parte (la biográfica) es la que antes ya consideramos como la 3a. del *Huey Tlamahuizoltica.*

El testamento de Juan Diego

Consta históricamente que existió ese documento manuscrito del siglo XVI. Se sabe que estuvo mucho tiempo en el convento franciscano de Cuautitlán y que fue recogido por Don Lorenzo Boturini Benaduci (1702-1755), célebre italiano que fue un incansable y tenaz coleccionista de antigüedades mexicanas; que el testamento haya sido recogido por él, consta por una nota existente en el archivo de la Basílica de Guadalupe.

También es citado (el testamento) por el mismo Boturini en su obra *Margarita Mexicana.* El original y una copia de esa obra, se encuentran en el archivo anteriormente citado. Existen otras copias en el Archivo Histórico de Madrid (España) y en la Biblioteca Nacional de México (sección de Manuscritos).

Aunque ahora no podamos examinar el Testamento mismo (del que sólo tenemos referencias), la certeza de su existencia nos asegura más y más la historicidad misma de la persona de Juan Diego. Bien sabemos por otras fuentes, el lamentable fin de la colección de Boturini que pasó por muchas manos y no pocos de los documentos se perdieron.

Anales de Tlaxcala

El original en mexicano (náhuatl) de este documento, trae esta mención (después de referir la venida del Presidente de la Segunda Audiencia de la Nueva España, en 1531, y que fue el Sr. Obispo D. Sebastián Ramírez de Fuenleal quien, junto con Don Vasco de Quiroga, tanto bien hizo en esos primeros años posteriores a la Conquista): "En el mismo año se apareció nuestra amada Madre de Guadalupe y se manifestó al pobre indio Juan Diego".

Esos Anales comienzan en el siglo XVI y siguen en el XVII. La mención de la Aparición fue escrita aproximadamente en 1600.

El original se halla en posesión de los Sucesores de Don Federico Gómez de Orozco (célebre coleccionista de antigüedades). Don Primo Feliciano Velázquez (en su obra *La Aparición de Santa María de Guadalupe*) publicó una copia.

La mención Guadalupana del manuscrito, se halla en el folio número 70.

Esa mención histórica, ya de fines del siglo XVI, nos ofrece una constancia más de la subsistencia de la tradición Guadalupana, ya casi un siglo después del hecho de las Apariciones.

Anales de Juan Bautista

El autor de esos Anales fue alguacil del pueblo de San Juan Teotihuacan. El texto en que se hace referencia a la Aparición de Nuestra Señora, es el siguiente: "En el año 1555 se apareció Santa María de Guadalupe en Tepeyácac". Por un error de relación de años entre el sistema de contar de los indígenas y el de los españoles, aparece ese año

1555. El error es evidente, puesto que el año anterior, 1554, ya había venido el Sr. Obispo Fray Alonso de Montúfar que encontró ya la ermita de Ntra. Señora de Guadalupe y la devoción muy crecida.

El original de esos Anales se encuentra en la sección de Manuscritos de la Biblioteca Boturini (Basílica de Guadalupe). Es un cuaderno forrado con pergamino y tiene sesenta hojas. Mide 312 por 103 milímetros. Su papel es (así parece) del siglo XVI, grueso y muy bien conservado, aunque con algunos destrozos por la polilla. El tipo de letra es el de los amanuenses que ayudaron al Padre Sahagún en sus trabajos históricos. En la consignación de las noticias, comprende de 1528 a 1582. Algunos de esos datos están tomados de un estudio del Canónigo Garibay (en la revista *Abside*, 1945, IX-2).

El hecho de insertarse la noticia Guadalupana en los Anales de los indígenas, nos descubre la importancia que le daban ellos mismos. Naturalmente que ahí se contiene indirectamente la referencia al mismo indígena Juan Diego. Los indígenas que sabían de la Aparición, también sabían de su conexión con la persona de Juan Diego, como lo hemos visto en los otros documentos, ya antes mencionados.

Anales de Chimalpain

Después de referir Chimalpain la construcción del muro de piedra o albarrada, bajo el Virrey Velasco en 1556, con motivo de las graves inundaciones de la ciudad de México, dice luego lo siguiente: "En el mismo año fue cuando apareció nuestra amada Madre Santa María de Guadalupe en Tepeyácac".

Es evidente que el año está equivocado. Por un error en los modos de contar de indígenas y de españoles (al relacionarlos), se puso esa fecha equivocada. Pero el hecho de la Aparición queda perfectamente constatado. Ese documento fue escrito en el siglo XVII; aproximadamente en el año 1620.

Existe una copia en la biblioteca del Instituto Nacional de Antropología e Historia (INAH) de la ciudad de México. Puede también consultarse otra copia en la Colección Aubin-Goupil de la Biblioteca Nacional de París.

Chimalpain es también autor de otras *Relaciones;* la 6a. y la 7a. fueron impresas en París por Remi Simeón (en 1889). Se le reconoce, pues, autoridad en los datos que aporta en esos documentos.

Para este documento vale también la advertencia hecha ya antes para otros de su especie; o sea que aquí también tiene valor la conexión indirecta (referencia) con la persona de Juan Diego, por estar así conectado con el hecho mismo de la Aparición.

Anales de México y sus contornos

La mención que hace este documento, es la siguiente: "1556. XII Pedernal. Descendió la Señora a Tepeyácac; en el mismo tiempo humeó la estrella".

El que da noticia de este documento es D. Joaquín García Icazbalceta en los *Apuntes para un catálogo de escritores en lenguas indígenas de América* (dos tomos en folio con 1022 pp). Ese dato tiene relación con la Información que mandó hacer el Sr. Obispo Montúfar después del sermón de Fray Francisco de Bustamante, OFM.

La fecha puede corregirse con la referencia que hacen otros Anales (como el de Tecamachalco) de que en 1531 fue cuando humeó la estrella, o sea que apareció el cometa.

Esos Anales fueron escritos en náhuatl de 1589 a 1596. El original se halla en la Biblioteca del INAH (México, D. F.). Ese documento es de autor anónimo.

Vale también para este documento lo advertido en algunos de los anteriores que no hacen referencia directa (pero si contienen la referencia indirecta) de la persona de Juan Diego. Confirman, pues, en esa forma la historicidad de éste.

Noticias curiosas, 1519-1738

Este documento trae una mención un poco más amplia que los anteriores; y es la siguiente: "En el año de 1531 fundaron los españoles la ciudad de Puebla o Cuetlaxcoapan, y en el mismo año se apareció a Juan Diego Nuestra Señora de Guadalupe de México. En el año de 1548 murió Juan Diego al que se le apareció Nuestra Señora de Guadalupe de México".

Esas noticias están sacadas de un cuadernillo semejante al Añalejo de Bartolache. El coleccionista tradujo en esa forma lo referente a Nuestra Señora de Guadalupe.

De esas Noticias hay una copia en la Biblioteca del INAH (México, D. F.) y también en la Colección Federico Gómez de Orozco (en manos de los Sucesores del referido señor).

En el presente documento la referencia es mucho más precisa y bastante clara en relación con Juan Diego. Trae hasta la fecha de su muerte, que se confirma con otras referencias que hay sobre ella.

Los Códices

Aquí se citan tres Códices que traen también algunas referencias al Hecho Guadalupano. Para apreciarlos mejor, debe recordarse el estilo usado por los indígenas en esa clase de documentos. Como en todo lo de ellos, aquí tienden a la concisión (a la brevedad); tienden, pues, a presentar el dato esencial, en forma suficientemente inteligible.

a) CODICE TLATELOLCO (siglo XVI): presenta la historia de la Evangelización; trae un glifo con un fraile adoctrinando frente a la ermita del Tepeyac. El original está en el Salón de Códices del INAH (México, D. F.). En esa misma Biblioteca se posee una copia.

b) CODICE SUTRO (siglo XVI): Tiene una mención de que se apareció Nuestra Señora de Guadalupe en 1531.

El original se halla en la Biblioteca Pública de San Francisco, Calif., USA (en la Colección Sutro).

c) CODICE DE LA FUNDACION HEYE (siglo XVI): En ese documento se hace una mención de las Apariciones Guadalupanas.

El original se halla en la colección de esa Fundación (sección de Códices), en el Museum of the American Indian, de Nueva York, USA.

Como ya se insinuó antes, esos Códices pueden aportarnos datos históricos (dentro de su concisión) del todo fidedignos.

Documentos Españoles,
Informaciones de 1666

Estas Informaciones tienen una muy especial importancia (ya antes indicada); y es, que al recorrerlas se palpa como con las manos la CONSTANTE TRADICION (que se ve al mismo tiempo AMPLIA Y UNIFORME) sobre el hecho histórico de las Apariciones y de la presencia de Juan Diego en ellas. Debe uno fijarse también en que, con los datos de esas mismas Informaciones, se confirman las noticias que recibimos por medio del *Nican Mopohua* y del *Nican Motecpana* con su añadidura de los datos biográficos de Juan Diego. Es, pues, una ratificación de ese documento BASE: el *Nican Mopohua* de Don Antonio Valeriano y también del *Nican Motecpana* juntamente con los citados datos sobre Juan Diego.

El original estuvo en el archivo del Arzobispado de México. Se hizo últimamente una investigación, y se comprobó que no está ya en él. En la Biblioteca Boturini (Sección de manuscritos) de la Basílica de Guadalupe, se hallan dos copias debidamente autenticadas; de una de ellas se sacó una fotocopia completa.

Por consiguiente, esas Informaciones tienen un valor muy especial para comprobar los datos esenciales de la vida de Juan Diego.

Informaciones de 1723

Esas Informaciones jurídicas fueron mandadas levantar por el Arzobispo de México Fray José de Lanciego y Aguilar a petición del Bachiller Don José de Lizardi y Valle, administrador (tesorero) del Santuario de Nuestra Señora de Guadalupe. En ellas testimoniaron sobre el Tema Guadalupano, Fray Margil de Jesús, OFM, y el Canónigo Don Rodrigo García Flores de Valdés.

En un interrogatorio de 18 preguntas, confirmaron substancialmente lo testimoniado en las Informaciones de 1666.

En las preguntas 3, 4, 5, 7, 12, 15 y 17 declararon algo sobre la vida de Juan Diego en relación con las Apariciones y el culto a Nuestra Señora de Guadalupe.

Se hallan dos copias (junto con las de 1666) en la Biblioteca Boturini (Basílica de Guadalupe), en la sección de manuscritos. Se sabe que hay una copia en la Biblioteca Pública de Nueva York (USA).

A pesar de la fecha en que se tomaron esas Informaciones (que parecen un poco retardadas: 1723), creemos que dan nueva fuerza a la tradición sobre las Apariciones y también sobre la vida misma de Juan Diego. Su relación de concordancia con los documentos anteriores, afianza todavía más la historicidad del Hecho Guadalupano.

Relación de Juan González

Ese documento fue escrito por el que fuera intérprete de Juan Diego en su comunicación con el Obispo Zumárraga acerca de las Apariciones del Tepeyac: el Padre Juan González (después Canónigo de la catedral de México). Tanto el Canónigo D. Angel M. Garibay (uno de los más autorizados especialistas sobre el Tema Guadalupano), como el Padre J. Jesús López (también profundo conocedor de ese mismo Tema) están concordes en atribuir fundadamente esa Relación al P. Juan González.

Esa es una Relación que corrobora los datos principales de la ya mencionada Relación de Valeriano (el *Nican Mopohua*), aunque lo hace en una forma sintética.

El P. González la debió escribir en una fecha muy cercana al hecho mismo de las Apariciones. Después se la pasó a su amigo el jesuita Juan de Tovar. Más tarde, con motivo de la expulsión de los Jesuitas de los dominios de España (1767), el documento referido fue a dar a una de las secciones de la Biblioteca Nacional de México (en el D. F.).

Como se ve, esa Relación tiene un valor muy especial: el de ser de un testigo inmediato de los hechos Guadalupanos. A pesar de ser más breve que el *Nican Mopohua*, tiene un gran valor en los datos esenciales que nos comunicó.

Relación del Párroco de Tulpetlac

Esa Relación y petición la hizo el párroco del pueblo de Tulpetlac en unión con los fieles de su parroquia, con el objeto de conseguir que se erigiese una capilla en el sitio donde vivió Juan Diego y fue curado por Nuestra Señora de Guadalupe el tío de aquel, llamado Juan Bernardino. Aunque sabemos por la vida de Juan Diego que éste nació en el pueblo de Cuautitlán, por circunstancias especiales de sus tiempos, se vio precisado a cambiarse a Tulpetlac, desde donde estuvo haciendo los viajes a Tlatelolco (puesto de evangelización de los Padres Franciscanos) y al Tepeyac.

El documento que se conserva manuscrito, lleva la fecha de 1789. Posteriormente también se imprimió. Junta a la petición, viene el permiso solicitado para esa erección, de parte del Arzobispo de México, D. Alonso Núñez de Haro y Peralta.

El documento original se halla en el Archivo General de la Nación (México, D. F.).

El presente documento nos asegura más en la tradición de que ahí fue donde vivió Juan Diego en el tiempo de los Apariciones, y también ahí fue curado su tío Juan Bernardino por Nuestra Señora al aparecérsele personalmente. En ese pueblo se conserva esa tradición transmitida de padres a hijos a través del tiempo transcurrido.

Petición de Capilla en Cuautitlán

En el año 1798, Doña María Loreto Revuelta, vecina del pueblo de Cuautitlán, hizo una Relación y petición para erigir una capilla en el sitio donde había nacido Juan Diego. El documento contiene la petición y la anuencia de parte del Arzobispo de México, Haro y Peralta.

El original de ese documento, y de la concesión de lo que se pedía, se conserva en el Archivo General de la Nación, México, D.F.

También se ve muy evidente la importancia de ese documento, como confirmación de la tradición de que ese lugar fue el del nacimiento de Juan Diego. También ahí se conserva de padres a hijos esa tradición tan íntimamente relacionada con el Hecho Guadalupano.

Obras Históricas Impresas

El hecho de que hayan sido impresas, como se ve, no les quita en nada el valor propio con relación a los hechos que narran. Sobre todo, porque de casi todos los impresos que vamos a enumerar se conservan los originales. En seguida trataremos de valorarlas, basados en las circunstancias de las personas que fueron los autores de esas obras.

Tenemos desde luego la *Descripción del Arzobispado de México* que escribió nada menos que Fray Alonso de Montúfar, OP, inmediato sucesor de Fray Juan de Zumárraga, testigo inmediato del Hecho Guadalupano. Al Sr. Montúfar le tocó hacer la nueva ermita de Nuestra Señora, por hallarse la antigua ya muy deteriorada.

A Bernal Díaz del Castillo no podríamos autorizarlo más, como narrador de los hechos Guadalupanos (en la forma breve como lo hizo), que diciendo que fue compañero del Conquistador Hernán Cortés, y que anduvo por el lugar llamado Tepeaquilla o Tepeyac, al norte de la ciudad de México.

Al escritor nacido en la ciudad de México y que por 1556 era Alcalde Mayor del pueblo de Cuautitlán, Don Juan Suárez de Peralta; también le podemos creer confiadamente, aunque después se haya ido a España y allá haya muerto. Aunque en forma breve, en su *Tratado del Descubrimiento de las Indias,* hace expresa referencia de las Apariciones de Nuestra Señora (como ya lo dijimos).

Aunque a Fray Bernardino de Sahagún, OFM, no lo tengamos como un narrador directo del Hecho Guadalupano, ciertamente hace referencias indirectas; en alguna forma, parece que se pone en contra del hecho Guadalupano, pero más bien por las razones de la pastoral inicial con los indígenas recién convertidos al Cristianismo. Su historia lleva el título de *Historia General de las cosas de la Nueva España.* Muy cerca de él, y por no poco tiempo, anduvo Don Antonio Valeriano (autor del *Nican Mopohua*) en las labores culturales del célebre Colegio de Santa Cruz de Tlatelolco.

A Fray Juan de Torquemada, OFM, que en 1609 comenzó a escribir su *Monarquía Indiana,* también lo consideramos como una de las fuentes para la historiografía Guadalupana. Nos da informes sobre la localización de los lugares relacionados con el Hecho Guadalupano. La primera edición de su obra fue el año 1613.

A esos cinco escritos (que han sido publicados) los consideramos como confirmatorios de los datos históricos que fuimos viendo al recorrer la documentación enumerada en las páginas anteriores.

Monumentos Históricos (relacionados con Juan Diego)

1) *La Tilma o ayate de Juan Diego:* La tilma tiene una importancia excepcional por ser la tela sobre la cual apareció como estampada la imagen de Nuestra Señora de Guadalupe. Por los datos históricos que tenemos, se prueba que esa aparición de la imagen fue de un modo no humano. Por los exámenes y reconocimientos de que ha sido objeto la referida tilma con la imagen, a través del tiempo, también se ha ido viendo que no es una pintura como las hechas por los pintores con sus características normales.

Se han hecho también apreciaciones acerca de la imagen en las circunstancias climatológicas en las que se ha hallado a través de cuatro siglos y medio; y se ha observado que no era posible que se hubiese conservado en

Vero Ritratto della SSma̅ Vergine detta di Guadalupe nel Messi̅.

L'anno 1531. in un monte vicino alla Città del Messico apparve la SSma̅ Vergine a un Indi̅. chiamato Gio. Diego, e gli ordinò che dicesse a Monsig.r Arciv.o Gio. de Sumarraga, voler essa, che se le dedicasse in quel luogo un Tempio; in contrasegno di che gli diede alcune rose. Furono queste dall'Indiano poste nel suo rozzo mantello, e nel volerle presentare all'Arcivescovo il di 12. D.ce si trovò in vece di esse impressa in detto Mantello questa prodigiosa Immagine, una copia della quale ritratta dal proprio Originale, e consagrata col toccamento del medesimo, si venera in Roma nella Chiesa della Visitazione a cui fu donata dalla Sa. mem. di Benedetto XIV.

Mich. Cabrera delin. Messico a. 1732.

40. *Grabado italiano, anónimo, ejecutado a partir de una pintura de Miguel Cabrera de 1732.*

tan buen estado sin elementos que no son de acá de la tierra.

También debe tenerse en cuenta la conexión de la imagen con esa tilma que era la de Juan Diego, y que él llevaba siempre como una de las prendas de vestir.

2) *La casa donde nació Juan Diego en Cuautitlán:* Como ya lo hicimos notar antes, en ese pueblo se conserva la tradición constante acerca del lugar donde estuvo la casa de Juan Diego, a quien se apareció Nuestra Señora. Ya vimos antes el asunto de la petición del permiso para erigir una capilla en ese lugar, en donde estuvo la casa de Juan Diego. Confirmando esa tradición local (del mismo Cuautitlán), por las Informaciones de 1666 descubrimos muchos de los datos de la Aparición y también de la vida misma del indio favorecido (Juan Diego). Y esto no era de extrañar, ya que los ocho indígenas que declararon en las referidas Informaciones (de 1666), eran originarios de esa población de Cuautitlán.

Por consiguiente, vemos en perfecta consonancia tanto las noticias de 1666, como la tradición en el mismo sentido de la petición para erigir la capilla en el sitio del nacimiento de Juan Diego, en esa misma población de Cuautitlán; petición hecha en el año 1798.

No es, por tanto, de tan poca importancia la comprobación histórica de la casa de Juan Diego en esa su población de origen: Cuautitlán.

3) *La casa de Tulpetlac, donde vivió Juan Diego:* Conforme a una antigua tradición, en esa población era donde vivía Juan Diego al realizarse las Apariciones en el Tepeyac. Convivía con él, su tío Juan Bernardino. Así lo confirmó el testimonio del Sacerdote (Bachiller) D. Luis Becerra Tanco en las Informaciones de 1666. Además de la tradición oral, ese sacerdote había tenido oportunidad de consultar documentos de los indígenas. Se hallaba, pues, bastante informado sobre el Tema Guadalupano.

Acabamos de ver poco antes, también la tradición de fines del siglo XVIII, pues en 1789 se hicieron los trámites para erigir una capilla en el lugar donde vivió Juan Diego en dicha población de Tulpetlac. Esa coincidencia de los dos documentos nos confirma todavía más en la historicidad de ese hecho: de que Juan Diego vivió ahí.

4) *La casa de Fray Juan de Zumárraga:* Con el auxilio de los planos de la ciudad de México, levantados en diferentes épocas, lo mismo que con las referencias hechas por los cronistas de esa misma ciudad, se ha podido localizar el lugar preciso donde estuvo la casa habitada por el primer Obispo (después Arzobispo) de México, Fray Juan de Zumárraga, OFM, al lado norte del Palacio Virreinal.

Aunque la casa original fue demolida para construirse una nueva, sin embargo puede determinarse con precisión el lugar donde debieron estar las habitaciones de dicho Obispo al realizarse la aparición de la imagen de Nuestra Señora en la tilma de Juan Diego. Esa localización, lo mismo que la de la catedral primitiva (donde estuvo luego la imagen aparecida), tienen también su importancia en relación con el encuentro de los demás comprobantes de la historicidad del Hecho Guadalupano. No se necesita, pues, ponderar mucho esa importancia, puesto que es evidente.

5) *La iglesia o Parroquia de los Indios:* Esa iglesia fue construida por el Sacerdote-Bachiller Don Luis Lasso de la Vega, siendo encargado del Santuario de Nuestra Señora de Guadalupe. Se localiza al oriente del referido Santuario, y junto a la ermita primitiva en que estuvo por primera vez la imagen de Nuestra Señora de Guadalupe. Esta ermita quedó convertida en sacristía de aquella Parroquia. A esa iglesia vieja de los Indios fueron trasladados los restos de Juan Diego y de Juan Bernardino, que estaban en la primera ermita.

Como puede concluirse, no deja de tener su conexión con los hechos y con la historia general del Tema Guadalupano. Luis Lasso de la Vega murió poco después de 1660.

6) *La sacristía de la Parroquia de los Indios:* La que ahora es todavía sacristía de dicha Parroquia (ahora remodelada, pero dejada ya sin techo), fue la primitiva ermita de

41. D. Manuel José Rubio y Salinas, Arzobispo de México. Oleo sobre tela, firmado y fechado por Miguel Cabrera en 1751. Museo de la Basílica.

Nuestra Señora, en donde estuvo por primera vez su imagen. Ahí, como se acaba de decir, fueron enterrados tanto Juan Diego como Juan Bernardino. Se han hecho algunas exploraciones arqueológicas, y se ha comprobado lo que se acaba de decir (que fue la primera ermita).

Debe por tanto considerarse como el punto de partida del florecimiento del culto a Nuestra Señora de Guadalupe. Fue el primer sitio visitado por los peregrinos, tanto indígenas como españoles. Así parece estar dibujada la ermita, como ya dijimos, en el Códice Tlatelolco.

7: UN DOCUMENTARIO GUADALUPANO

Por el interés que puede tener para los lectores la referencia al *Documentario Guadalupano* publicado por el Centro de Estudios Guadalupanos (de la Basílica de Guadalupe), vamos a hacer una descripción general, mencionando naturalmente los documentos indígenas que ahí vienen presentados. Se editó un poco de prisa; pero resultó satisfactoriamente bueno para el fin que se pretendía: ayudar a la celebración del 450o. Aniversario de las Apariciones Guadalupanas.

En él viene desde luego el *NICAN MOPOHUA*, o sea la narración de las Apariciones de Don Antonio Valeriano, uno de los mejores estudiantes indígenas del Colegio franciscano de Santa Cruz de Tlatelolco. La segunda parte de ese documento contiene los milagros atribuidos a Nuestra Señora de Guadalupe, cuya redacción se atribuye a Don Fernando de Alva Ixtlixóchitl. Al final del referido documento de Valeriano, viene una pequeña biografía de Juan Diego que se añadió poco después de escrita la parte general. Así se halla el documento de Valeriano en las copias de la segunda mitad del siglo XVI.

En el *Documentario* viene después la *Relación* del Padre Juan González que fue el intérprete en el diálogo de Zumárraga con Juan Diego. Para confirmar esa relación, se puso antes el estudio hecho por el Padre Jesús Jiménez López (del Arzobispado de Guadalajara) valorando críticamente esa misma relación.

Teniendo como base y principio la *Relación* de Valeriano, en el *Documentario* sigue la referencia a la *Historia de Nuestra Señora de Guadalupe* publicada en 1648 por el Padre Miguel Sánchez; aunque se le deba reconocer ese honor tan singular de ser la primera obra impresa acerca de las Apariciones de Nuestra Señora de Guadalupe, sin embargo por su estilo barroco no tan fácilmente inteligible por la generalidad de los lectores, en el *Documentario* solamente se publicó el texto esencial de la Relación del padre jesuita Mateo de la Cruz, que es resumen de la parte histórica del referido Miguel Sánchez.

Después viene la narración Guadalupana del prelado romano Anastasio Nicoselli; dicho prelado, al conocer la colección de documentos enviados a Roma por Don Francisco de Siles para conseguir de la Santa Sede el oficio y la Misa para Nuestra Señora de Guadalupe, creyó conveniente hacer un resumen de esos documentos con la relación de las Apariciones.

A continuación sigue la mención Guadalupana acerca del hecho de la Aparición en los *Anales de Juan Bautista*, indígena. Aunque viene equivocada la fecha (1555), error explicable por la diferencia de la indicación del tiempo de indígenas y españoles, de cualquier manera se constata el hecho de la Aparición. Ese documento indígena es el único que se halla en la Biblioteca Boturini (de la Basílica de Guadalupe).

Le siguen *los Anales* indígenas llamados *de Bartolache* por haber sido hallados por Don José Ignacio de ese apellido. Ahí se dice: "1531... Y Juan Diego manifestó la amada Señora de Guadalupe en México, que se llama Tepeyac... 1548: murió Juan Diego a quien se apareció la amada Señora de Guadalupe en México..."

Con una mención guadalupana también bastante concisa, se citan luego *los Anales de la Catedral* (de México), los tres *Códices de Gómez de Orozco y los Anales de Chimalpain.*

42. D. Francisco Antonio de Lorenzana, Arzobispo de México y futuro Arzobispo de Toledo, Cardenal Primado de España. Oleo sobre tela, anónimo, de finales del S. XVIII. Museo de la Basílica.

43. *Doña María Ana Echeverría y Veitia, fundadora del Convento de Capuchinas de Nuestra Señora de Guadalupe, antes de profesar como Sor María Ana. Oleo sobre tela, anónimo, circa 1770. Colección de dicho convento.*

Después de mencionarse el Incidente Bustamante al que siguió la Información del Sr. Obispo Montúfar), vienen *las Informaciones de 1666 y 1723*. En las primeras participaron ocho indígenas y trece españoles. Entre estos estaban el P. Miguel Sánchez (que ya citamos) y el Lic. Luis Becerra Tanco(autor del libro Guadalupano *Felicidad de México*). Esas Informaciones (las de 1666) son una evidente e innegable confirmación de los datos consignados en el *Nican Mopohua*. La tradición (en esas Informaciones manifestada) sostiene con firmeza la historicidad del hecho de las Apariciones.

En la Información de 1723 confirmaron esa misma tradición el célebre Padre franciscano Fray Margil de Jesús y el Canónigo Don Rodrigo García Flores.

Las últimas referencias Guadalupanas del *Documentario* son las de Juan Suárez de Peralta (antiguo Alcalde de Cuautitlán), Bernal Díaz del Castillo (compañero de Cortés), Becerra Tanco (ya citado), el P. Francisco de Florencia, S. J. (bien documentado en la tradición Guadalupana) y Don Miguel Cabrera (por sus atinados juicios sobre la pintura Guadalupana). Como Apéndice vienen unas noticias generales sobre los templos del Tepeyac y la devoción Guadalupana.

8: BIBLIOGRAFIA FUNDAMENTAL GUADALUPANA

Nota: En esta bibliografía se basa lo referente tanto a las Apariciones Guadalupanas como a los datos sobre la vida de Juan Diego.

Anticoli, S. J. Esteban. *Historia de la Aparición de la Sma. Virgen María de Guadalupe en México.* 2 vols. México, Tip. y Lit. "La Europea", 1897.

Bartolache, José Ignacio. *Manifiesto satisfactorio.* Opúsculo Guadalupano. . . México, F. de Zúñiga y Ontiveros, 1790. 105 pp.

Becerra Tanco, Luis. *Felicidad de México. . .* México, F. de Zúñiga y Ontiveros, 1780. 101 pp.

Bravo Ugarte, José. *Cuestiones Históricas Guadalupanas.* México, Editorial JUS, 1946. 130 pp.

Cabrera, Miguel. *Maravilla Americana.* México, Imp. del Colegio de San Ildefonso, 1756. 30 pp.

Cabrera y Quintero, Cayetano. *Escudo de armas de México. . .* México, Imp. Vda. de J. B. de Hogal, 1746, 522 pp.

Colección de obras y opúsculos pertenecientes a la Milagrosa Aparición. . . de Nuestra Señora de Guadalupe. . . Madrid, Imp. de L. de San Martín, 1785. 804 pp. (más prólogo e índice sin paginar).

Centro de Estudios Guadalupanos, A. C. *Primer Encuentro Nacional Guadalupano: 7 y 8 de septiembre de 1976.* México, D. F. México, Editorial JUS, 1978. 162 pp.

—*Segundo Encuentro Nacional Guadalupano: 2 y 3 de diciembre de 1977.* México, D. F. México, Editorial JUS, 1979. 145 pp.

—*Tercer Encuentro Nacional Guadalupano: 5, 6 y 7 Dic. 1978.* México, D. F.-México, Editorial JUS, 1979. 108 pp.

—*Cuarto Encuentro Nacional Guadalupano: 4, 5 y 6 de Dic. 1979.* México, D. F.-México, Ed. JUS, 1980. 113 pp.

Cruz, Mateo de la. *Relación de la milagrosa aparición de la santa imagen de la Virgen de Guadalupe de México.* 3a. edición. México, 1781. 26 pp.

Cuevas, Mariano. *Album Histórico Guadalupano del IV Centenario.* México, E. Tip. Salesiana, 1930. 292 pp.

Florencia, Francisco de. *Estrella del Norte de México.* 2a. edición. Barcelona, Antonio Velázquez, 1741. 260 pp.

—*Zodiaco Mariano.* México, Imp. del Col. de San Ildefonso, 1755. 328 pp.

García Gutiérrez, Jesús. *Primer Siglo Guadalupano; documentación indígena y española (1531-1648).* México, 1931. 160 pp.

—*Apuntamientos para una bibliografía crítica de historiadores guadalupanos.* México, 1940.

García Icazbalceta, Joaquín. *Carta acerca del origen de Ntra. Señora de Guadalupe de México escrita por. . .,* publicada en "Investigación Histórica y documental..."

por Ediciones Fuente Cultural. México, 1952 (con otros documentos). 208 pp.

Garibay, Angel María. *Historia de la Literatura Náhuatl.* México, Ed. Porrúa, S.A., 1953-1954.

Información *que el Arzobispo de México D. Fray Alonso de Montúfar mandó practicar con motivo de un sermón que... (8 de septiembre de 1556) predicó... Fray Francisco de Bustamante, acerca de la devoción y culto de Nuestra Señora de Guadalupe.* Madrid, Impr. La Guirnalda, 1888. IX, 54 pp.

Informaciones *sobre la milagrosa aparición de la Santísima Virgen de Guadalupe recibidas en... 1666 y 1723, publicadas por el Presbítero Fortino Hipólito Vera...* Amecameca, "Imprenta Católica", 1889, 253 pp.

Junco, Alfonso. *Un Radical Problema Guadalupano.* 3a. ed. México, Editorial JUS. 1971 (Col. "México Heroico", No. 109). 160 pp.

Lasso de la Vega, Br. Luis. *Huei Tlamahuizoltica.* (Obra que incluye el *Nican Mopohua* de Antonio Valeriano, y el *Nican Motecpana* de Alva Ixtlixóchitl con la narración de los milagros de Ntra. Señora de Guadalupe).

Esta obra de Lasso se halla editada facsimilar dentro de la obra anterior de Junco: págs. 57-158.

López Beltrán, Lauro. *La Historicidad de Juan Diego.* México, Editorial Tradición, 1977. 91 pp.

—*La Protohistoria Guadalupana.* México, Editorial JUS, 1966. 285 pp.

Manríque y Zárate, Mons. José de Jesús. *Quién fue Juan Diego.* Cuernavaca, Morelos, 1943. 167 pp.

Medina Ascencio, Luis. *Documentario Guadalupano, 1531-1768,* México, Centro de Estudios Guadalupanos, A. C., 1980. 299 pp. (Monumenta Historica Guadalupanensis, No. 3).

—*Juan Diego, El Vidente del Tepeyac,* México. Centro de Estudios Guadalupanos, A. C. 1980. (Monumenta Historica Guadalupanensis No. 4).

Memoria del Congreso Nacional Guadalupano. *Discursos, conclusiones, poesías.* México, 1531-1931. 279 pp.

Nicoselli, Pbro. Anastasio. *Relación histórica de la admirable aparición... de Ntra. Sra. de Guadalupe.* México, 1871. 26 pp.

Rojas, Pbro. Mario. *Nican Mopohua:* Don Antonio Valeriano (nueva traducción al español). Huejutla, Hgo. 1978, 48 pp.

Rosa, Agustín de la. *Defensa de la aparición de Ntra. Sra. de Guadalupe y refutación de la carta en que la impugna un historiógrafo de México.* Guadalajara, Imp. de L. G. González, 1896. 50 pp.

—*Dissertatio histórico-theologica de Apparitione B. M. V. de Guadalupe...* Guadalaxarae, typ. N. Parga, 1887. 300 pp.

Sánchez Miguel. *Historia de la Virgen de Guadalupe de México. Primer libro Guadalupano impreso en ..1648 por el Pbro. Br. Miguel Sánchez.* Reimpresión (con estilo facsimilar) y Preámbulo por el Pbro. Lauro López Beltrán. Cuernavaca, Mor., México, Editorial "Juan Diego", 1952. 215 pp.

Velázquez, Lic. Primo Feliciano. *La Aparición de Santa María de Guadalupe.* México, D. F., 1931. XVI+449 pp.

Vera, Fortino Hipólito. *Contestación histórico-crítica en defensa de la maravillosa aparición de la Santísima Virgen de Guadalupe...* Querétaro, Imp. Escuela de Artes, 1892. XVI-700 pp.

—*La milagrosa aparición de Nuestra Señora de Guadalupe, comprobada por una información levantada en el siglo XVI.* Amecameca, 1890. 340 pp.

—*Tesoro Guadalupano. Noticia de los libros, documentos, inscripciones, etc., que tratan, mencionan o aluden a la Aparición y devoción de Nuestra Señora de Guadalupe.* 2 vols. Amecameca, Imp. del Colegio Católico, 1887-1889.

44. *Grabado en cobre que aparece al principio del* Escudo de Armas de México, *ejecutado por Baltasar Troncoso en 1743 sobre un dibujo o pintura de José de Ibarra. Se reproduce a su tamaño original.*

45. *D. Juan de Alarcón y Ocaña, primer Abad de la Colegiata de Guadalupe. Oleo sobre tela, anónimo, de la segunda mitad del S. XVIII. Museo de la Basílica.*

Dr. Enrique Graue y Díaz González

La Tilma de Juan Diego

El estudio y la comprensión del acontecimiento guadalupano, sucedido ya hace cuatrocientos cincuenta años, es y será siempre una gran noticia; mientras más se le analiza y examina, más se maravilla el investigador ante los aspectos sobrenaturales del mismo.

1. LA TILMA

Tilma, según el *Diccionario de Aztequismos* de Luis Cabrera, significa manta o sarape de algodón, o de lana, y aun de ixtle; derívase del náhuatl *tilmatli*, manta rala. Más específicamente, cuando esa manta se halla tejida con ixtle, o fibra de maguey, se la denomina *áyatl*, que también quiere decir manta rala y de donde proviene el aztequismo ayate. De ahí que el lienzo en que quedó impresa la imagen de la Virgen de Guadalupe, pueda designarse con cualesquiera de ambos vocablos, aunque, por razón del material con el que está fabricado, el término más apropiado sea el de ayate.

Solamente los indios nobles de aquellos tiempos, o los muy principales, se vestían con telas de algodón, reservándose a la gente común los tejidos de fibra de maguey o agave, ciertamente resistentes, pero de una aspereza que sólo la atemperaba el uso. Se ha demostrado que el ayate de Juan Diego está hecho, como entonces se hacían esas mantas, de fibras de "agave popotule" y no de palma, como alguna vez se pensó.

El ayate mide, en la parte que vemos, un metro con sesenta y ocho centímetros de altura, por un metro con tres centímetros de ancho. La figura de la Virgen es menor, pues sólo tiene una altura de un metro con cuarenta y tres centímetros.

Consta de dos piezas unidas hacia el centro, en sentido longitudinal y de arriba hacia abajo, por un hilo de algodón, blando, delgado y de tan frágil apariencia que resulta increíble el que haya resistido, y siga resistiendo, el peso y la tirantez de las piezas que une. Es curioso notar que la costura no atraviesa el rostro de la imagen, ni tampoco la del ángel que está a sus pies; ello se debe a que la cabeza, así como todo el cuerpo, se halla ligeramente inclinado hacia la derecha (izquierda del observador).

A todo aquél que, como el suscrito, ha tenido el privilegio de examinar la tilma detenidamente, sin el cristal que la protege, y de palpar con sumo cuidado su contextura, lo primero que le impresiona es el hecho de su extraordinaria conservación, pese a los embates del tiempo y de la piedad de los innumerables fieles que tocaron la imagen en los siglos pasados y, de manera particular, en los primeros ciento dieciséis años de su culto, durante los cuales permaneció desprovista de toda protección, expuesta a la intemperie y al humo de miles y miles de cirios y velas. No encontré más que algunos pequeños deterioros en la tela y una atenuación de ciertos colores que, a mi parecer, debieron haber sido más vivos en su origen.

Llama también la atención lo ralo de la trama, así como el que la tela parezca no pintada, sino como impregnada del color. Quienes examinaron la Imagen en 1666, certificaron que ésta se ve por el reverso tan clara como por el frente; y el pintor Cabrera, un siglo más tarde, pudo ver a través de la tela los objetos que estaban detrás de ella. Esto nos lleva a otra observación más sorprendente, la relativa a la falta de toda esa preparación que resulta indispensable para pintar sobre cualquier superficie, haciéndola impenetrable a los materiales colorantes y facilitando el manejo del pincel. Si consideramos la textura de la tilma —trama rala y desigual—, abundante en nudos, no podemos entender cómo fue posible el ejecutar una pintura de tan perfecto acabado. Por cierto que uno de tales nudos se encuentra un poco arriba de la comisura externa izquierda de la boca, y otro en uno de los ojos; ambos, en vez de desfigurar la expresión del rostro, la hacen aún más bella.

Quien más detenidamente ha estudiado la tilma, fue el célebre Miguel Cabrera, eximio pintor oaxaqueño del siglo XVIII; la examinó en compañía de varios colegas y produjo un completísimo informe titulado *Maravilla Americana*, publicado en 1756. Afirma Cabrera que, entre otras "raras maravillas", se aprecian en el ayate cuatro especies de pintura, ya que el rostro y las manos "parecen ser al óleo"; la túnica, el ángel y las nubes, "al temple"; el manto, "al aguazo"; y la parte sobre la que se encuentran los rayos, "al fresco". Combinación, añade, jamás intentada por los pintores y menos sobre una superficie que no muestra señales de preparación alguna.

Ya en nuestro siglo —en 1936— se le enviaron al Dr. Ricardo Kuhn, Director del Departamento de Química de la Universidad de Heidelberg, en Alemania, y Premio Nobel de Química en 1938, dos fibras del ayate de Juan Diego: una de color rojo y otra de color amarillo, con objeto de que las analizara para determinar la naturaleza de los pigmentos. Su dictamen, rendido sin previo conocimiento de la procedencia de las fibras, fue el siguiente: ". . .en la fibras analizadas, una roja y otra amarilla, no existen colorantes vegetales, ni colorantes animales, ni tampoco colorantes minerales".

A mayor abundamiento, el profesor Francisco Camps Ribera, de Barcelona, reconocido mundialmente como experto en pintura, examinó la tilma en 1954 y 1963 y afirmó: " . . . no pude encontrar huellas de pincel, ni que la tela fuera preparada para pintar", concluyendo que "ningún artista humano hubiera escogido, para ejecutar una obra de tal magnitud, una tela o lienzo de la calidad del ayate, y mucho menos con una costura al centro".

2. DESCRIPCION DE LA IMAGEN

Del examen de la figura impresa en la Tilma, se desprende que se trata de una adolescente, de rostro ovalado y piel morena clara, que se cubre de un manto tachonado de estrellas y que, por los rayos de oro que la rodean, parece como si tuviera el sol a sus espaldas. Está de pie y su altura es, como ya se dijo, de un metro con cuarenta y tres centímetros. Descansa la figura sobre una media luna, de color obscuro y con los cuernos hacia arriba, a la que se sirve de "atlante" un ángel, en cuyas alas se ha querido ver los colores de nuestra bandera.

Vístese la figura de una túnica, un cíngulo y un manto. La túnica es de color rosa pálido, y está recamada de arabescos que semejan flores tejidas con hilo de oro; el cíngulo, de color morado, es una faja de unos dos dedos de ancho que se anuda bajo las manos y cuyos extremos aparecen bajo las vueltas de las mangas; el manto, que cubre a la imagen de la cabeza a los pies, es de color verde azuloso en su parte externa y de un azul menos intenso en la interna. Bordea el manto una orla de oro y por toda su superficie exterior se distribuyen uniformemente cuarenta y seis estrellas, también de oro: veintidós del lado derecho y veinticuatro del izquierdo. Circundan la figura ciento veintinueve rayos dorados: sesenta y dos del lado derecho y sesenta y siete del izquierdo. Son equidistantes y están dispuestos en forma alternada: uno recto y otro ondulado. El oro de estos rayos es más vivo y brillante en la proximidad del manto, desvaneciéndose en un amarillo ceniciento que se pierde al llegar a las nubes que encierran el conjunto. Esta disposición explica la impresión de que el sol está a espaldas de la imagen.

La calidad del oro de los arabescos de la túnica, de las estrellas y orla del manto, así como la de los rayos, es tan especial que, a primera vista, da idea de ser oro en polvo que se desprendería al tacto; sin embargo, un examen cuidadoso hace ver que no es oro en polvo, ni que está sobrepuesto, sino incorporado en la tela del ayate, como si al tejerla se hubieran dorado previamente los hilos. Vale la pena confrontar lo que se dice, a este respecto, en el estudio ya citado de Miguel Cabrera.

En algunas pinturas de la Virgen de Guadalupe, se aprecia una corona de oro, de diez rayos, tan mal puesta que, mientras la cabeza de la imagen está inclinada hacia la derecha, la tal corona está en posición vertical, como suspendida sobre el extremo superior del manto. Ciertos relatos de las Apariciones hablan de una corona ciñendo la cabeza de la Virgen, pero otros no dicen nada al respecto. En lo personal, considero que nunca tuvo corona, pero que es posible que se hubiera tomado como tal el haz de unos diez o doce rayos verticales que se aprecian sobre el extremo superior antes mencionado. Aquí cabría citar lo que el P. Francisco de Florencia dice en su libro *Estrella del Norte de México* (2a. Ed., 1741): "Pocos años después de la Aparición (y seguramente varios después de la muerte de Juan Diego) les pareció bien a los que cuidaban del culto de la Virgen, que estaría mejor si se la adornara de querubines que alrededor de los rayos del sol le hiciesen compañía". Tales querubines han desaparecido, por la acción del tiempo, o por órdenes de autoridad competente, pero aún se notan alrededor de la imagen ciertos manchones descoloridos. Es posible que, así como algunos tuvieron la osadía de pintar los querubines, otros hayan tratado de ponerle una corona a la imagen.

Si vemos el ayate a una distancia superior a los tres metros, los colores se aprecian fuertes y marcados, distinguiéndose bien los claros de los más obscuros; pero conforme se acerca el observador se van desvaneciendo y casi se pierden al mirarlos con una lupa de gran aumento. Esto es un grave inconveniente para la toma de fotografías del rostro, pongamos por caso, ya que mientras más potente sea la lente, más resaltará la grosera trama del lienzo, en detrimento de los rasgos.

3. ESTUDIO DE LOS REFLEJOS EN LOS OJOS DE LA IMAGEN

Mucho es lo que, en el curso de más de cuatro siglos, se ha escrito sobre la Virgen de Guadalupe, pero sólo hasta hace muy pocos años se ha atendido otro aspecto de su imagen, el cual ha dado lugar a estudios, controversias y aseveraciones no siempre bien fundadas. Me refiero a la noticia según la cual "en los ojos de la Virgen de Guadalupe, se aprecia reflejada la imagen o busto de un hombre . . ."

En efecto, hasta 1951 no se había intentado un examen de los ojos de la imagen, con el auxilio de una buena lupa y una buena iluminación. Fue don Carlos Salinas Chávez quien, el 29 de mayo de ese año, inició tan interesante labor, siguiéndole luego otros insignes investigadores como Luis Toral González, Manuel de la Mora y el doctor Rafael Torija Lavoignet y otros muchos científicos, entre los que se cuentan no pocos oftalmólogos del país y del extranjero.

El suscrito fue invitado, en diversas ocasiones, allá por los años sesenta, a examinar los ojos de la Virgen y dar su parecer con respecto a la figura que se decía reflejada en ellos. Me negué, alegando algún pretexto, pues sentía que científicamente tal cosa no podía ser, y no deseaba, por otra parte, desilusionar a las personas que me invitaban y que de toda buena fe creían en algo que yo estimaba, repito, como imposible. Sin embargo, en 1974, accedí a practicar dicho examen, a condición de que pudiera efectuarlo en forma directa, esto es, sin que se interpusiera, entre el ayate y mis aparatos, el cristal que protegía a la imagen, y de que se me facilitara una "torre" o andamio, sobre el cual pudiera trabajar, desembarazadamente, a la altura en que estaba colocada la tilma en el altar mayor de la antigua Basílica. Añadí que, sin presión alguna, rendiría mi testimonio, ya a favor, ya en contra del hipotético reflejo.

Con el debido respeto, principié por el examen de la tilma: medidas, estado de conservación, colorido, etc., para proceder luego a una escrupulosa inspección del rostro y de los ojos de la imagen. Observé, entre otras cosas sorprendentes, lo ya descrito por otros: al proyectar la luz de una lámpara de bolsillo sobre el segmento anterior del ojo, el iris brilla más que el resto, no así la pupila, lo que da una sensación de profundidad; pareciendo, además, como si el iris fuera a contraerse, de un momento a otro, como el de una persona viva. Inspeccioné, luego, la córnea de ambos ojos y las manchas que se afirmaba correspondían al reflejo o "retrato" de un hombre y, si bien es cierto que noté algo, ello no fue lo suficiente como para sentirme capaz de emitir un dictamen. Así lo hice saber al descender del andamio y afirmé que, como oftalmólogo, no estaba aún en condiciones de certificar cosa alguna, por lo que solicité se me permitiera practicar ulteriores exámenes, asistido de mejores aparatos que los utilizados en esa primera ocasión. Se me concedió el permiso y así, algunas semanas después, efectué tres exámenes, en otras tantas fechas, que me hicieron comprobar, con absoluta certeza, una realidad tan extraña, tan fuera de toda posibilidad, como la de ver reflejado, en la córnea y en el cristalino de los ojos de la imagen, el busto de un hombre barbado.

Para entender con mayor claridad este asunto de los reflejos, creo necesario hacer estos comentarios:

En primer lugar, de todas las membranas del ojo, *las dos únicas que pueden reflejar algo son la córnea y el cristalino*; ni en el iris, ni en alguna otra, se da ningún reflejo. Esta es una verdad física y óptica indestructible.

En segundo lugar, es un hecho conocido, particularmente de los pintores, que cuando se pinta una cara, para darle "vida" al retrato se pone en los ojos un rasguito blanco, en forma de una "coma", ya que la córnea refleja cualquier luz ambiental y por eso se le llama "córnea espejeante".

Seguidamente, hay que notar que la figura de la Virgen es algo menor que la del tamaño natural correspondiente a una adolescente, y que por lo mismo los ojos son pequeños y están, además, viendo hacia abajo, por lo cual para examinarlos mejor hay que verlos de abajo hacia arriba. La medida horizontal de las córneas de los ojos de la imagen fluctúa entre los ocho y los nueve milímetros y el busto que se ve reflejado en ellas ocupa como un tercio de las mismas, por lo que lo que sus dimensiones no pueden exceder los cuatro milímetros.

Ahora bien, en las córneas transparentes de los ojos de la imagen, así sean tan pequeñas como acabo de comentar, se aprecian científicamente colocados los reflejos del busto mencionado, de manera total y perfectamente acorde (con la distorsión óptica de un ojo a otro) a las leyes físico-ópticas de Purkinje-Sanson que luego explicaré. En pintura alguna se ha encontrado algo semejante y todos los especialistas afirman, unánimes,

46. La imagen en la tilma de Juan Diego (acercamiento).

que nadie hubiera sido capaz de realizar tan delicados y precisos rasgos en una tela, y mucho menos sobre la burda urdimbre de la tilma. Una miniatura tal, sólo podría ser obra de un artista verdaderamente excepcional, que la habría de ejecutar sobre una superficie tan lisa y dura como la del marfil.

Hay, todavía, algo más: las imágenes reflejadas se aprecian, no sólo en las córneas, sino también y de acuerdo con la ley de Purkinje-Sanson en el cristalino o lente cristaliniana de los ojos de la imagen. Trataré de explicarlo: en todo ojo normal, con sus medios transparentes normales (córnea, humor acuoso, cristalino y humor vítreo), las imágenes de Purkinje son tres: la primera se aprecia en la superficie anterior de la córnea; la segunda, en la superficie anterior del cristalino; y la tercera, en la superficie posterior del mismo cristalino. La córnea y la superficie anterior del cristalino obran como espejos convexos y los objetos reflejados son más pequeños y "derechos", o sea de acuerdo con la posición que normalmente tienen; la cara posterior del cristalino actúa como un espejo cóncavo, dando imágenes más pequeñas aún que las anteriores, e "invertidas".

Pues bien, en los ojos de la Virgen, examinados directamente y sin cristal alguno entre el ayate y la lupa, se pueden observar en el ojo derecho las tres imágenes de Purkinje (las dos primeras con mayor claridad que la tercera). En el izquierdo, se aprecia algo borrada la primera imagen, aunque con la distorsión perfecta, resultante de la curvatura natural de la córnea; la segunda, no pude apreciarla, y la tercera se adivina por un reflejo posterior brillante. Esto, puede atribuirse a la posición inclinada de la cabeza, que permitió que el ojo derecho estuviera más cerca del sujeto reflejado, que el izquierdo.

Aquí conviene hacer notar que fotógrafos expertos han logrado impresionar placas en las que se reproducen estos reflejos en los ojos de una persona, que para el caso representaría a la Virgen, colocada a unos treinta y cinco centímetros de otra que tomaría el lugar de Juan Diego. Iluminando intensamente el rostro de esta última y colocando la cámara en su pecho, las placas obtenidas permiten apreciar en los ojos de la primera el reflejo del supuesto Juan Diego, en la misma posición y con la misma distorsión que se observa en los ojos de la imagen estampada en la tilma.

Para aceptar un milagro, aparte de la evidencia humana de los hechos, se hace necesaria la apertura de espíritu hacia aquello que transciende lo meramente natural. Ya en el terreno de lo real y concreto —sujeto a la observación imparcial del que sigue un método científico— la comprobación de ciertos fenómenos, como la conservación del ayate y de su colorido, el estampamiento de la imagen y los reflejos a que hemos aludido, nos hace admitir la existencia de algo que está mucho más allá de nuestro entendimiento y de nuestros conocimientos.

Dr. Enrique Graue y Díaz González.

N. del Editor.—Ultimamente se han llevado a cabo nuevos estudios, tanto sobre los ojos cuanto sobre la imagen misma de Nuestra Señora de Guadalupe. El lector podrá consultar útilmente al respecto dos obras de próxima aparición: Dr. José Aste Tonnsmann, *Los ojos de la Virgen de Guadalupe, un estudio por computadora,* Diana, México 1981; y Callahan-Smith, *Estudio de la Virgen de Guadalupe al infrarrojo,* Basílica de Guadalupe-Alhambra de México, 1981.

José Ignacio Conde y María Teresa Cervantes de Conde

Nuestra Señora de Guadalupe en el arte

María, llena de gracia, la más perfecta y la más admirable de todas las creaturas —pues Cristo, su divino Hijo, a la par que hombre es Dios verdadero, por lo que no puede únicamente considerarsele humano—, sin lugar a dudas ha sido la figura que a lo largo de toda la historia de Occidente ha despertado mayor inspiración a los artistas, llegando a ser un símbolo universal de la belleza.

A partir de los primeros tiempos del Cristianismo, surge María como el ideal de la hermosura celestial y terrena. Su doble calidad de Madre de Dios y de Madre nuestra, ha sido tema aprovechado por los autores para plasmar infinitas obras de arte, muchas de ellas inmortales. Así, desde las balbuceantes y primitivas imágenes de las Catacumbas, pasando por el Románico y el Bizantino, alcanzando la sublimación del Renacimiento tras el portentoso Gótico, y siguiendo por el Barroco, la Virgen María, hasta los tiempos actuales, es fuente inagotable de inspiración.

Toda una pléyade de celebérrimos artífices: pintores, grabadores y escultores —y esto referido solamente a las artes plásticas—, nos ha dejado creaciones singulares de Nuestra Señora.

Maestros anónimos anteriores al Renacimiento, al igual que los egregios y ya nominados de la época moderna: Miguel Angel, Rafael, Leonardo, Durero y Tiziano, entre otros muchos, basaron su fama imperecedera en obras marianas sublimes. Ya más cerca de nosotros, en el Siglo de Oro español, cuando México era uno de los Reinos de ese Imperio en donde no se ponía el sol, el fervor de España a María se ejemplificó en aquel grupo de insignes pintores y escultores que nos legaron una iconografía sin par de la Virgen: basta recordar las etéreas composiciones del Greco, las sentidísimas María *niña* de Ribera, las Inmaculadas de Murillo; o esas increíbles Dolorosas —dramas vivos en madera policromada— de imagineros únicos, como Gregorio Hernández, Pedro y Juan de Mena, o Francisco Salzillo.

Cada país, y aun cada región, ha ido adoptando en el transcurso de los siglos imágenes que representan el sumo de su ideal amoroso de Madre y de Mujer en el más alto, noble y espiritual sentido, creando su propia Virgen, de acuerdo con sus diferentes idiosincrasias.

Sin embargo, México ha tenido la suerte única que hizo exclamar al Pontífice: "*Non fecit taliter omni nationi*", pues aquí no fueron los hombres, no fueron artífices por ilustres que hubieran sido, quienes fijaron para siempre los rasgos de la Virgen "morena", sino que fue la Celestial Señora quien a sí misma se pintó, obsequiándonos con el inapreciable don de su Imagen en forma de amorosa síntesis de las razas que integraron nuestra nacionalidad. Porque la Virgen de Guadalupe, por mucho que se haya dicho, no es una Virgen india. Ni sus rasgos, ni su colorido corresponden al de los habitantes de los pueblos prehispánicos. Su apariencia es la de una bellísima joven de nuestra raza actual, síntesis fecunda de lo indio y de lo español. Es decir, es por antonomasia ¡la Virgen Mexicana!

Y tan fue que Nuestra Señora de Guadalupe quiso simbolizar a la nueva nacionalidad —uniendo sus elementos constitutivos, aparentemente antagónicos en los tiempos del milagro—, que sus Apariciones las hizo ante un *indio,* el dichoso Juan Diego, a quien le ordenó recoger las rosas que serían la prueba al Obispo; pero fue a un español, al insigne Zumárraga, ante quien se ostentó por primera vez en la venerable tilma. A partir de ese momento, Nuestra Señora Santa María de Guadalupe ha sido Reina y Madre de los mexicanos; y éstos, dotados de profunda sensibilidad y de gran sentido de la belleza, por siglos se han dedicado a reproducir amorosamente la imagen de su Señora.

En las páginas que siguen se trata de presentar un resumen de algunas de esas manifestaciones artísticas, inspiradas en el ayate milagroso. Es difícil, dada la enorme profusión de Guadalupanas, lograr una selección adecuada. El criterio seguido para esta antología gráfica es el de publicar las más representativas; pero al mismo tiempo, para evitar la monotonía que tiene que resultar del tratamiento de un asunto monotemático, se presentan escenas o pasajes poco conocidos en los que la Virgen de Guadalupe forma parte integrante de ellos.

También se incluyen imágenes de la Guadalupana trabajadas en distintas técnicas artísticas o artesanales buscando, por una parte, variedad, y por otra, tratando de dar una idea de la enorme riqueza plástica del tema.

1. LAS MAS ANTIGUAS REPRODUCCIONES DE LA VIRGEN DE GUADALUPE

El 12 de diciembre de 1531, después de las Apariciones de la Virgen a Juan Diego y a su tío Juan Bernardino, aconteció el último milagro. Aquél, a instancias de Nuestra Señora, había recogido en su tilma las rosas celestiales que, de improviso, habían florecido en pleno invierno entre la pedrisca del cerro, y con ellas se presentó ante el señor Zumárraga a entregarle la prueba que la Virgen le enviaba. Fue entonces cuando sucedió el prodigio: al volcar Juan Diego ante el Obispo las flores que llevaba en su tilma, éstas cayeron, pero en el ayate apareció impresa la Imagen de Nuestra Señora de Guadalupe.

No es el objeto de estas líneas el describir la pintura milagrosa, pues desde hace varios siglos plumas mucho más doctas se han ocupado meticulosamente de tratar sobre el original de la Sagrada Imagen, realizada —como dijera Su Santidad Pío XII— por "pintores que no eran de acá abajo". Sólo hablaremos aquí de algunas de las copias realizadas por manos humanas e indicaremos las diversas técnicas o artesanías utilizadas en ellas, pues la imagen de la Guadalupana ha sido reproducida en pintura, grabado, escultura, bordado, etc., lo mismo por artífices consagrados, que por modestos artesanos, empleando desde los materiales clásicos, hasta los más desusados.

En 1778 el acucioso historiador D. Mariano Fernández de Echeverría y Veitia escribió en su obra *Baluartes de México*, que habían existido "multitud de copias de esta Santa Imagen, que desde aquellos primeros tiempos se sacaron y existen en nuestros días. . . desde ocho y diez años después de ellas (las Apariciones) hasta nuestros tiempos".

Refiriéndonos a copias de Guadalupanas reproducidas en pinturas, otros historiadores han consignado pormenorizadas noticias de imágenes que se hicieron poco después del milagro: se sabe que en el templo del Convento grande de San Francisco, en la Ciudad de México, existió durante mucho tiempo una pintura de la Virgen de Guadalupe pintada, según tradición antigua, sobre la tabla de una mesa que había pertenecido al Arzobispo Zumárraga, y la cual copia parece que fue obra de Baltasar de Echave, el viejo; también se ha escrito mucho sobre otra Guadalupana de gran antigüedad, que se veneraba en el altar dedicado a Santo Domingo Solano en el Convento principal de los Padres Dominicos, en la misma capital, y en las Informaciones de 1666 sobre el Milagro del Tepeyac, uno de los testigos, D. Marcos Pacheco, afirmó que en el Convento de Cuautitlán había existido un cuadro de Nuestra Señora de Guadalupe, que el testigo había visto a la edad de diez años, es decir, hacia 1610, que representaba a Juan Diego, a Juan Bernardino y a Fray Pedro de Gante, arrodillados ante la Celestial Señora.

Se podría alargar prolijamente la lista con citas de escritores de los siglos XVII y XVIII que hablan de cuadros pintados en el siglo anterior, en los que se representaba a Nuestra Señora de Guadalupe. Sin embargo, en México, el tiempo y la incuria han acabado con todos, de tal manera que no nos ha llegado ninguna de esas obras pictóricas, estando por tanto imposibilitados a tratar de ellas.

No obstante, en varias ocasiones se ha asegurado que en San Esteban de Aveto, Italia, se venera una antiquísima imagen de la Guadalupana —cuya reproducción aparece inclusive en el *Album del IV Centenario*—, que fue regalada por el rey D. Felipe II, nada menos, al gran Almirante Giovanni Andrea Doria, quien la tuvo consigo en la nao capitana durante la batalla de Lepanto el año de 1571. Se ha publicado en otro lugar una carta fechada en Madrid, el 18 de marzo de ese año, firmada por el Almirante y dirigida a su sobrino Héctor, remitiéndole una lámpara de oro que debía colocarse ante esta Guadalupana, expuesta en el oratorio del palacio Doria, en Génova; afirmándose que el R. P. Tachi Venturi, S. J., fue quien a principios del presente siglo vio esa carta y la copió del plúteo 75, sobre 38, del Archivo de esa Casa, que entonces se conservaba en Roma. De ser exacto lo anterior, indiscutiblemente sería ésta la copia de la Imagen de la Virgen de Guadalupe más antigua hasta hoy conocida, por lo que es de desear que se comprobaran las anteriores afirmaciones.

Del siglo XVI parece ser, asimismo, una interesantísima imagen de Nuestra Señora de Guadalupe hecha de plumas sobre papel de maguey. Esta excepcional pieza de arte plumario, que presenta todas las características de los amantecas del siglo de la Conquista, se exhibe en Morelia, en el Museo Michoacano, y en 1921 el P. Mariano Cuevas, S. J. la dio a conocer en el tomo I de su *Historia de la Iglesia en México*. El propio historiador reprodujo también en la misma obra la fotografía de un relicario octagonal con una talla en hueso representando a la Virgen de Guadalupe y las cuatro Apariciones. Esta pieza que entonces era propiedad del conocido anticuario D. Salvador Miranda y Marrón, se reputaba obra del siglo XVI; pero en nuestra opinión y a juzgar por su estampa —el relicario, a pesar de intensas búsquedas, no ha sido localizado ahora—, parece más bien un trabajo del siglo posterior.

Mayor antigüedad tiene una pequeña tabla que aquí se publica (*figura* 1), la cual perteneció al distinguido coleccionista señor

H. H. Behrens, en donde aparecen Nuestra Señora de Guadalupe y Juan Diego a la manera "*delineada*". La técnica con la que está trabajada esta imagen, corresponde a la usada por los indígenas en el siglo XVI en la manufactura de tablas análogas, siendo esta imagen la más antigua que personalmente conocemos. Es, además, de excepcional importancia, porque al aparecer retratado en ella el dichoso neófito en pleno siglo XVI, viene a constituir otra prueba documental indirecta de la historicidad de las Apariciones.

También se ha considerado como obra de ese siglo un estandarte de Santa María de Guadalupe, bordado a la manera toledana, cuya fotografía publicó D. Antonio Pompa y Pompa, en 1938, en su interesante *Album del IV Centenario Guadalupano.* En aquel entonces el estandarte pertenecía al erudito bibliófilo e historiador D. Demetrio S. García, y hoy forma parte de la colección del Tesoro Artístico de la I. y N. Basílica de Guadalupe. Su factura es un tanto tosca, lo que unido a su tema, nos indica con evidencia que no es un trabajo europeo, sino que es mexicano. Siendo indiscutible su antigüedad, puede fijarse como un bordado del siglo XVI. ¡Lástima grande es que su estado de conservación deje mucho que desear!

2. EL GRABADO

Sin embargo, la pieza más antigua de la iconografía guadalupana hoy conocida y cuya fecha de ejecución puede determinarse aproximadamente, es la plancha de cobre firmada por Samuel Stradanus y grabada hacia el año de 1615. Dado el enorme interés de esta pieza, descubierta hace unos cuarenta años en Oaxaca por el ya citado señor H. H. Behrens, es necesario decir algo de ella:

Samuel Stradanus —castellanización del apellido flamenco Van der Straet—, fue oriundo de Amberes, Bélgica, y a principios del siglo XVII debió haber pasado a Nueva España como grabador, ejecutando aquí trabajos entre los años de 1604 y 1622.

El 29 de agosto de 1600 el Cabildo de la Catedral de México determinó edificar un nuevo santuario dedicado a Santa María de Guadalupe, y en 1613, al hacerse cargo de su sede el nuevo Arzobispo Metropolitano Ilmo. Sr. D. Juan Pérez de la Serna, dicha obra estaba en plena realización. Queriendo D. Juan activar su construcción, autorizó que el grabador flamenco abriera la plancha de cobre aquí publicada (*figura* 11), imprimiéndose con ella gran cantidad de estampas (*figura* 12), para ayudar a sufragar con el producto de su venta, las obras de la nueva iglesia. Al mismo tiempo, como se lee en el propio grabado, el Arzobispo concedió "...los Quarenta días de Indulgencia que le son Concedidos por la Sancta sede Apostólica Y derecho a Qualquier Persona que reciuiere y tomare para si un Trasunto desta Imagen de la Virgen Nuestra Señora de Guadalupe, y diere la Limosna Aplicada Para la obra que se Va haziendo en la Yglesia nueua en su Sta. casa y Ermita a que todos los Fieles deuen Ayudar por no tener con que se pueda Acabar y ser la obra tan Piadosa y de la Virgen..."

En noviembre de 1622 esta iglesia fue solemnemente consagrada por el mismo señor Pérez de la Serna, lo que indica que para entonces estaba concluída. Efraín Castro Morales así lo ha probado documentalmente en su breve pero magistral estudio *El Santuario de Guadalupe de México, en el siglo XVII.* Ahora bien, en la inscripción de la estampa, anteriormente transcrita en parte, se dice que la limosna sería para la obra "que *se Va haziendo*", es decir, que al tiempo de abrir la lámina estaba aún en construcción; y si el Arzobispo había tomado posesión de su cargo en 1613, es de suponer que tardara algún tiempo en adentrarse en los asuntos de su vastísima diócesis, y que le llevara uno o dos años el hacerlo. Es por esto que se fija como probable la fecha de 1615 para la ejecución del grabado.

La estampa mide 32.5 centímetros de alto por poco más de 21 centímetros de ancho, y está dividida en tres secciones: la central de unos 11 centímetros de ancho, y las laterales, cada una, de 5 centímetros.

D. Manuel Romero de Terreros que fue quien primero estudió en 1943 esta plancha, escribe: "La sección central se divide, a su vez, en dos horizontales: la superior, de unos catorce y medio centímetros y la inferior de dieciocho centímetros de alto. Ocupa la primera la Imagen de Nuestra Señora de Guadalupe, alumbrada por dos lámparas encendidas a cada lado y dos velas en sus candeleros, al pie; mientras que seis "milagros" penden de la parte más alta. Al calce de la Imagen se lee la firma del grabador: *Samuel Stradanus excudit.* La Virgen de Guadalupe está en la misma postura que el original, sobre la media luna sostenida por el ángel, y con el manto tachonado de estrellas, pero lleva una pequeña corona de picos, y en lugar de los rayos que circundan la imagen del Tepeyac, se ven, aquí y allá, unos diminutos querubines".

La sección inferior central se encuentra ocupada por la leyenda transcrita parcialmente con anterioridad, la cual inscripción descansa en el escudo del prelado —el Ilmo. Sr. Pérez de la Serna—, sostenido por dos angelitos y, hasta abajo, otra leyenda escrita en latín, en la que Stradanus dedica su grabado al multicitado Arzobispo.

Esta sección central está enmarcada por sendas laterales, divididas simétricamente cada una en cuatro recuadros, los que vienen a sumar ocho en total; y en cada uno de éstos está representado un ex-voto relativo a otros tantos milagros o favores obrados por intercesión de Nuestra Señora.

Particularmente curiosos, dado que se refieren a conocidos personajes del siglo XVI, son el inferior del lado derecho de la plancha —que viene a ser el del lado izquierdo de su impresión— el cual trata de la curación que por intermedio de Nuestra Señora de Guadalupe obtuvo D. Luis de Castilla, Caballero de Santiago y uno de los cresos de la Nueva España en la segunda mitad de ese siglo; y el ex-voto del ángulo contrario superior, que se refiere a un favor obrado por intercesión de la misma Virgen en un hijo del Conquistador D. Antonio de Carvajal.

Sin embargo, existe un tercer ex-voto de inusitada importancia, y es el segundo superior izquierdo, de arriba a abajo en la impresión del grabado. En él se ve una devota en ademán de súplica ante la Imagen de la Guadalupana que aparece sobre el brocal de un pozo; y en la cartela explicativa a esta escena, se lee: "*México-Tenochtitlan.—Catarina de Monta . . . ydrópica de once años, sin esperança de Salud, uino a novenas Y beuio el agua de la fuente adonde se aparessio N. S. de Guadalupe y luego Sano*".

En la inscripción anterior tenemos confirmado una vez más el hecho de la universal creencia en las Apariciones, antes de 1648, o sea del año de la impresión del libro del Br. Miguel Sánchez, quien según los *antiaparicionistas*, fue el primero en hablar de tales milagros.

Dos datos históricos más vienen a ser ratificados por esta importantísima plancha y son, el uno, la confirmación de lo que en 1688 escribió el P. Francisco de Florencia, S. J., en su libro *La Estrella del Norte de México*, al asentar que en la primitiva ermita estaban colgados cuadros pintados en forma de ex-votos, relativos a diversos milagros obrados por Nuestra Señora de Guadalupe. Estos, que el propio historiador describe en 1688, coinciden exactamente en todo —nombres y detalles— con los grabados por Stradanus hacia 1615, en los ocho recuadros laterales de esta lámina.

El otro dato que se comprueba es la afirmación hecha por el mismo P. Florencia en su libro citado, referente a "que a los principios del aparecimiento de la Bendita Imagen, pareció a la piedad de los que cuidaban de su culto y lucimientos, que sería bien adornarla de Querubines, que al rededor de los rayos del Sol le hiciesen compañía, y representasen el reverente obsequio, que los Soberanos Espíritus hacen a su Reina en el Cielo. Así se ejecutó: pero en breve tiempo se desfiguró, de suerte todo lo sobre puesto al pincel milagroso, que por la deformidad que causaba a vista de la permanente belleza y viveza de los colores de la Santa Efigie, se vieron al fin obligados a borrarlos". Ahora bien, en la lámina grabada por Stradanus, "se ven —como escribió D. Manuel Romero de Terreros— aquí y allá unos diminutos querubines", con lo que queda probada la noticia del P. Florencia, y demostrado que aún hasta 1615 aproximadamente, aparecían en el original.

Ya que nos hemos ocupado del primer grabado guadalupano hasta hoy conocido, seguidamente nos referiremos a algunas de las principales estampas de esta clase de que se tiene noticia, impresas durante el siglo XVII, tanto las ejecutadas en madera como las trabajadas en lámina de cobre. Puede decirse, en términos generales, que se caracterizan por su falta de técnica y por lo burdo de su ejecución. Sin embargo, debido a su venerable antigüedad y en ciertos casos a la ingenuidad con que están realizadas, tienen el encanto de lo popular y espontáneo.

Por haber servido para la ilustración de libros, folletos u otros impresos, estos grabados poseen la ventaja de proporcionarnos las fechas en que fueron estampados y, por tanto, permitirnos establecer su secuencia y evolución.

Siguiendo los años de su impresión, nos encontramos con una curiosa lámina ejecutada en madera, de unos ocho por doce centímetros, la cual sirvió para ilustrar el Sermón predicado en 1622 por el Licenciado Diego de Herrera y Arteaga, Cura de Zacatecas, en las Honras Fúnebres del rey Felipe III y salido ese año de las prensas de Diego Garrido. Este raro folleto, que perteneció a la riquísima biblioteca de D. Federico Gómez de Orozco, se conserva hoy junto con los demás libros de ella en la Biblioteca del Museo Nacional de Antropología.

De factura popular, pero trabajada con cierta habilidad, aparece la Imagen de Nuestra Señora en su forma más o menos habitual, aunque representada al lado contrario al del original, pues seguramente el grabador, por falta de técnica, la copió en la plancha de madera como se ve en la Sagrada Tilma y al ser impresa, la posición de la Virgen quedó naturalmente volteada. Sobre la cima de unos riscos graciosamente representados, nacen en ellos una serie de flores grabadas con gran ingenuidad. Al centro y detrás de los mismos, se asoman los extremos de la luna en donde descansa la Celestial Señora. El ángel que la sostiene en la pintura original no se ve, pues en el grabado la Guadalupana surge de atrás de los riscos a partir de poco más abajo de las rodillas. La imagen está coronada con una diadema similar a la del grabado de Stradanus, y tiene la particularidad de que alrededor de su cuerpo la circunda un óvalo de fondo punteado, de cuyo borde surgen los clásicos rayos del sol (*figura* 13).

El grabado anterior es anónimo y también lo es otro del mismo año, ejecutado en madera, de seis y medio por ocho centímetros, con el cual se adornó la portada del *Sermón de la Natividad de la Virgen María Señora Nuestra predicado en la ermita de Guadalupe*, por Fray Juan de Cepeda Eremita, e impreso en México por el Br. Juan Blanco de Alcázar.

Sobre un recuadro en cuyos cuatro ángulos se representan flores, aparece un marco oval en donde entre diversos adornos se lee: "*Sancta María de Gracia*". Al centro se reproduce a Nuestra Señora, la cual en esta imagen, aunque recuerda en muchos detalles a la original, difiere de ella en que aquí lleva al Niño en los brazos. Sin embargo, su túnica y sus pliegues, el manto, la luna en que descansa y el sol que la circunda son de indudable influencia guadalupana. La Virgen carece de corona, pero en cambio su cabeza está rodeada de un resplandor, al igual que la del Niño. Una reproducción de esta estampa aparece publicada a páginas 146 del *Ensayo Bibliográfico Mexicano del Siglo XVII* del Canónigo Andrade (*figura* 14).

Más de acuerdo con la Imagen estampada en la tilma, es la del grabado en madera, de seis por siete y medio centímetros, que adorna la segunda edición de las *Coplas a la partida, que la Soberana de Guadalupe, hizo de esta Ciudad de México para su Ermita*, folleto impreso en 1634 por Francisco Rodríguez Lupercio, y el cual también procede de la Biblioteca Gómez de Orozco. La Guadalupana está correctamente representada; existe el busto del ángel que la sostiene, la luna, la corona y los rayos del sol, es decir, todos los elementos del original. Sin embargo, el dibujo defectuoso de esta estampa la hace aparecer desproporcionadamente basta de su cuerpo, lo que la afea notoriamente. Años más tarde, en 1681, este mismo grabado fue aprovechado para la portada del rarísimo folleto *Exposición astronómica de el cometa,* que el año anterior observó en la ciudad y puerto de Cádiz, el P. Eusebio Francisco Kino, de la Compañía de Jesús (*figura* 16).

En cambio, totalmente heterodoxo es el grabadito en madera que se ve en la portada de la importantísima obra del Br. Miguel Sánchez, *Imagen de la Virgen María Madre de Dios de Guadalupe*, impresa en México en 1648 por la Viuda de Bernardo Calderón. En esta burda estampita no aparece el ángel, aunque sí la luna de la que brota un nopal. La Virgen, a más de su diadema, está doblemente coronada por una tiara papal. Atrás de los rayos que circundan la imagen, surge un águila bicéfala y al fondo de todo se ven dos llaves cruzadas. Abajo, de cada lado, aparecen arrodillados dos ángeles. En esta imagen nótase una marcadísima influencia indígena de tal manera patente que los ángeles, sobre todo, más parecen figuras de algún códice del siglo anterior, que los seres celestes que quisieron ser representados (*figura* 17).

En el libro antedicho existen dentro de su texto, dos estampas de grabados en lámina que reproducen, la primera, la imagen de Nuestra Señora de Guadalupe en forma que recuerda mucho, aunque con más elementos, la parte de la Imagen del grabado de Stradanus. La misma mesa de altar, candeleros análogos, cuatro lámparas también parecidas y en la parte superior la representación de seis "milagros" pendientes. Sin embargo, en el presente grabado aparecen los rayos del sol que no se ven en el de 1615 y, además, un óvalo de nubes que circunda la imagen y los primeros rayos, así como en la parte inferior una segunda serie de haces luminosos. Aunque esta estampa se ve que es trabajo de un grabador que poseía cierta técnica de su oficio, desde luego que no tiene la calidad de la del grabador flamenco (*figura* 18).

Más interesante es el grabado del mismo libro que lleva en su base la inscripción: *Aparición De la imagen de nuestra Sa. D guadalupe de México,* lámina importantísima dentro de la iconografía guadalupana por ser la primera vez, hasta donde hoy se conoce, en que se representa el momento en el que Juan Diego muestra al Obispo Zumárraga las rosas que Nuestra Señora le envía, y al caer éstas queda plasmada en la tilma su milagrosa Imagen. Es curiosa la composición del grabado, seguramente inspirada en alguna ilustración europea del siglo anterior, ya que la perspectiva arquitectónica que se ve al fondo tiene, aunque ingenuamente tratada, cierta reminiscencia renacentista. Atrás de las dos figuras principales se ven a cada lado, un grupo de familiares del Obispo, que asisten al milagro y de entre ellos hay dos, uno a cada lado, que parecen ser retratos tomados de personajes reales. Especialmente interesante consideramos el del personaje vestido con ropaje talar, colocado exactamente arriba del Señor Zumárraga. ¿Será el retrato del Br. Miguel Sánchez que quiso así inmortalizar su efigie junto a la representación del milagro en cuya difusión tanto trabajó? Nosotros así lo creemos (*figura* 19).

De lo mejor entre los de su clase es el grabado en madera cuya estampa sirvió, ese mismo año de 1648, para adornar un libro no precisamente guadalupano, pero sí dedicado a la Santísima Virgen de Guadalupe. Me refiero al *Tratado de la qualidad manifiesta, que el mercurio tiene,* cuyo autor fue el maestro Juan de Correa, cirujano y catedrático de anatomía de la Real Universidad de México, y a quien, por cierto, no hay que confundir con el maestro pintor del mismo nombre que floreció a fines de ese siglo y de quien trataremos más adelante por habernos dejado magníficas Guadalupanas, salidas de sus pinceles (*figura* 20).

Muy similar al grabado ya referido que figura en la portada de las *Coplas a la partida*... de 1634, es el también hecho en madera con que se ilustró el famosísimo impreso *Huei Tlamahuizoltica,* del que fue autor el Br. Luis Lasso de la Vega, y que salió, en 1649, de las prensas de Juan Ruiz, en México. La misma posición de la Virgen e inclusive cierta deformación de la imagen por su exagerada anchura, aunque menos acentuada que en el primero, le dan tal semejanza. Pero en éste, el trazo del dibujo es más firme y la incisión de la gubia en la madera más profunda, por lo que la impresión es más nítida, demostrando, a la vez, que el grabador que la ejecutó tenía mayor dominio en su oficio (*figura* 32).

Unas *Novenas a la Virgen María* escritas por el Br. Miguel Sánchez, fueron impresas en México, en 1665, por la Viuda de Bernardo Calderón. En este folleto aparece un magnífico grabado en madera que ocupa toda una página, de aproximadamente catorce por veinte centímetros y que lleva en su parte inferior la inscripción "*Nuestra Señora de Gvadalupe, de México*". La presente estampa tiene la particularidad de ser —hasta donde llegan nuestras noticias— la primera ocasión en la que aparece la Guadalupana bendiciendo las rosas que Juan Diego, que está a su lado de hinojos, le presenta en su tilma, antes de llevárselas al Obispo. El grabado es, además, interesante, por varios motivos: en el ropaje de la Virgen se advierten claramente las estrellas del manto y la estampación floral de la túnica; la corona, que en los grabados anteriores ha sido representada invariablemente como una diadema imperial, en esta lámina se ha trocado por la clásica de rayos de oro que permanecerá en todas las representaciones guadalupanas hasta poco antes de la Coronación de 1895. La figura de Juan Diego no carece de interés, y curiosos detalles como el sombrero y el cayado del indio que se hallan en el suelo, le dan a la estampa gran realismo humano. Las peñas y un árbol que nace de ellas, así como un óvalo de nubes enmarcando a la Virgen, completan la ambientación de este encantador grabado (*figura* 15).

Con la "simple" complicación del anterior, contrasta un pequeñísimo grabado en madera, casi una "estampilla", de escasos cuatro centímetros cuadrados, en el que está Santa María de Guadalupe representada de frente, a la manera clásica. Sirve para adornar la portada del Sermón predicado en la festividad del 12 de diciembre de 1672, por el franciscano Fray Juan de Mendoza, y fue impreso en México por Francisco Rodríguez Lupercio, el año siguiente. El cariño con que se ve ejecutada esta "miniatura" y la circunstancia de haber sido seguramente el grabado en madera más pequeño de todo el siglo XVII, justifica el recordarlo aquí (*figura* 34).

Distinto en técnica a todos los anteriores es un grabado en madera que adorna la portada de los Villancicos que se cantaron en México, en la Catedral Metropolitana, en 1690, que salió de las prensas de los Herederos de la Viuda de Calderón. Sobre fondo negro, destaca lo blanco de la imagen, que con maestría fue vaciada en la tabla. Alrededor de los rayos figura un óvalo con el texto de un salmo, ejecutado con impecable precisión. Este mismo grabado había sido utilizado años antes, en 1681, en la tesis que Fray José de Torres O. S. A. presentó ante la Real y Pontificia Universidad de México (*figura* 38).

Pero al hablar de *tesis* universitarias, es necesario, por su vinculación con el arte guadalupano, decir algo al respecto. Desde poco antes de mediados del siglo XVII, fue usual que los alumnos de la Universidad, para obtener los grados académicos de Licenciado o Doctor en las diversas facultades, publicaran la invitación al examen con la tesis que defenderían ante los sinodales. Estos impresos, que eran una sola hoja de unos cuarenta o cincuenta centímetros de alto por unos treinta o treinta y cinco de ancho, iban adornados con infinidad de orlas, guirnaldas, florones, bigotes y con cuantos elementos podía contar el impresor, haciendo de ellos abigarradas muestras del arte tipográfico —en muchos casos no carentes de belleza— muy de acuerdo con el espíritu barroco de la época. Era usual que estos complicadísimos impresos, cuyo texto iba siempre redactado en latín, estuvieran rematados con el escudo del mecenas o padrino del sustentante, o por alguna imagen religiosa de la particular devoción del examinado, y como es natural hubo gran número de universitarios que dedicaron sus tesis a Nuestra Señora de Guadalupe.

En un artículo del P. Jesús García Gutiérrez que tituló *La Virgen de Guadalupe y la Real Pontificia Universidad de México*, afirma haber localizado ciento diez tesis dedicadas, entre los años de 1638 a 1792, a la Virgen del Tepeyac. En muchos de estos impresos aparecen bellos grabados de la Guadalupana ejecutados en madera o en lámina de cobre, algunos de los cuales son los mismos que antes hemos descrito y que fueron nuevamente empleados, pero también existen muchos diversos, cuya muestra puede verse en la *figura* 33.

Se ha dejado para el final de esta breve reseña del grabado de Nuestra Señora de Guadalupe durante el siglo XVII, el tratar de uno interesantísimo, trabajado sobre lámina de cobre, que fue reproducido por primera vez en la presente centuria por el P. Mariano Cuevas, S. J., en su *Album Histórico Guadalupano de IV Centenario.*

Es un grabado de veintisiete centímetros de ancho por veinte de alto, aproximadamente, y en él aparece al centro, en medio de un óvalo formado por nubes, Nuestra Señora de Guadalupe en su posición habitual y con todos los elementos que contiene la Imagen original. En la impresión de esta plancha, a la izquierda de quien observa, está arrodillado Juan Diego, llevando la tilma colgada del cuello, en la que ya se ve estampada la Divina Señora. Un haz de flores —seguramente rosas— une ambas imágenes, de manera que las flores parecen desprenderse de la Virgen a su réplica del ayate. Detrás de Juan Diego se representa un paisaje, primitivamente tratado, que termina en una loma que sube hasta el ángulo superior; y allí, en el cerro, se vuelve a repetir en pequeño la escena central del grabado, es decir, la Aparición al indio neófito, aunque en esta pequeña reproducción no se ve la tilma, ni tampoco el haz de rosas. Al lado derecho del observador se advierte, en el ángulo inferior, la vista de una iglesia, seguida de varias torres y construcciones; y en la parte superior, el abrupto paisaje montañoso del lado contrario —que fue interrumpido por la imagen principal de Nuestra Señora— se continúa, asomándose de entre las montañas el rostro de un sol que es testigo reverente del milagro. Lleva este grabado una inscripción a los pies de la imagen principal, que dice: "*Nuestra Sa. de Guadalupe aparecida en México*" (*figura* 29).

Escribe el P. Cuevas que un ejemplar de este grabado le fue obsequiado, y hace de él —apoyado por Gerardo Murillo, el Dr. Atl, quien como casi todos los hombres geniales tenía sus desequilibrios— una serie de deducciones que consideramos totalmente peregrinas. Afirma que el grabado es de factura española y ejecutado en la década 1611-1621; que la iglesia que allí figura es Sevilla, "costado de la Catedral donde se encuentra la capilla del Sagrario"; que el tipo racial del Juan Diego es "netamente español peninsular con su nariz aguileña, su entrecejo castellano y su occipucio saliente característico de los de la península, . . .ni más ni menos un Miguel Cervantes Saavedra en un airoso y bien movido escorzo", y que el rostro de Nuestra Señora "representa a una joven andaluza". También afirma tener noticias de un ejemplar de un Sermón sobre la Virgen de Guadalupe de Extremadura, predicado en 1681 por el P. Fray Nicolás de Fuenlabrada, que contiene el mismo grabado.

Este, en realidad, es mexicano. La lámina se abrió para ilustrar la segunda edición, 1675, del folleto *Felicidad de México en el principio y milagroso origen, que tubo el Santuario de la Virgen María N. Señora de Guadalupe*, del Br. Luis Becerra Tanco, para entonces ya difunto, y que el Dr. Antonio de Gama mandó reimprimir a la Viuda de Bernardo Calderón, en México (*figura* 36).

La circunstancia de existir esta estampa en los cuatro o cinco ejemplares que conocemos de este folleto, demuestra que la ilustración fue realizada para adornarlo; y si el Sermón de Fray Nicolás de Fuenlabrada que vió el P. Cuevas, también lo contiene, es porque algún curioso se lo añadió, debido, seguramente, a la identidad de nombres entre las advocaciones extremeña y mexicana de que cada opúsculo trata por su parte.

Pensamos que el grabador de esta curiosa lámina debió ser Antonio de Castro, que trabajó por esos años y quien, por cierto, fue autor, asimismo, de una imagen de Nuestra Señora de Guadalupe que ilustró la primera edición del propio libro del Br. Becerra Tanco, publicado en 1666 y salido de la misma oficina tipográfica con el nombre de *Origen milagroso del Santuario de Nuestra Señora de Guadalupe*, y vuelta a aprovechar más tarde, en 1669, por el mismo impresor, para la edición de la obrita *Poeticum viridarium*, escrita por el Br. José López de Avilés.

Justino Fernández en su ensayo *Las ilustraciones en el libro mexicano durante cuatro siglos*, escribe respecto de este grabado que lleva por leyenda "NRA. SRA. DE GVADALVPE APPARESCIDA EN MEXICO": "...no puede pedirse nada más encantador, por la libertad de expresión y su sentido emocional, casi podría creerse que el artista no hizo un dibujo previo sino que fue diseñado directamente sobre la plancha con el buril". (*Figura* 30).

El mismo crítico aclara otro punto del arte guadalupano que el P. Cuevas dejó sin resolver. Este notable historiador jesuita en su citado *Album*, publicó —también por primera vez en los tiempos modernos— otro interesante grabado con un retrato de Juan Diego (*figura* 31), escribiendo al pie del mismo, que era "el retrato más antiguo conocido"; y en el apéndice referente a la explicación de las ilustraciones contenidas en su obra, manifestó que era una estampa suelta, conservada en la Biblioteca Carter Brown en Providence, Rhode Island, en los Estados Unidos; la cual estampa estaba impresa en papel castellano del siglo XVI o principios del XVII, y que procedía de una colección de grabados que había pertenecido al Dr. Nicolás León.

Justino Fernández pudo determinar que este grabado de Juan Diego es otra de las ilustraciones de la obra *Poeticum viridarium*, y que en ejemplares completos de márgenes puede verse la firma del grabador Antonio de Castro. "Representa —escribe D. Justino— a Juan Diego postrado de rodillas y llevando atada al cuello la manta donde aparece, en finos esquemáticos trazos, la imagen guadalupana; el ingenuo fondo del paisaje en que puede verse el típico maguey o agave mexicano, las palmas y los nopales, está dispuesto con una deliciosa sencillez, y en la parte superior culmina la escena con una de las apariciones de la Virgen a Juan Diego; las buriladas son precisas y muy finas, se diría que el grabador tan sólo acarició la plancha con el buril, y el dibujo, muy libre, está lleno de emoción".

Con lo dicho hasta aquí sobre el grabado guadalupano durante el siglo XVII, damos por concluido lo relativo a este arte, pues lo que se podría decir de él durante el siglo XVIII y principios del XIX, sería una repetición, salvo lo referente a nombres y fechas. Para obviar esta redundancia, en adelante se hablará de algún grabado en particular, cuando su importancia lo amerite, pero dentro del contexto que lo haga acreedor a tal mención.

Sin embargo, antes de tratar sobre otro tema, es conveniente decir que la producción del grabado guadalupano en la Nueva España continuó en actividad incesante hasta el tercer decenio del siglo XIX, en que se introdujo la nueva técnica de la litografía, que vino, frecuentemente, a sustituir a la del grabado, tanto en madera como en cobre, aunque claro, ésta tampoco desapareció del todo; y aún, por ejemplo, durante la última década del siglo pasado y los primeros años del presente, el genial y revolucionario grabador José Guadalupe Posada ejecutó interesantísimos grabados de tema guadalupano, como puede verse en la monografía a él dedicada por el Fondo Editorial de la Plástica Mexicana, en sus láminas 344 a 349.

3. LA PINTURA

Pasaremos ahora al nobilísimo arte de la pintura, que si bien, cronológicamente y en relación a la antigüedad de las muestras que de él nos han llegado, ocupa el segundo lugar, en cuanto a su importancia, por número y calidad, es sin disputa el primero.

La selección de pinturas de la imagen de la Guadalupana que ahora se publica, es necesariamente incompleta y no todo lo rica que se hubiera querido. Estuvo limitada por dos imperativos: el del espacio de que se dispuso en el propio libro, y el del breve tiempo en el que se tuvo que realizar. Es por esto que casi en su totalidad está constituida por piezas que se conservan actualmente en México, que fueron las que se tuvieron a mano; pero dentro de estas condiciones se ha tratado de presentar lo más interesante y representativo.

El jueves 22 de marzo de 1674 murió en la Ciudad de México el Pbro. Br. D. Miguel Sánchez. El cronista Antonio de Robles, en su *Diario de sucesos notables* dio ese día puntual noticia del deceso, y entre otros datos que sobre el sacerdote fallecido consignó, asienta: "...era devotísimo (de Nuestra Señora de Guadalupe) de cuya aparición compuso un docto libro (el ya mencionado *Imagen de la Virgen María Madre de Dios de Guadalupe*, imp. de la Viuda de Bernardo Calderón, México, 1648), que al parecer ha sido medio para que en toda la cristiandad se haya extendido la devoción de esta sacratísima imagen, estando olvidada aun de los vecinos de México hasta que este venerable sacerdote la dio a conocer, pues no había en todo México mas que una imagen de esta soberana Señora en el convento de Santo Domingo, y hoy no hay convento ni iglesia donde no se venere, y rarísima la casa y celda de religioso donde no esté su copia, universalmente en toda la Nueva España, reinos del Perú y casi en toda la Europa".

Lo anterior en parte es verdad y en parte no lo es: con lo que se lleva visto quedó demostrado con evidencia que nunca llegó a faltar del todo el culto y devoción a Nuestra Señora de Guadalupe. Se han consignado las noticias de algunas de las pinturas que existieron en el siglo XVI y primeros años del XVII, conservándose aún algunas de ellas, como luego se verá; se ha examinado y descrito parte de la bibliografía guadalupana relativa a la primera mitad del siglo XVII, y también se ha tratado de la incesante producción de grabados a partir, por lo menos, de 1615; se ha visto, asimismo, como tanto los señores Arzobispos como el Cabildo Catedralicio, a cuyo cuidado estaba entonces la ermita y después la iglesia, se habían ocupado sin interrupción de edificar el templo que Nuestra Señora de Guadalupe le pidió a Juan Diego se le construyese y el cual hasta ahora se sigue edificando, pues nunca ha transcurrido medio siglo sin que ese templo se renueve o se levante otra vez: así han cumplido los mexicanos con la petición de su amantísima Madre...

Por otra parte, D. Cayetano de Cabrera y Quintero, en el párrafo 717 de su *Escudo de Armas de México*, al hablar de la translación en 1634 de María Santísima a su Santuario, escribió: "Hasta entonces, sinó fue de una suma destreza (qual la huvo en algunos Pintores que á instruccion de Mexico hicieron venir sus Magestades) no se habia logrado puntual copia de esta Imagen del Cielo: Pero con la ocasión de haber aportado, y divertido aqui algunos años, pidió al Arte la devocion las plumas, ó pinceles de Dedalo, y manoseando bien que respetuosa quanto corona el Firmamento, y sus Estrellas, sacó de colores no sé que medidas del Sagrado Bulto, y Cabeza. Deshacíase y anhelaba la devoción por estos rasgos de su dueño, proporciones de su hermosura. Y como no pudiesen satisfacer la ansia de todos, o por lo prolijo, o costoso, tuvo lugar, o la pobreza, y la codicia de engañar, y desfrutar la devoción: adulteró y amontonó tal copia de éstas, que se llenó el Reyno de engaños, y las copias que tenían cabeza, y no pies, andaban ya sin pies ni cabeza, enriqueciendo a modo de moneda corriente las granjerías indignas que las vendían por cuentas, y las mentían tocadas al rosal de la Santa Imagen. Y hubiera tomado más cuerpo el engaño si el Señor Deán Juez, administrador del Santuario, y sus Propios, no ocurriesen al remedio por Edicto que publicó, con penas, y censuras gravísimas, recogiendo las medidas adulteradas, y exponiendo las verdaderas. Publicóse este Edicto, y fijóse en la Cathedral el 8 de octubre de 1637, de donde a otro día por mandado del V. Cabildo se copió, y asentó a la letra en uno de sus Libros, en testimonio acaso de su celo, y legítimos cultos de Nra. Sra. de Guadalupe".

En el anterior barroco —y sabroso— párrafo, Cabrera y Quintero aclara el sentido de lo afirmado por Robles en su *Diario*, relativo a que hacia 1648 casi no hubiera imágenes de la Guadalupana. La devoción desde luego existía, y era tanta que se comercializó de tal manera la producción de imágenes, que se comenzaron a ejecutar copias sin arte ni dignidad, por lo que el Cabildo Sede Vacante se vio precisado a retirarlas y seguramente a destruirlas.

De lo escrito por el cronista D. Antonio de Robles, lo que sí es verdad es que antes de 1648, la devoción por Nuestra Señora de Guadalupe no había tomado un carácter que pudiéramos calificar de "oficial", siendo más bien un particular sentimiento heredado de padres a hijos, e incesantemente mantenido por los naturales y por los descendientes de los conquistadores y de los antiguos pobladores —los *beneméritos*, como orgullosamente se autointitulaban—, tal como quedó demostrado años más tarde, en 1666, en las Informaciones levantadas en la Ciudad de México sobre los orígenes de la Imagen y su culto.

Ahora bien, a partir de la publicación de la obra del Br. Miguel Sánchez, es indiscutible que se revivió y se intensificó esa devoción siempre patente, pero hasta entonces un tanto recóndita, divulgándose y difundiéndose en forma prodigiosa, casi diríamos milagrosa. Y esto repercutió en el arte de la pintura en forma tal, que como apuntó Francisco de la Maza en su monografía sobre Cristóbal de Villalpando: "No hay pintor colonial mexicano, después de 1650, que no haya pintado una Virgen de Guadalupe".

En la República Mexicana la copia de la Imagen de Nuestra Señora de Guadalupe pintada al óleo más antigua que se conoce, es la que en 1953 dio a conocer De la Maza, la cual se conserva en el Santo Desierto de San Luis Potosí. Está firmada por Lorenzo de la Piedra y fechada en 1625, afirmando de ella el citado crítico que fue llevada allí en 1629 por D. Juan Barragán Cano. Además de su antigüedad es notable por su hermosura y exactitud, siendo siete años anterior a la firmada en 1632 por Luis de Tejada que existe en el Convento del Desierto de Tenancingo, Edo. de México y a la cual se refirió D. Xavier Moisén en nota al Capítulo V de la clásica obra *Pintura Colonial en México* de D. Manuel Toussaint, afirmando aquél que era la pintada en fecha más remota de que tenía noticia.

Por lo que respecta a pinturas existentes en la Ciudad de México, la fecha más antigua que con certeza nosotros conocemos de la factura de una pintura guadalupana que aún se conserve, es el año de 1653, en el que consta se pintó el gran cuadro llamado "Primer Milagro de la Virgen de Guadalupe" (*figura* 9), pintura que si no es precisamente la copia de su Imagen, ésta aparece allí y es, inclusive, en quien converge la escena representada, suceso muy conocido de la historia del culto mariano del Tepeyac.

Hasta donde sabemos, este cuadro se publica ahora por primera vez, siendo en sí mismo un documento de enorme interés para el guadalupanismo. Además, no dudamos en considerarlo de capital importancia aun para la historia y el arte nacionales, pues por su antigüedad, por la grandiosidad de la escena, así como por ser fuente de infinidad de datos etnográficos e iconográficos, constituye, a nuestro entender, la pintura de tema histórico más importante del México virreinal, si acaso sólo comparable con la famosa "Vista del *Zócalo*", pintada en 1695 —o sea más de cuarenta años después— por Cristóbal de Villalpando.

El anónimo pintor —con toda reserva nos atreveríamos a pensar en el círculo de José Juárez— plasmó en un gran lienzo de 5.80 metros de ancho por 3 metros de alto, una escena de gran aliento en la que aparecen más de mil figuras humanas en una interminable procesión que continuándose a través de la ribera del lago, termina ante el altar de Nuestra Señora de Guadalupe. De esta singular pintura publicó el Dr. Nicolás León, en 1895, un pésimo dibujo en su *Album de la Coronación;* y de ella han tratado el Ilmo. Sr. Fortino Hipólito Vera, en 1887, en el tomo I de su *Tesoro Guadalupano;* D. Ignacio Carrillo y Pérez, en 1797, en su *Pensil Americano,* y el Pbro. Cayetano de Cabrera y Quintero, en 1746, en su *Escudo de Armas de México.*

Carrillo y Pérez, en el párrafo 140 de su "Disertación sobre esta historia guadalupana", apéndice de su libro antes referido, escribe que este "...lienzo de bastante magnitud y no menos antigüedad se halla (en 1797) colocado a pocos pasos del ingreso que da su puerta principal del Medio día a la Capilla de los Indios sobre mano diestra, y que estuvo anteriormente en uno de los muros del Presbiterio al lado de la Epístola, ... (y) está representada con viva expresión de valiente pincel la solemne Procesión en que fue conducida la Santa Imagen de México a dicha primera ermita; y hacia uno de sus ángulos inferiores se ve rotulado lo siguiente (hoy borrado en parte), que por mí propio copié: "*Pintura de la primera y solemne procesión en que fue conducida la Santa Imagen de México a esta su primera Capilla por el año de 1533, siendo en dicha Ciudad su primero Obispo el Illmo. Señor Don Juan de Zumárraga, y gobernando el Illmo. Señor Don Sebastián Ramírez de Fuenleal, Arzobispo de Santo Domingo. Se figura aquí el insigne milagro que obró la Reyna del Cielo a presencia de su Sagrada Imagen, resucitando a un Indio a quien había muerto una flecha disparada en las salomas militares que venían fingiendo los Indios en las canoas que acompañaban por la laguna*". Otra minuta tiene en idioma Mexicano, que aunque copié omito aquí, porque los Indios de la República que se hallaron presentes quando la copié, me dixeron que en compendio decía lo propio que la Castellana, y al pie de ella tiene puesto: *A devoción de Diego de la Concepción y de Joseph Ferrer año de 1653*".

También se publica aquí otro cuadro de tamaño similar a éste, e igualmente de venerable antigüedad que representa una procesión de penitencia "que se sacó —citamos a Carrillo y Pérez— en ocasión de una epidemia". Esta pintura *(figura* 7) no tiene desde luego el interés de la anterior, siendo además su estado de conservación malo, por estar muy repintada. Estuvo colocada en los mismos lugares que aquélla, haciéndole pareja, y actualmente ambos cuadros forman parte de la colección de la Ilustre y Nacional Basílica.

Ha sido de tal manera prolífica la producción de óleos con la imagen de Nuestra Señora de Guadalupe, que sin exageración los que aún nos quedan pueden contarse por decenas de miles. Es por esto que no hubo hipérbole cuando en el interrogatorio de las segundas Informaciones de 1723, una de las preguntas que se hizo a los testigos, fue si era verdad "que no hay casa de noble y plebeyo, español e indio y otras muchas castas en las que no se hallen una o muchas imágenes de Nra. Sra. de Guadalupe de México en lo dilatado de estos reinos, y con particular o peculiar veneración de tal suerte, que si alguna casa se hallara sin tenerla juzgárase al dueño por impío o sospechoso".

Uno de los testigos que entonces declaró, fue el egregio apóstol de la América Septentrional —desde Centroamérica hasta los confines de Texas— Fray Antonio Margil de Jesús quien, el 5 de mayo de ese año presentó su declaración, afirmando todo lo anterior y agregando que él mismo "...procuró extender su devoción y culto por todas las partes que pudo, que son muchas por la continua correría de sus misiones, habiendo peregrinado este Nuevo Mundo de la Nueva España por el lado del Reino de Goatemala y quinientas leguas más arriba donde en la ciudad de Granada (Nicaragua) fundó un hospicio con el título de Ntra. Sra. de Guadalupe y por el otro lado de México ha penetrado el nuevo Reino de León, donde erigió otro Hospicio con la misma advocación y entre las Misiones de la Provincia de los Texas a la principal y cabecera de ellas ilustró con este nombre, y en la ciudad de Zacatecas dio el mismo título a el nuevo colegio, que fundó de Propaganda Fide extramuros de ella".

Al igual que en el continente americano, en el europeo se propagó la devoción a Santa María de Guadalupe en forma prodigiosa. En pleno siglo XVII el P. Florencia ya intentó formar un catálogo con los lugares de las cortes del viejo mundo en donde existían altares dedicados al culto guadalupano; pero como en otra parte de este libro se trata por persona más autorizada de la propagación de este culto, omitimos hablar de ello, bastándonos consignar que todas esas imágenes fueron producto del arte mexicano, con lo que su pintura alcanzó una difusión verdaderamente universal.

Está aún por hacerse el inventario de la obra pictórica guadalupana —de lo principal por lo menos— que se halla diseminada en el mundo, y tampoco respecto a lo que existe en nuestro país se ha hecho un catálogo más o menos completo de lo fundamental. Sólo ha sido en España en donde D. Joaquín González Moreno —sevillano de pura cepa, pero "mexicano" de corazón y guadalupano por predestinación— ha dedicado más de veinte años de su vida en formar los dos tomos hasta ahora publicados de su *Iconografía guadalupana*, con la clasificación cronológica y estudio artístico de las más notables reproducciones de la Virgen de Guadalupe de México conservadas en las provincias españolas, principalmente en Andalucía, describiendo trescientas noventa y cinco imágenes de Nuestra Señora y reproduciendo muchas de ellas. También Dña. Carmen González Echegaray elaboró en España otra interesante monografía titulada *La Patrona de México en las Montañas de Santander*, donde recoge y estudia las Vírgenes de Guadalupe que los indianos de esa región cantábrica llevaron o enviaron del Reino de la Nueva España a sus lugares de origen; y Santiago Sebastián ha publicado, asimismo, su breve pero interesante nota: *Iconografía Guadalupana en Palma de Mallorca*".

Del grupo de pintores que trabajaron en México entre los años de 1650 y 1700 aproximadamente, destacan Baltasar de Echave Rioja, Juan Correa, Cristóbal de Villalpando y los hermanos Rodríguez Juárez, Nicolás y Juan. Los cuatro nos dejaron espléndidas copias de la Imagen de la Guadalupana, y junto con ellos multitud de pintores contemporáneos de menor categoría.

Baltasar de Echave Rioja (1632-1682), sin haber alcanzado la altura de su abuelo Baltasar de Echave Oria, ni la de su padre Baltasar de Echave Ibia, es, no obstante, uno de los pintores más importantes de su época, tiempos ya de decadencia, mostrando su obra todos los defectos del momento, así como también todas las cualidades, que tampoco fueron pocas. El sabio por antonomasia del Mexico barroco, D. Carlos de Sigüenza y Góngora en su opúsculo *Glorias de Querétaro*, publicado en 1680 en México, al describir la fábrica del templo de Guadalupe construido por D. Juan Caballero y Ocio trata del retablo mayor de la iglesia y asienta: ". . .En el segundo cuerpo se explayó la libertad compositiva revistiendo los tercios de sus columnas con variedad admirable, como también el resto de su estructura, cuyo metro superior sirve de trono a María Santísima (de Guadalupe) que transmutada del mismo original con el diestro pincel de Baltasar de Echave, tercero de este nombre, y no inferior en la valentía del dibujo a su abuelo y padre, entre varias y estimables cortinas es el cariño tierno de cuantos la atienden y veneran afectuosos". Esta pintura aún se conserva en Querétaro y a ella se refiere el señor Moisén en nota al Capítulo XVII del libro *Pintura colonial en México*, estando firmado y fechado dicho cuadro en 1668. Es la única Guadalupana de Echave Rioja de la que tenemos noticia, pero seguramente en colecciones o en algún pueblo remoto deben existir otras.

Juan Correa, de quien se conocen cuadros firmados ya en 1674, falleció en México hasta 1739. Fue entre los artistas contemporáneos el que pintó mayor cantidad de Vírgenes de Guadalupe, siendo en su tiempo las copias suyas las más apreciadas por su fidelidad y perfección: no en balde tuvo la oportunidad de sacar una calca del milagroso ori-

47. *Oleo de Juan Correa sobre un pequeño lienzo de 24 × 18 cms., encuadrado por un gran marco barroco de la época.*

ginal. Miguel Cabrera, su discípulo, en su opúsculo *Maravilla Americana* (1756) así lo afirma, escribiendo que su maestro Juan Correa "le tomó perfil a la misma imagen original, . . .en papel azeytado del tamaño de la misma Señora, con el apunte de todos sus contornos, trazos y número de Estrellas, y de Rayos. . ." agregando que ". . .de este dicho perfil se han difundido muchos, de los que se han valido y valen hasta hoy todos los artífices".

Correa debió haber pintado infinidad de imágenes de la Guadalupana. González Moreno anota siete óleos existentes sólo en España, ejecutados entre los últimos veinte años del siglo XVII y 1712. También en Roma, en una capilla de la Iglesia de San Ildefonso, templo de los españoles en la Via Sixtina, se conserva una magnífica Guadalupana firmada por Correa, junto con otras pinturas suyas que representan a Juan Diego y a los Arzobispos Zumárraga y Aguiar y Seijas.

Aquí se publica una preciosa pinturita suya de veinticuatro centímetros de alto por dieciocho centímetros de ancho, es decir, casi una miniatura (*figura* 47). Aparece la imagen de Nuestra Señora fielmente copiada de su original, sin ningún aditamento, salvo una cinta en la parte inferior con la inscripción "*Non fecit taliter omni nationi*". A manera de marco la circunda una leyenda dorada sobre fondo rojo, y está firmada "Correa Ft.", mas no está fechada. Con la sencillez y tamaño de esta pequeña obra maestra del arte guadalupano, contrasta su riquísimo marco barroco adornado con cuatro cabezas de ángeles tallados y policromados, midiendo éste un metro ocho centímetros de altura. Otras varias Guadalupanas de Juan Correa se conservan en México, tanto en templos como en casas particulares, pero valga la presente como muestra de tan excelentes copias.

Fue Cristóbal de Villalpando (1650-1714) el pintor barroco más importante de México y aún uno de los mejores artistas de su época en el Imperio Español. De la Maza que lo estudió exhaustivamente, dice de él que es un "artista *desigual* y desconcertante que, a veces, está a la altura del genio y otras a la bajura del artesano. . . . Muertos los genios de la Edad de Oro de la pintura, reina Villalpando en el mundo hispánico con cetro indisputado. . . . En su plena época de gloria, en 1690, sólo puede competir con él Claudio Coello; después de 1693 sólo Villalpando".

Unicamente nos ha llegado de éste una copia de la Guadalupana, aunque es presumible que pintara otras y no será difícil que poco a poco vayan apareciendo. La conocida se encuentra en una colección particular de Sevilla, en España, y fue publicada por González Moreno en el tomo I de su *Iconografía Guadalupana*. No está fechada, pero por su estilo y características puede suponerse pintada a fines del siglo XVII. "Es magnífica —escribe De la Maza— muy honrada como tal copia, sobre todo en cuanto que el barroco pintor se contiene, por así decir, de su natural expansivo, ampuloso e incorrecto y se somete humildemente, a trasladar a su lienzo el temple del Tepeyac". Pero no hay que olvidar que estamos en plena ascendencia del Barroco, y por tanto si la imagen en sí es fiel trasunto del original, fuera de ella tiene que crearse algo de esa apasionada irrealidad que es la esencia del barroquismo, y Villalpando a más de las cuatro apariciones que pinta en los ángulos del lienzo de su copia, adorna los bordes que la circundan con grecas y cartelas que, según el multicitado De la Maza, "eran justamente las que se hacían en yeso en las iglesias de Puebla (por lo que) podríamos fecharle hacia 1690, año de la inauguración de la Capilla del Rosario, en donde pudo verlas el pintor".

Y aquí llegamos a un punto esencial dentro de la iconografía guadalupana: el del agregado de las Apariciones en los ángulos o lados de la casi totalidad de las copias de la Imagen que a finales del siglo XVII se pintan, costumbre que se arraigará en el siglo siguiente y continuará hasta hoy.

González Moreno, que por el gran número de copias guadalupanas que ha estudiado ha podido fijar porcentajes con cierta aproximación, estima que por lo menos el ochenta por ciento de las guadalupanas que él cono-

48. Guadalupana "enconchada", firmada por Miguel González en 1697. Museo de América, Madrid.

49. Guadalupana "enconchada", de finales del S. XVII. Colección de la Fundación Franz Mayer, México, D. F.

ce, contienen las Apariciones dentro de grandes variantes; y solamente en poco menos de un veinte por ciento la imagen de Nuestra Señora aparece sin ellas.

En cuanto a las dichas "apariciones" es curioso observar cómo entre más antiguas sean las pinturas, aquéllas se ostentan en los ángulos y generalmente representadas dentro de "reservas" cuadradas o hexagonales, y es con el transcurso del tiempo y según avanza el Barroco y llega a convertirse en Churrigueresco, cuando esos recuadros van complicando su forma hasta cambiarse en rebuscadas y adornadas composiciones. Igualmente, rodeando a la imagen y en torno a las Apariciones, van surgiendo infinidad de elementos ornamentales que en un momento llegan a tan extrema riqueza y exuberancia como los que se advierten, por ejemplo, en la pintura de Patricio Morlete Ruiz que más adelante se verá.

Para terminar con los grandes representantes de la segunda mitad del siglo XVII y primeros años del siguiente, réstanos decir que los hermanos Rodríguez Juárez, Nicolás nacido en 1667 y fallecido en 1734, y Juan nacido en 1675 y muerto en 1728, también nos dejaron Guadalupanas dignas del renombre que como pintores tienen.

Características de la época de que venimos tratando, son las imágenes "enconchadas", entre otras, las de la Virgen de Guadalupe. Sobre tablas con incrustaciones de concha de nácar —imitación seguramente de las lacas orientales así decoradas que llegaban de Filipinas por Acapulco— se pintaba sobre ellas, conservándose parte del fondo nacarado; éste, combinado con la pintura, produce un agradable y particular efecto.

"Con certeza puede afirmarse, escribe D. Manuel Toussaint, que todos los artífices historiados (es decir, los pintores de quienes venimos tratando) hicieron obras de arte de esta clase, género artístico industrial que gozó de enorme aceptación." Sin embargo, la circunstancia de que en ninguna de las tablas que nos han llegado aparece el nombre de sus autores, salvo en el caso de varias que sí están firmadas por Miguel y Juan González, han hecho creer que la referida técnica era exclusiva de estos pintores, cosa que no fue así.

Actualmente son más las Guadalupanas "enconchadas" que se conservan en España que las que quedan en México. Sólo el Museo de América en Madrid posee tres o cuatro excelentes, una de las cuales, adornada con seis santos, Dios Padre, el Espíritu Santo y un patriarca, obra de Miguel González ejecutada en 1697, aquí se publica (*figura* 48). También se reproduce ahora una tabla "enconchada" de grandes dimensiones, anónima, en la que sólo aparece la imagen de Nuestra Señora (*figura* 49) y forma parte de la Colección Franz Mayer, en la Ciudad de México.

Otros pintores de menor categoría complementan el mundo pictórico durante el cambio de los siglos XVII al XVIII: Nicolás de Angulo, Antonio y Manuel de Arellano, José del Castillo, Nicolás Correa, Diego Mendoza, José Rodríguez Carnero y Juan de Villalobos, entre otros muchos, nos dejaron infinidad de Vírgenes de Guadalupe, unas mejores y otras menos buenas, pero todas pintadas con unción y cariño.

En este *Album* se publica una rarísima lámina francesa, grabada al parecer a principios del siglo XIX por A. Derbois e impresa en París por Fagot, Successeurs de Pasquier, que lleva por título "Mariae Virgini Contemplanti" (*figura* 50). De este grabado que no es otra cosa sino una reproducción de la Guadalupana, se dice en él que fue tomado de una pintura firmada por Joseph López, que debe de ser el maestro pintor de este nombre que floreció en México en los primeros años de la centuria anterior, y al cual se refiere Toussaint en *Pintura Colonial en México*, agregando que en "1702 hizo el avalúo de las pinturas que fueron del Capitán Juan Fernando de Gracia". El grabador, al copiar la imagen, la buriló en la plancha en la misma posición del modelo, por lo que al ser impresa, la Virgen quedó estampada en posición invertida.

Particularmente curiosa, pues en esta ocasión la Virgen de Guadalupe es parte de una

50. Grabado francés de principios del S. XIX, tomado de una pintura de José López, artista que floreció a finales del S. XVIII. Se reproduce al tamaño original.

composición, es la escena que aparece en un óleo conservado en el Museo de la I. y N. Basílica de Guadalupe. El tema es un ángel de la Guarda presentando ante Cristo crucificado a un alma; pero un demonio tira de ella para llevársela al infierno. Sin embargo, la Virgen de Guadalupe que aparece pintada a un lado, aboga ante su Divino Hijo por esa ánima, y Este, ante la súplica de su Madre, la acoge (*figura* 51). El dibujo, el colorido y la composición de este cuadro anónimo, denotan con evidencia que su autor fue un buen maestro de finales del siglo XVII.

Es muy frecuente encontrar también magníficas copias anónimas de la Imagen pintadas en el período 1675-1725, y en muchos casos se advierte que fueron realizadas por verdaderos maestros, pero que por diversas causas o no las firmaron o las firmas se perdieron posteriormente. Así por ejemplo, en la colección del Tesoro de la I. y N. Basílica, se conservan tres magníficos lienzos anónimos de la primera mitad del siglo XVIII, y dado que aquí se reproducen es menester referirnos a ellos.

Es el primero (*figura* 52), un gran óleo que representa a Nuestra Señora en su forma original, pero acompañada a ambos lados de ángeles y flores. Sobre la imagen aparece el Espíritu Santo en forma de paloma y en los ángulos cuatro recuadros octagonales con las Apariciones clásicas. Tiene este cuadro la particularidad de representar también la quinta Aparición, la que claramente se advierte que fue añadida con posterioridad por un pintor menos diestro, casi popular. Sin embargo, lo curioso de la escena y la conmovedora ingenuidad con que está representada hacen verdaderamente encantador el ovalito al que nos referimos; aparece en él la Virgen de Guadalupe visitando a Juan Bernardino enfermo, quien yace en el suelo; Nuestra Señora lo consuela, pero familiarmente ha tomado asiento a su lado, adivinándose que está sentada en un "equipal". Complementan la escena una mesita con las pócimas que se le han suministrado al enfermo y, del otro lado, a través de una puerta abierta se ve una nopalera (*figura* 3).

El segundo de estos cuadros (*figura* 53) es en su composición similar al anterior, salvo que aquí en vez de los ángeles laterales aparecen los arcángeles Gabriel y Uriel. También cambia el tema del óvalo central inferior, que en este lienzo es un rectángulo, y en él aparece San Juan en la isla Patmos ante la visión descrita en el Capítulo XII de su Apocalipsis: "*Et signum magnum apparuit in coelo: mulier amicta sole, et luna sub pedibus ejus, et in capite ejus corona stellarum duodecim* . . ." ("Y apareció en el cielo una grande señal: Una mujer cubierta de sol, y la luna debajo de sus pies, y en su cabeza una corona de doce estrellas"); todo lo cual va acorde con la tesis sustentada desde 1648 por el Br. Miguel Sánchez en el sentido de que Nuestra Señora de Guadalupe, que obviamente representa su imagen a la Inmaculada Concepción, es la misma que vio y describió el Evangelista.

El tercero de los óleos (*figura* 54), es también muy parecido en su composición a los dos anteriores, pero difiere de ellos en que aquí la imagen de Nuestra Señora fue "adornada" por elementos ajenos al original, exagerando su barroquismo en detrimento de la fidelidad: pareciéndole al pintor sencilla la pura estampación de las estrellas en el manto de la Virgen, lo adornó, además, de florones bordados en oro; y a la cinta dorada que en el original perfila el manto, le añadió un encaje igualmente dorado. El excesivo barroquismo de esta representación llegó hasta el ángel en que descansa la Virgen, el cual considerándolo el artista también sencillo, lo adornó con un enorme pectoral áureo.

A todas estas pinturas más o menos clásicas y de "escuela", hay que agregar las imágenes producidas por modestos y anónimos pintores populares, que no por la carencia de técnica y oficio dejan de configurar el "guadalupanismo" de su momento, constituyendo muchas de éstas, dentro de su candorosa sencillez, magníficas expresiones del arte popular, hoy tan estimado (*figuras* 55 y 77).

José de Ibarra, nacido en Guadalajara en 1680 y fallecido en México en 1756, fue discípulo de Juan Correa y uno de los pintores más prolíficos de todo el siglo XVIII, aunque su producción no llegó a la abundancia de la de Miguel Cabrera. Si bien no lo favoreció la época en que vivió, pues fue de plena decadencia dentro del arte de la pintura, Ibarra presenta cualidades no comunes que en otros tiempos y en otro medio hubieran hecho de él un extraordinario pintor, ya que poseía verdadero talento. Fue presidente de la Sociedad o Academia de pintores que se fundó en México en 1754, y dos años después suscribió como profesor de este arte el parecer que emitió a su discípulo Miguel Cabrera sobre el lienzo o ayate de la Imagen original de Nuestra Señora de Guadalupe, sosteniendo su origen milagroso.

Pintó muchas Guadalupanas, de las cuales aún buen número se conserva en templos y casas particulares, y probablemente fue el autor de los cuatro enormes lienzos, pintados al óleo, que representan las cuatro Apariciones y que durante muchos años han adornado la sacristía de la antigua Basílica, pinturas que hasta hace poco tiempo fueron atribuidas a Cabrera.

Asimismo fue el autor de la imagen de la Guadalupana llamada "de la Jura" o "del Patronato" (*figura* 56), la cual se venera en la Catedral de México, en un retablo lateral de la capilla de las Reliquias o del Santo Cristo de los Conquistadores. Adorna a la preciosa imagen un marco oval de calamina —que antes del despojo del tesoro catedralicio fue de plata— y está firmada y fechada: "Josephus ad Ybarra faciebt, 1743".

La razón por lo que la pintura es llamada "de la Jura" o "del Patronato", es que ante ella, en las habitaciones privadas del Arzobispo D. Juan Vizarrón y Eguiarreta que se encontraba gravemente enfermo, el 4 de diciembre de 1746 se juró a Santa María de Guadalupe por Patrona General y Universal de todos los Reinos de la Nueva España. El juramento lo hizo el Ayuntamiento de la Capital, que previamente había recibido los poderes de todas las ciudades del Virreinato, comprometiéndose también a guardar como fiesta de precepto el día 12 de diciembre de cada año en que se celebra la milagrosa Aparición de Nuestra Señora, en base a lo concedido por el Edicto de Su Santidad de fecha 7 de enero de ese mismo año de 1746.

El cuadro de que venimos hablando tiene en su parte posterior otra pintura, también de Ibarra, representando a Juan Diego con la tilma en el momento en que al abrirla caen las flores y queda ya impresa en el ayate la Virgen de Guadalupe (*figura* 57). Este óleo es interesante porque la escena fue concebida en base a los estudios que en el siglo anterior había realizado el Br. D. Luis Becerra Tanco, relativos al tamaño y posición del ayate en el momento de la impresión milagrosa. El escorzo del fragmento que se ve de la Virgen, difícil por la posición y los pliegues del ayate, es magnífico, y viene a demostrar la enorme facilidad que tenía Ibarra para resolver con éxito los problemas más complicados cuando se lo proponía. Las flores que caen, también están tratadas con gran maestría, advirtiéndose el cuidado y cariño que puso el pintor en esta obra.

Otro cuadro, que si no es imagen de la Virgen, sí es tema guadalupano, debió haber pintado José Ibarra, ya que así se dice en el grabado que lo representa (*figura* 44): es una alegoría en la que al fondo se ve una ciudad, que por cierto no tiene ninguna semejanza con la de México, y en la cual yace una muchedumbre de apestados en actitudes desesperadas y de profunda miseria. En el cielo aparecen algunos ángeles que presentan ante tanta desolación la imagen de Nuestra Señora. En primer término cinco caballeros ataviados a la usanza Luis XV y con sus características pelucas —los miembros del Ayuntamiento— invocan reverentes el auxilio de la Virgen; y a mano izquierda, detrás de los Regidores un sacerdote con manteo y pluma de ave en ristre, anota en un libro lo que sus ojos ven. Tal es el grabado de Baltasar Troncoso, ejecutado en 1743 sobre la composición de Ibarra, que sirvió para portada de la importante obra *Escudo de Armas de México* por el Pbro. Cayetano de Cabrera

51. La Virgen de Guadalupe intercede por la salvación de un alma. Oleo sobre tela, anónimo, de finales del S. XVII. (1.11 × 0.93 mts.) Museo de la Basílica.

52. Guadalupana con las cinco Apariciones. Oleo sobre tela, anónimo, de la primera mitad del S. XVIII. La Aparición a Juan Bernardino está sobrepuesta y es de un pincel posterior, e inferior, al del resto del cuadro. (2.20 × 1.48 mts.) Museo de la Basílica.

53. Guadalupana con las cuatro Apariciones y los arcángeles Gabriel y Uriel. En el recuadro central inferior, la visión apocalíptica de San Juan. Oleo sobre tela, anónimo, de la primera mitad del S. XVIII. (2.50 × 1.67 mts.) Museo de la Basílica.

y Quintero —seguramente el sacerdote retratado— en donde narra los sucesos que sufrió por la peste la Ciudad de México en 1737, y de cómo por intercesión de Nuestra Señora de Guadalupe se libró de ellos, lo que ocasionó que fuera nombrada su principal Patrona.

Pintó también Ibarra cuadros de pequeñas dimensiones con la imagen de la Virgen de Guadalupe, destinados a satisfacer la devoción de particulares; así como varios escudos de monja en los que el tema principal es Nuestra Señora, tal como puede verse en uno aquí publicado (*figura* 59), en donde aparece la Guadalupana al centro, rodeada por San Agustín, San Jerónimo, San Antonio y San Luis Gonzaga, siendo superadas todas las figuras por las Tres Personas de la Santísima Trinidad que coronan a la Virgen. Una cenefa dorada con querubines y rosas circunda toda la escena.

Sin lugar a dudas Miguel Cabrera (Oaxaca, 1695-México, 1768), ha sido el más prolífico de los pintores mexicanos y también el que nos dejó mayor número de copias de la Virgen de Guadalupe, las que llegó a pintar con una perfección no igualada. En cierta época su fama fue tal que hizo olvidar a los demás pintores anteriores y contemporáneos suyos; más tarde, la crítica lo menospreció, y actualmente se le considera con más objetividad, estimando lo mucho bueno que tuvo y advirtiendo sus defectos que fueron, fundamentalmente, los de la época de decadencia en el arte, que le tocó vivir. No se sabe a ciencia cierta quién fue su maestro, aunque a Ibarra lo menciona por tal, pero sí que llegó de su natal Oaxaca a la Ciudad de México en 1719. Aquí estableció taller y formó escuela. Produjo intensa e incesantemente: su obra por número es pasmosa y sus cuadros pueden contarse por centenas, siendo por lo que sólo nos referiremos a algunos de los que sobre tema guadalupano ejecutó.

Desde lienzos de grandes dimensiones en los que se describen pasajes donde figura la Virgen de Guadalupe; pasando por la copia de la Imagen en todos tamaños; por las pinturas de retablos barrocos; por sus pequeños e inigualables escudos de monjas en los que Nuestra Señora del Tepeyac aparece rodeada de santos, y hasta miniaturas en las que la Guadalupana se representa con increíble perfección, todo lo abarca la obra guadalupanística de Miguel Cabrera.

En Zacatecas, por ejemplo, en el ex-convento de Guadalupe, hoy Museo Regional, se conserva una gran pintura cuyo tema es la Comunidad de frailes franciscanos en una procesión en la que llevan a la Virgen Morena. También allí mismo se exhibe otro cuadro que representa a San Francisco protegiendo a su Orden: "Este último cuadro es importante —ha escrito De la Maza— por su nacionalismo mexicano, ya que en lugar de llevar San Francisco, según costumbre, a la Purísima, sostiene a la Virgen de Guadalupe".

Para adornar retablos barrocos y dorados, Cabrera pintó infinidad de imágenes con la Guadalupana y de cuadros con las diferentes Apariciones. En algunos, como el de la iglesia de la Merced de las Huertas, en Popotla, D. F. (*figura* 62), se encuentra una serie de pinturas ejecutadas en 1751 que adornan su retablo: la imagen y cuatro lienzos con las Apariciones. En Querétaro causa verdadero asombro el riquísimo altar de la Virgen de Guadalupe que como colateral cubre un muro de la espléndida iglesia de Santa Rosa, pintado, según se estima, parte por Cabrera y parte por sus discípulos (*figura* 63). En Taxco, en la magnífica parroquia de Santa Prisca, fundación insigne del minero Borda, entre multitud de obras de Cabrera, resplandece y se destaca el precioso retablo dedicado a Nuestra Señora de Guadalupe, al cual adornan nada menos que siete óvalos de Cabrera de tema guadalupano y una fidelísima pintura al tamaño original de la misma Virgen.

Imágenes como la última aparecen en múltiples templos, al centro de sus respectivos altares, siendo siempre objeto de particular devoción. Así por ejemplo, en Querétaro, en la iglesia de la Merced; en San Luis Potosí, en la de la Compañía, y fuera de la República Mexicana, en Caracas, en la capilla del Palacio Arzobispal; en Murcia, Es-

54. Oleo sobre tela de grandes dimensiones, cuyo barroquismo compite con el del marco que lo encuadra. Anónimo, primera mitad del S. XVIII. Museo de la Basílica.

paña, en la parroquia de San Juan Bautista, cuadro este último que está fechado el 8 de marzo del año de la muerte del pintor, siendo por tanto una de sus últimas obras.

En Roma, en la iglesia de la Visitación, se conserva un lienzo de Miguel Cabrera, firmado en 1732, que representa a Juan Diego, de pie, extendiendo su tilma en la que ya se ve impresa la imagen de la Virgen: este cuadro perteneció a S. S. el Papa Benedicto XIV, y por disposición suya pasó a la iglesia antedicha para que recibiera allí veneración Nuestra Señora. En la segunda mitad del siglo XVIII se mandó grabar la lámina que aquí se publica (*figura* 40), difundiéndose mucho esta estampa entre los devotos italianos de la Virgen del Tepeyac.

Natural es que un pintor tan guadalupano haya dejado su huella en la I. y N. Basílica o en los templos que quedan dentro de su ámbito. Así por ejemplo, en la capilla del Pocito existen cuatro grandes cuadros con el tema de las Apariciones; en el Museo del Tesoro Artístico, se exhibe un retablo con cuatro lienzos sobre el mismo asunto, que son los que aquí se publican (*figuras* 64 a 67), y en la capilla del Cerrito recibe culto una preciosa Guadalupana que está rodeada de pájaros —los "coyoltotl" y los "tzinzcan", tan apreciados de los aztecas por sus melodiosos trinos— y cuyos cantos, según las relaciones antiguas, eran parecidos a la música celestial que escuchó Juan Diego las tres veces que Nuestra Señora se le ostentó en diciembre de 1531.

Hablando del neófito predestinado y de estas aves canoras, la Congregación de Religiosas Capuchinas del Convento de Nuestra Señora de Guadalupe y Santa Coleta, conserva un precioso retrato inédito, firmado por Cabrera, con una leyenda que dice: "Verdadero Retrato del Siervo de Dios Juan Diego, aquien la Santisima Virgen Maria, aparecio en el Zerro de Tepeyac (oy Guadalupe) mandandole que en aquel sitio; se le fabricase un Templo: Sacose este Retrato del que hubo de Tlascala el Cavallero D. Lorenzo Boturini el qual se tiene por verdadero". En la pintura aparece Juan Diego de hinojos ante su Señora, y revolotean en torno a la escena aquellos pajarillos cantores. ¡Todo un poema guadalupano!

Las mismas religiosas capuchinas poseen cinco soberbios y grandes cuadros que representan las Apariciones, inclusive la de Juan Bernardino (*figura* 68), pinturas que si bien no están firmadas, no dudamos en atribuirlas a D. Miguel.

En casas particulares de México, de varias ciudades de América y aún de España, reciben familiar y cotidiana veneración fidelísimas copias debidas al pincel de Cabrera, que van desde imágenes pintadas al tamaño del original, hasta pequeños óleos ejecutados generalmente sobre lámina de cobre, como la que aquí se publica (*figura* 69), firmada en 1752.

Mucho se ha criticado a Miguel Cabrera el ser "dulzón"; el haber utilizado en sus pinturas un colorido falso y acaramelado; el carecer sus luces del claro-oscuro; el faltarle en muchos casos a sus rostros carácter y energía, afirmándose, por ejemplo, que sus San Josés —con todo respeto lo decimos— son Vírgenes con barbas; que las manos de los viejos que pintaba son iguales a las de los hombres jóvenes y vigorosos de sus cuadros, y que éstas no difieren a su vez de las de las doncellas frágiles y delicadas que figuran en ellos. En todo esto puede haber algo de verdad. Sin embargo, a los mexicanos las Vírgenes de Guadalupe suyas son las que más nos gustan, y nos gustan como las pintó. Para cualquier guadalupano —y esto es decir para cualquier mexicano— el poseer un Cabrera es poseer un tesoro mucho más valioso que piedras preciosas u oro.

En estas breves líneas sobre Cabrera, el pintor por antonomasia de Nuestra Señora de Guadalupe, réstanos sólo decir que en 1751 presidió D. Miguel al grupo de pintores que por encargo del Arzobispo de México examinaron el ayate original para estudiar, desde el punto de vista técnico, la naturaleza de la estampación de la Virgen de Guadalupe en la tilma. Junto con Cabrera concurrieron a ese examen Manuel de Ossorio, Juan Patricio Morlete Ruiz, Francisco Antonio

55. Oleo sobre tela, de factura popular, fechado en 1702. A la derecha de la Guadalupana, la Virgen de la Merced, cuyo manto cobija a dos santos; a la izquierda, San Antonio; en la parte superior, el Espíritu Santo. (1.29 × 1.05 mts.) Museo de la Basílica.

58. Escudo de monja, anónimo. óleo sobre lámina de cobre. (Diámetro: 16.5 cms.)

59. Escudo de monja, pintado sobre lámina de cobre por José de Ibarra. (Diámetro: 18.5 cms.)

60. Escudo de monja, pintado sobre lámina de cobre por José Antonio Vallejo. (Diámetro: 17 cms.)

61. Escudo de monja, anónimo, óleo sobre lámina de cobre (Diámetro: 18 cms.)

*56, 57. Guadalupana llamada de "la Jura" o de "el **Patronato**", firmada y fechada por José de Ibarra en 1743. Al reverso, Juan Diego en el momento de desplegar su tilma. Lleva un rico marco de calamina. Capilla de las Reliquias de la Catedral Primada de México.*

62. Retablo de la iglesia de la Merced de las Huertas, D. F.

63. Retablo de la iglesia de Santa Rosa de la ciudad de Querétaro. Las pinturas son de Miguel Cabrera y sus discípulos.

Vallejo, José de Alcíbar y José Ventura Arnáiz, todos maestros pintores. Los resultados de lo que advirtieron en su inspección los dejó consignados Cabrera en un folleto que publicó cinco años más tarde y al que tituló: *Maravilla Americana, y conjunto de raras maravillas observadas Con la dirección de las Reglas de el Arte de la Pintura en la Prodigiosa Imagen de Nuestra Sra. de Guadalupe de México,* que salió de las prensas de la Imprenta del Real y más Antiguo Colegio de San Ildefonso, en México, el año de 1756.

De los pintores anteriormente mencionados, ni de Ossorio, ni de Arnáiz conocemos ninguna obra por ellos firmada. Parece que fueron discípulos y ayudantes de D. Miguel, y seguramente que en algunas de las pinturas que pasan por obras del último tuvieron su participación aquéllos. Con los tres restantes no sucede lo mismo, nos han llegado obras suyas, debidamente filiadas y firmadas, por lo que algo diremos de Morlete Ruiz, Vallejo y Alcíbar.

En San Miguel Allende, Guanajuato, en 1715 nació Juan Patricio Morlete Ruiz quien, al parecer, fue miembro de una familia de pintores. Habiéndose avecindado en la ciudad de México, aquí produjo su obra y se supone falleció en el decenio de los setentas. Fue Morlete un magnífico pintor, considerado inclusive superior a Cabrera, si no en cuanto al número y variedad de su producción, sí por la calidad de ella; afirmando Toussaint que "cuando se abusaba tanto de las coloraciones falsas y chillonas, y del dibujo flojo y sin expresión, Morlete Ruiz presenta el raro caso de dibujar correctamente y de pintar sus obras con sobriedad, en una entonación gris, no exenta de buen gusto." A lo largo de su vida debió de haber realizado un regular número de copias de la Guadalupana: González Moreno registra una de gran tamaño, fechada en 1763, que se conserva en el coro de la iglesia parroquial de Santa María de Ulibarri, en Durango, Vizcaya; y ahora se publica por primera vez otra interesantísima Virgen de Guadalupe, debida a su pincel y fechada en 1761, que es una copia casi exacta de una lámina del grabador alemán José Sebastián Klauber.

Este último artista, nacido en Augsburgo hacia 1700 y fallecido en 1768 fue, a través de sus grabados, un magnífico exponente y propagador de las modalidades del riquísimo barroco alemán de su tiempo y tuvo por esta vía gran influencia en el arte novohispánico de la segunda mitad del siglo XVIII. Así, por ejemplo, se ha demostrado lo que la espléndida ornamentación de las iglesias queretanas de Santa Rosa y de Santa Clara deben a sus grabados; se ha probado que Miguel Cabrera tomó de láminas suyas los temas de sus grandes lienzos ovales: "Reina de los Confesores", "Reina de los Apóstoles", "Reina de los Angeles" y "Madre los Afligidos", que hoy adornan los brazos del crucero de la Catedral de México, llegando su influencia hasta el "neoclásico" Francisco Eduardo Tresguerras —gran barroco en el fondo de su alma— quien en un álbum de dibujos copió los grabados de Klauber relativos a la Letanía de la Virgen.

En este cuadro de Morlete Ruiz (*figura* 70), se comprueba una vez más la influencia de Klauber en México, ya que su grabado es reproducido con ligeras modificaciones. Morlete sustituye la Guadalupana, un tanto falsa y europeizante, por una copia fiel del original, a la que pinta sobre el ayate que falta en la lámina alemana, y esto lo forza, también, a cambiar la posición de los dos ángeles que se hallan sobre la Virgen. Igualmente sustituye una larga inscripción del grabado que aparece en una cartela al pie del mismo, por una deliciosa vista de la Basílica y Plaza de la Villa de Guadalupe (*figura* 72). Salvo esto, todo lo demás es casi exactamente igual entre uno y otro, siendo en el óleo cuidadosísimo el dibujo y el colorido muy agradable y bien logrado, por lo que para nuestro gusto constituye una de las más hermosas Guadalupanas de todo el siglo XVIII.

Francisco Antonio Vallejo es un pintor de quien se ignora casi todo lo relativo a su persona, pero en cambio conocemos mucho de su obra, que fue extensa. En cuanto a su producción guadalupanística, también fue nu-

64, 65, 66, 67. Las cuatro Apariciones. Oleos sobre **tela,** *firmados y fechados por Miguel Cabrera en 1752. (Altura de los óvalos: 85 cms.)*

68. Aparición a Juan Bernardino. Oleo sobre tela de Miguel Cabrera. (2.14 × 1.53 mts.) Convento de Capuchinas de Nuestra Señora de Guadalupe.

69. Oleo sobre lámina de cobre, firmado y fechado por Miguel Cabrera en 1752. (43.5 × 32.5 cms.)

merosa, y de ella se conoce un interesante cuadro en la capilla de Dolores, anexa al extemplo de San Diego, en la Ciudad de México, en la que aparece la Virgen del Tepeyac venerada por un grupo de frailes; en Sevilla, España, se conservan cuatro o cinco óleos de diversos tamaños, que van desde dos metros y algunos centímetros hasta poco más de un metro, e inclusive una pequeña copia, pintada sobre lámina de cobre, de aproximadamente veinte centímetros. Llevan todos representadas las Apariciones, en sus ángulos, y el más interesante es uno de un metro de alto por ochenta centímetros de ancho, mandado pintar por el más guadalupano de todos los virreyes de la Nueva España, el Excmo. Sr. D. Antonio María de Bucareli, que fue tan amante de Nuestra Señora de Guadalupe que al fallecer en 1779 ordenó ser enterrado en su Basílica, cosa que así se efectuó. Lleva este cuadro una leyenda, que dice: "A devoción del Excmo. Señor Bailio Fr. Don Antonio María de Bucareli, y Ursúa, Henestrosa, Laso de la Vega, Villasís y Córdova, Caballero Gran Cruz, Comendador de la Bóveda de Toro en el Orden de San Juan; Gentil Hombre de Cámara de S. M. con entrada, Teniente General de los Reales Exércitos, Virrey Governador y Capitán Gen(eral) de esta Nueva España . . .", y en otro lugar de la pintura se asentó que "Se tocó en el Sagrado Original el día 21 de agosto de 1777." Fotografías de esta histórica copia pueden verse en el tomo I de la *Iconografía Guadalupana* del señor González Moreno, y en el también tomo I de *Los Virreyes de Nueva España en el Reinado de Carlos III*, obra dirigida por D. José Antonio Calderón Quijano, ex-rector de la Universidad de Sevilla, ex-director de la Escuela de Estudios Hispano-Americanos de Sevilla, e igualmente devoto fervoroso y entusiasta de Nuestra Señora de Guadalupe de México.

En el presente *Album* se publica la copia de una Guadalupana pintada en lámina de cobre (*figura* 73), que si bien no está firmada, por sus características es seguramente obra de Francisco Antonio Vallejo. También se reproduce entre los cuatro escudos de monja, uno firmado por este pintor (*figura* 60).

Del último artista de este grupo, José de Alcíbar, tampoco sabemos mayor cosa de su vida, aunque sí nos quedan muchas obras suyas, pintadas entre 1751 y 1801. Dado lo mucho que vivió, alcanzó Alcíbar la fundación de la Academia de San Carlos, constando que en 1799 era teniente de director de ella. Como en sus demás compañeros de grupo, se advierte que el medio en el que se desarrolló y la época de decadencia en el arte de la pintura en que le tocó vivir, no fueron los más adecuados para el pleno desenvolvimiento de sus facultades que, como ha escrito Toussaint, son "superiores al criterio artístico de su tiempo". Más cuidadoso quizás que los demás pintores contemporáneos suyos, la minucia amorosa con que terminaba sus obras le dan a éstas un aspecto de perfección en su acabado que no se advierte en las de aquéllos.

A lo largo de su no corta vida debió haber pintado gran número de Guadalupanas. Afortunadamente muchas nos quedan: en Zacatecas, por ejemplo, en el varias veces citado Colegio de Guadalupe existe un lienzo firmado en 1758; en Guadalajara, en la iglesia de Santa María de la Gracia hay otra que data de 1775, y una tercera en la iglesia de Santa Teresa, de allí mismo, fechada en 1785. En España, en la sacristía de la Iglesia parroquial de Santa María de la O, se conserva otra, y en colecciones de Sevilla y de Madrid, existen más.

En la Ciudad de México en varias casas particulares se veneran copias realizadas por este pintor, de las que aquí reproducimos la marcada como *figura* No. 74, la cual nunca se ha publicado y da buena muestra de la belleza de las Guadalupanas de este magnífico artista.

A José de Páez, nacido en 1720 en la Ciudad de México, se le ha considerado como a un pintor de menor categoría que la de los anteriores, afirmándose de él que los defectos de Cabrera son los mismos suyos, pero exagerados a lo sumo. Si esto puede ser verdad en la mayor parte de sus producciones que, en términos generales, carecen de un ca-

70. *Oleo sobre tela, firmado y fechado por Juan Patricio Morlete Ruiz en 1761; está inspirado en un grabado de Juan Sebastián Klauber. (1 × 0.79 mts.)*

71. *Perspectiva del Santuario de Guadalupe (detalle de la Fig. 76).*

72. *Otra perspectiva del mismo Santuario, interesante por los personajes que dan vida a la escena (detalle de la Fig. 70).*

73. Oleo sobre lámina de cobre, atribuído a Juan Antonio Vallejo. (43 × 32.5 cms.)

74. *Oleo sobre tela, firmado por José de Alcíbar en 1779. (70 × 61 cms.)*

75. Oleo sobre lámina de cobre, firmado por José de Paéz. (57 × 43.5 cms.)

rácter bien definido, mostrando un colorido falso y defectos en las actitudes de sus personajes, no ocurre lo mismo en cuanto a sus copias de la Imagen de la Virgen de Guadalupe, pues no teniendo en ellas que representar composiciones complicadas, sino sólo sujetarse al Original, llegó a realizarlas con una perfección tan grande como la del mejor de los artistas de su tiempo. Pintó muchas Guadalupanas y, como sus contemporáneos, algunas las adornó con las Apariciones, ángeles, flores, carteles y demás hojarasca barroca; en otras ocasiones pintó la simple imagen, tal como está representada en la tilma milagrosa. De las primeras es un gran lienzo de dos metros de alto que se conserva en Sevilla; y otro de menor tamaño, pero similar, que existe en Madrid. A la segunda clase pertenece la aquí publicada (*figura* 75) que está pintada sobre lámina de cobre. También se conserva de Páez en la sacristía de la Catedral de San Luis Potosí, un curioso cuadro que entra dentro de su producción guadalupanística, ya que representa a Nuestro Señor Jesucristo, a la Virgen de Guadalupe y a varios santos sacando almas del purgatorio, siendo más de admirar en él lo poco frecuente de la escena, que la calidad intrínseca de la pintura.

Pretender reseñar todos los pintores que durante la segunda mitad del siglo XVIII y hasta la consumación de la Independencia pintaron imágenes de la Guadalupana, a más de fuera de lugar, sería imposible. Sólo a manera de ejemplo diremos que José Padilla pintó, en 1779, la imagen de Nuestra Señora y los cuadros de sus Apariciones que adornan el retablo de la parroquia de Atzcapotzalco; de Antonio de Torres se conserva una Virgen de Guadalupe en la capilla de la Salud, en San Miguel Allende; de Antonio de Lara, en la Catedral de Puebla, capilla de Guadalupe, se cuenta también con las cuatro Apariciones; la interesante imagen aquí publicada (*figura* 75-A), es de Tomás Julian, cuadro en el que es más de admirar el precioso marco que la pintura en sí misma, y procede de Tacubaya, del Convento de San Diego, exhibiéndose hoy en el Museo Nacional de Historia de Chapultepec; de Andrés López se sabe que pintó muchas: una, fechada en 1798, se conserva en el camerín de San Diego, en Aguascalientes, y también se sabe que sacó otra copia para el Doctor Bartolache. Manuel Caro pintó en Puebla, a principios del siglo XIX varias imágenes, una de las cuales, fechada en 1814, se encuentra en la iglesia de San Jerónimo, en esa ciudad. José María Vázquez, magnífico pintor que en más de una cosa recuerda al genial Goya, ejecutó hacia 1816 la gran Virgen de Guadalupe de la iglesia de Loreto, en la capital mexicana. La que se venera en la capilla de Nuestra Señora de Guadalupe, en la Catedral primada, es obra de Labastida y fue pintada en 1809. En fin, sería cosa de nunca acabar.

Igualmente existen preciosas imágenes ejecutadas por pintores que aunque hayan firmado su obra, no se tienen más datos de ellos. Tal es el caso, por ejemplo, de Miguel Rodríguez, autor de la preciosa Guadalupana (*figura* 76), adornada con las cuatro Apariciones y la vista de la Plaza de la Villa y Basílica de Guadalupe. Ni D. Manuel Toussaint, ni ninguno de los múltiples críticos e historiadores consultados que tratan de la pintura mexicana del siglo XVIII, nombran a este artista, por lo que es desconocido, no quedando más recuerdo de él que el cuadro que pintó y su firma allí estampada. La parte central de esta pintura con la vista de la Villa se publica en detalle (*figura* 71), dado su valor documental.

Otro tanto de lo que se dijo en páginas atrás con respecto a las pinturas populares y anónimas del siglo XVII, es de repetirse ahora en relación a las del siglo XVIII. Ejemplo de estas últimas es la encantadora Guadalupana señalada como *figura* 77, la cual aparece colocada en un soberbio marco barroco de la época, también de factura popular, dorado y con espejos. Sirven también de ejemplo las cuatro imágenes (*figuras* 78, 79, 80 y 81), que asimismo se reproducen en este *Album*, al igual que el simpatiquísimo Juan Diego con su tilma desplegada que recuerda el grabado "culto" de la pintura

75a. Oleo sobre tela, firmado por Tomás Julián, segunda mitad del S. XVIII. (2.40 × 1.80 mts.) Museo Nacional de Historia.

de Miguel Cabrera, del que también ya se habló, aunque en el óleo popular se advierten otros elementos de que carece aquél, como son la representación de España simbolizada por una reina castellana que sostiene un escudo con un león, que más bien parece una ardilla, y la representación de México expresada por una cacique indígena que sostiene a su vez un escudo con un águila que, por su parte, más se asemeja a un zopilote (*figura* 82).

Dentro de la pintura de la época existen también una serie de escenas en las que la imagen de Nuestra Señora aparece como parte de diversos temas y en los cuales figura generalmente como actor principal de ellos. Así, en el Tesoro de la I. y N. Basílica se guarda un curiosísimo lienzo que está firmado por otro pintor desconocido: Anselmo López, quien aunque puede considerarse dentro de la categoría de artista popular, no deja de mostrar cierta técnica. La Virgen de Guadalupe en este cuadro está representada en el momento de la Asunción a los cielos y es conducida por un grupo de ángeles. Al pie de la imagen y a la izquierda del observador, está en actitud orante un indígena que se nos antoja ser Juan Diego, pero con la característica de que está vestido a la usanza de los indios del siglo XVIII. Arriba, al centro, está Dios Padre con tiara pontificia y capa pluvial, sosteniendo a Nuestro Señor Jesucristo a quien se representa muerto, después de la Crucifixión. Al lado izquierdo, se ve a San Miguel de rodillas, con su coraza y cimera, y al lado contrario un personaje que también está de hinojos y parece ser el venerable Gregorio López (*figura* 83).

Ya que se habla de Asunciones representadas a través de la Virgen de Guadalupe, es de recordar la curiosa serie de cuatro pinturas en donde aparecen sendas Guadalupanas subiendo al cielo rodeadas de ángeles y recibidas por Dios Padre, quien las corona. En las cuatro se ve a los apóstoles que, en la parte inferior de los cuadros, rodean los sepulcros vacíos. Estas Asunciones Guadalupanas, que son indiscutiblemente obras de un mismo pintor popular, están imbuídas de cierto hieratismo que involuntariamente hacen recordar la pintura bizantina de tres o cuatro siglos anteriores a ellas. Una pertenece al Tesoro artístico de la I. y N. Basílica y es la que aquí se publica (*figura* 84); otra que existe en la Parroquia del pueblo de San Miguel Chapultepec, en Calimaya, Edo. de México, fue localizada y dada a conocer en 1955 por el Cngo. D. Jesús García Gutiérrez, y las dos restantes —una se conserva en Toluca y la otra en Taxco, Guerrero—, las publicó dos años antes de esta última fecha Francisco de la Maza.

Verdaderamente originales son tres óleos en que cada una de las distintas Personas de la Santísima Trinidad aparecen en el cielo pintando a Nuestra Señora de Guadalupe. En el primero, que pertenece a las colecciones de la I. y N. Basílica, se representa como pintor a Dios Padre quien, paleta en mano y armado de pinceles, se afana en concluir la imagen de la Guadalupana que pinta en el ayate sostenido por los ángeles. Nuestro Señor Jesucristo lo acompaña y parece que comenta la obra (*figura* 85). El segundo forma parte de un retablo guadalupano de la iglesia de la Congregación en Querétaro, y aquí es Cristo Nuestro Señor quien pinta a su Santísima Madre, correspondiéndole a Dios Padre el papel de observador (figura 86). El último es un gran lienzo que adorna la parroquia del pueblo de San Juan Tilapa en el Estado de México, y en él el turno de pintor le corresponde al Espíritu Santo. El Padre Eterno y el Hijo le sostienen el ayate y los pinceles y los colores se los proporcionan los ángeles.

Dentro de la vasta gama de curiosos cuadros guadalupanos, es también particularmente interesante un gran lienzo que decora todo un muro de la sacristía del Santuario de Nuestra Señora de Guadalupe, en Acámbaro, Guanajuato. La escena representada es el árbol genealógico de la Guadalupana, desde Abraham, apareciendo en su lugar cada uno de los patriarcas antecesores de Nuestra Señora. En la parte inferior, a los extremos, se ve un pasaje de la vida de Moisés y al lado contrario Adán y Eva —una de las poquísi-

76. Oleo sobre tela, firmado por Miguel Rodríguez. (73 × 56.5 cms.)

77. *Anónimo popular del S. XVIII, encuadrado por rico marco barroco con espejos, también popular y de la misma época (1.19 × 0.91 mts.) Museo de la Basílica.*

78, 79, 80, 81. Oleos de factura popular, del S. XVIII. El primero está firmado y fechado por Joseph Mota en 1720 y es el de mayores dimensiones. (2.09 × 1.48 mts.) Museo de la Basílica.

82. Anónimo popular de la segunda mitad del S. XVIII, óleo sobre tela. (1.25 × 1 mts.) Museo de la Basílica.

mas Evas de la pintura virreinal— ante el árbol del bien y del mal. En la parte media del gran óleo están los Profetas Menores y otros personajes, inclusive San José. Culminan la escena Dios Padre, el Espíritu Santo en forma de paloma y el Niño Jesús, que corona a su Madre, así como un coro de ángeles músicos, entre los cuales uno toca el órgano y el otro un flautín, que amenizan la escena (*figura* 87).

También se publica aquí una deliciosa pinturita de poco más de cuarenta centímetros de alto, que representa a Nuestra Señora de Guadalupe como Reina de los Santos (*figura* 88). El óleo, adornado con multitud de figuras —verdaderas miniaturas—, está distribuido en seis secciones horizontales en donde aparece un buen número de personajes celestiales y de santos. Al centro de la parte inferior, está el Nacimiento del Niño Jesús, a quien sostiene un ángel, y atrás de la Virgen y San José, el burro y el buey —que claro, aunque éstos no son celestiales, no podían faltar—. A uno y a otro lado, San Pedro y San Pablo y en ambos extremos San Cristóbal y Santa Bárbara. En la segunda fila están San Felipe Neri, Santo Domingo, San Francisco de Asís y San Juan Nepomuceno; y en la tercera, que por su distribución viene a ser el centro, Santo Tomás y Santa Catalina de Sena de un lado, y al otro San Antonio y San Diego de Alcalá enmarcan a Santa Ana y a San Joaquín, quienes acompañan a la Virgen de Guadalupe. Arriba de Nuestra Señora, el Calvario, y rodeándolo una serie de arcángeles y de ángeles, inclusive el de la Guarda. Corona la escena la Santísima Trinidad. En fin, ¡un cielo guadalupano!

En el párrafo anterior se habló incidentalmente de San Miguel. Ahora le toca que hablemos específicamente de él como Príncipe de las Milicias Celestiales: en un pequeño óleo que se conserva en el Tesoro de la I. y N. Basílica de Guadalupe, aparece aniquilando al enemigo malo, representado por el dragón de las siete cabezas. Esta pintura, a pesar de ser muy alambicada y fiel expresión del arte decadente de su tiempo —segunda mitad del siglo XVIII—, está, sin embargo, dentro de la línea de sus antecedentes y recuerda los arcángeles —infinitamente superiores— de Arteaga o Villalpando. Es seguro que si José Moreno Villa, finísimo crítico malagueño que vivió en México, hubiera conocido esta pinturita, le hubiera dedicado unas palabras en el capítulo "Morfología de los ángeles" de su ensayo *Lo mexicano en las artes plásticas.* San Miguel blande en su diestra la espada con la que ataca al enemigo, y, en su siniestra, porta el estandarte que, en esta ocasión, es la imagen de la Guadalupana (*figura* 89).

Pintura popular malísima, pero con cierto "espíritu" y gracia, es la *figura* 90, en donde se ve a la Virgen de Guadalupe al centro, y en la parte inferior a Santa Ana y a San Joaquín. Arriba, la Santísima Trinidad, representada por sus Tres Personas, de las que Dios Padre corona a Nuestra Señora. Pudiera decirse que es un cuadro de familia de Santa María. . .

Con la falta de oficio del cuadro anterior, contrasta la pintura marcada como *figura* 91, que en su género es una obra maestra y se conserva, como tantas otras, en el Tesoro de la I. y N. Basílica. En la parte superior del lienzo, de un lado San Miguel libera a las almas del purgatorio, cosa que también hace al otro extremo San Gabriel. Al centro cuatro angelitos sostienen el santo ayate con la Virgen de Guadalupe. La anterior escena es en realidad una estampa que adorna la parte superior de una magnífica muestra caligráfica del siglo XVIII, en la que se transcriben varios Breves pontificios de S. S. Benedicto XIV relativos a la Guadalupana y a su culto. El marco rococó que por sí es otra obra de arte, contiene en su copete un segundo óleo que es una alegoría de la Santísima Trinidad y de la Eucaristía, digna de ser representada en estampas de Primera Comunión.

Dentro del género eminentemente popular del arte de ayer y de hoy, se destacan los retablos o ex-votos en los que los fieles agradecidos rememoran el favor obrado por el santo de su devoción. En el que aquí se pu-

83. Asunción "guadalupana". Oleo sobre tela, firmado por Anselmo López, de la primera mitad del S. XVIII. Museo de la Basílica.

84. Asunción "guadalupana". Oleo sobre tela, anónimo, de factura popular; primera mitad del S. XVIII. (1.08 × 0.75 mts.) Museo de la Basílica.

85. Dios Padre pintando a la Virgen de Guadalupe. Oleo sobre tela, anónimo, mediados del S. XVIII. (83 × 63 cms.) Museo de la Basílica.

86. Dios Hijo pintando a la Virgen de Guadalupe. Oleo sobre tela, en el remate de un retablo en la iglesia de la Congregación de la ciudad de Querétaro.

87. Arbol genealógico de la Virgen de Guadalupe. Oleo sobre tela, anónimo, de mediados del S. XVIII. (7 × 6.50 mts.) Sacristía del Santuario de Guadalupe de la ciudad de Acámbaro.

88. La Virgen de Guadalupe, Reina de los Santos. Oleo sobre tela, anónimo, de la segunda mitad del S. XVIII. (42 × 29.5 cms.)

89. San Miguel Arcángel vence al demonio. Oleo sobre tela, anónimo, de la segunda mitad del S. XVIII. (61 × 40 cms.) Museo de la Basílica.

90. La Virgen de Guadalupe, entre San Joaquín y Santa Ana, es coronada por la Santísima Trinidad. Oleo sobre tela de factura popular, anónimo, de finales del S. XVIII. (70 × 54 cms.) Museo de la Basílica.

91. Oleo sobre tela, anónimo, de la segunda mitad del S. XVIII, en el que se transcriben algunas indulgencias y privilegios concedidos por Benedicto XIV. (1.64 × 0.97.) Museo de la Basílica.

blica (*figura* 8), se hace patente una gracia obtenida por la intercesión de Nuestra Señora, y siendo del siglo XVIII, nos muestra con lujo de detalles escenas de la vida de otro tiempo que hoy nos cautivan.

No podría ser completa la referencia a una iconografía guadalupana de esas épocas, si no nos refiriéramos a dos clases de retratos que estuvieron entonces muy en boga.

Son los primeros las efigies de personajes retratados, que si bien no están exentos de un convencionalismo premeditado, en muchos casos poseen otras cualidades que hoy apreciamos, los cuales solían pintarse ante una estampa de la Virgen de Guadalupe. Por ejemplo, en la *figura* 4 vemos la magnífica efigie del recio vasco Fray Juan de Zumárraga y a un lado, alternando con el vizcaíno blasón del primer Obispo y Arzobispo, la imagen de Nuestra Señora, tan íntimamente ligada a su personalidad. Otro es el retrato de su confesor y capellán, el P. Juan González (*figura* 10), verdadero asceta y hombre de estudios, lo que queda patente en el retrato por el descarnado cráneo objeto de profundas meditaciones, por la Virgen estampada en el ayate y por la actitud en sí del retratado, a cuyas espaldas aparecen los infolios, plumas y pliegos que, por su parte y a las claras, muestran las empresas estudiosas del ermita.

Muy de acuerdo con la época *regalista* de los Borbones, es el magnífico retrato firmado por el pintor Ramón Torres y fechado en 1789, en donde aparece el Arzobispo y Virrey D. Alonso Núñez de Haro y Peralta, acompañado por el tercer Abad (efectivo) de la Colegiata, Dr. D. José Félix Colorado. Ambos personajes, con actitudes verdaderamente mayestáticas y conscientes de las dignidades que representan, se retratan ante la Virgen de Guadalupe que desde el cielo los protege (*figura* 92). Existen, además, infinidad de retratos, bien sean de un solo sujeto, bien sean de grupo, en donde la Guadalupana aparece en actitud protectora ante ellos. Sirvan como ejemplos el curioso óleo publicado por González Moreno en el que la Virgen ampara a S. S. Benedicto XIV, al Rey de España D. Fernando VI, al Virrey primer Conde de Revillagigedo y al famoso jesuita P. Juan Francisco López, los cuatro personajes íntimamente ligados con la Jura y extensión del culto guadalupano; así como el gran lienzo que adorna una de las escaleras del Colegio de San Ignacio, en la Ciudad de Puebla, hoy Universidad Autónoma, en el que aparecen cuatro colegiales becas del entonces Colegio Carolino, protegidos por la Virgen del Tepeyac; y el óleo de la sacristía de la Parroquia de Amecameca, pueblo cercano a la Capital mexicana, en el que su Cura está retratado en medio de santos, cobijados todos por la Celestial Patrona.

El segundo grupo al que antes hicimos referencia, es el de los retratos de orantes que en forma más humilde trataron de dejar un recuerdo de su presencia en este mundo, mandándose pintar en actitud de oración en uno de los ángulos inferiores de algún cuadro de la Virgen de Guadalupe. Aquí se publican dos ejemplos de este tipo: es el primero el retrato del señor Prebendado, Doctor y Maestro D. Miguel Antonio del Castillo, primer clavero de la Santa Iglesia Catedral Metropolitana, quien a mediados del siglo XVIII se hizo retratar por el pintor Francisco Martínez, notario del Santo Oficio de la Inquisición, en humilde actitud y con la leyenda "Ora pro me" —ruega por mí—, ante una gran Guadalupana (*figura* 93). Otra muestra es el pequeño retrato de las dos pobres Capuchinas, Sor María Ana y Sor Ana María, fundadoras del Convento de Nuestra Señora de Guadalupe y de Santa Coleta, de religiosas de esa Orden, quienes ante la Virgen del Tepeyac se hicieron retratar el año de 1782, para con dicha pintura pedir limosnas para la construcción de su convento. Y el pequeño óleo cumplió con su cometido: con los donativos obtenidos en el cepo que este cuadrito adornaba, se levantó la fábrica del magnífico edificio que hoy, restaurado, nos llena de admiración (*figura* 94).

Por Real Orden de 25 de diciembre de 1783 de Su Majestad Carlos III de España, se fundó en México la Real Academia de San Carlos para encauzar a través de ella la en-

92. *D. Alonso Núñez de Haro y Peralta, Arzobispo y Virrey de México, y D. José Félix Colorado, Abad de la Colegiata de Guadalupe. Oleo sobre tela, firmado y fechado por Ramón Torres en 1789. (1.68 × 1.26 mts.) Museo de la Basílica.*

93. D. Miguel Antonio del Castillo, primer Clavero de la Catedral Metropolitana. Oleo sobre tela, de mediados del S. XVIII, firmado por Francisco Martínez. (1.20 × 1 mts.) Catedral Primada de México.

94. Sor María Ana y Sor Ana María, fundadoras del Convento de Capuchinas. Oleo sobre tela, anónimo, fechado en 1782.

señanza de las artes de la pintura, la escultura y la arquitectura en el Virreinato de la Nueva España. El propósito de lo anterior fue incorporar dentro del movimiento cultural de la Ilustración europea, las directrices del arte colonial. Las "ideas ilustradas" eran fundamentalmente racionalistas y en el campo de la estética inspiradas en el Renacimiento, quien a su vez había tomado prestado al Arte Clásico de los griegos y los latinos los conceptos fundamentales que lo conformaron. De aquí resulta que el espíritu rector del neo-clásico implantado a través de la Academia de San Carlos fuera, la mayoría de las veces, un tanto ecléctico y, consecuentemente, falso, y que salvo contadísimas excepciones estuviera siempre muy por debajo de su cometido. Por otro lado, su efecto inmediato fue la destrucción de una parte considerable del gran arte barroco novohispánico de los siglos XVI al XVIII, ya que el neoclasicismo, en vez de dedicarse a construir obras nuevas, se dedicó a destruir lo antiguo para en su lugar sustituirlo con obras eclécticas, tan barrocas paradójicamente como las viejas, pero sin el gran espíritu barroco que informó a éstas. En tales condiciones fue también natural que a los artistas académicos no les interesara reproducir imágenes de la Guadalupana en ninguna de sus especialidades artísticas: era el suyo un arte poco devoto, ya que como se dijo, era racionalista; y, además, el modelo, estéticamente hablando, era considerado imperfecto, pues no era una obra de los tiempos clásicos; finalmente, el hecho de buscar la mayor fidelidad en las reproducciones respecto al ayate original —que fue lo que buscó el artista barroco—, estaba contra la pretensión creadora de quienes se consideraban recipiendarios de la llama creativa de los griegos y los latinos.

De casualidad, el neo-clasicismo nos dejó una obra guadalupana de importancia: la capilla del soberbio Palacio del Colegio de Minería, la cual fue dedicada a Nuestra Señora de Guadalupe. El altar, de magníficas proporciones (*figura* 96), obra del inmortal D. Manuel Tolsá, se adornó con su imagen; y en 1813 el valenciano Rafael Jimeno y Planas, discípulo de Mengs y de Bayeu y quien vino en 1794 a la Nueva España como profesor de pintura de la Academia, decoró la techumbre de la capilla con dos grandes frescos: *La Asunción de la Virgen* y el *Milagro del Pocito*, éste último de tema totalmente guadalupano (*figura* 95).

Dentro de la frialdad propia de la escuela neo-clásica, estas pinturas proclaman la indudable maestría de su autor y constituyen un magnífico exponente del arte de su tiempo.

También por las razones anteriormente explicadas, la producción de Guadalupanas en la pintura de los discípulos egresados de la Academia fue, durante todo el siglo XIX, prácticamente nula. Hubo uno que otro pintor de ese tiempo —por ejemplo, Morales van der Eyden en Puebla, y Mateo Herrera en León, Gto., pintores académicos pero no discípulos de San Carlos—, que esporádicamente pintaron alguna imagen de la Virgen de Guadalupe sin mayor pena ni gloria. Pero en términos generales puede decirse que ni a los artistas de entonces les interesó el tema, ni a los devotos pudientes encargarles copias a los pintores académicos de fama. Aquéllos preferían conseguir una Guadalupana original de Cabrera, de Alcíbar, de Morlete o de Páez, los grandes intérpretes guadalupanos del siglo anterior.

Sin embargo, no pasó lo mismo con el arte de la miniatura que a lo largo del siglo pasado produjo excelentes ejemplares de la imagen de Nuestra Señora, como puede verse a través de las aquí reproducidas (*figuras* 97 a 101); siendo así como en parte se satisfizo la demanda constante de nuevas imágenes que los devotos requerían.

Otra forma como se cubrió tal necesidad, fue mediante la elaboración de Vírgenes en las más diversas artesanías, desde magníficas obras de orfebrería, hasta modestas —y domésticas— imágenes realizadas en bordado, resultando de esto la continuación y el perfeccionismo durante el siglo XIX de la riquísima artesanía guadalupana, como se verá después. También la litografía, que a partir

95. El milagro del Pocito. Pintura al fresco, ejecutada por Rafael Jimeno y Planas en 1813, que decora el techo de la capilla del Palacio de Minería en la ciudad de México.

96. Altar de la Virgen de Guadalupe en la capilla del Palacio de Minería de la ciudad de México, diseñado por D. Manuel Tolsá.

97. *Miniatura sobre lámina de cobre, finales del S. XVIII. Con marco neoclásico de calamina. (Altura, incluyendo el marco: 14 cms.)*

98. *Miniatura en esmalte sobre lámina de oro. Trabajo francés de principios del S. XIX. (Altura: 3.5 cms.)*

100. *Miniatura sobre lámina de cobre. Trabajo mexicano de principios del S. XIX. Marco de plata sobredorada. (8.5 × 6.5 cms.)*

99. *Miniatura sobre placa de marfil. Trabajo francés, de principios del presente siglo, firmado por Bruffet. Marco de plata cincelada de manufactura mexicana reciente. (Altura, incluyendo el marco: 11.5 cms.)*

101. *Miniatura sobre lámina de marfil, en relicario de plata. Finales del S.XVIII. (Altura del relicario: 6 cms.)*

102. Cromolitografía publicada por la casa Debray Sucs., México, a mediados del S. XIX. (50.5 × 35.5 cms.)

103 y 103a. La Virgen de Guadalupe defiende a la niñez mexicana. Oleos sobre tela, pintados hacia 1933, por el P. Gonzalo Carrasco, S. J. (1.60 × 1.20 mts.) Iglesia de la Compañía de la ciudad de Puebla.

del final del tercer decenio de esa centuria produjo en nuestro país una obra de excepcional calidad, ayudó con la estampación de magníficas Guadalupanas litografiadas (*figura* 170) a satisfacer la demanda de los devotos; y ya en la segunda mitad de ese siglo, la cromolitografía produjo verdaderas obras de arte, como es la estupenda lámina de cincuenta centímetros de alto, impresa a colores por este procedimiento por la Casa Debray Sucs. México (*figura* 102), aquí publicada.

Es necesario llegar a finales del siglo XIX para volver a encontrar pintores importantes dedicados a la producción de obras guadalupanas. A principios de la última década del siglo pasado se emprendieron obras de redecoración en la I. y N. Basílica, para celebrar dignamente en 1895 la Coronación Pontificia de Nuestra Señora de Guadalupe. Con tal motivo se llamó a los más conspicuos artistas de ese tiempo, para que cada uno pintara en los muros de la iglesia un gran cuadro de tema guadalupano: fue así como Félix Parra pintó el cuadro de la *Jura del Patronato;* Gonzalo Carrasco, después santo sacerdote jesuita, el *Primer Milagro de la Virgen de Guadalupe;* Felipe Gutiérrez, la *Conversión de los Naturales;* José María Ibarrarán y Ponce, las *Informaciones de 1666*, y, años más tarde, el español Juan Fabregat, la *Entrega del Breve relativo a la Coronación.*

Aunque todos los pintores anteriores fueron de lo mejor que hubo en su tiempo, no todos los cuadros tienen el mismo mérito, ni son del todo felices, ya que en general se advierte en ellos la "falsedad" característica de la pintura académica de tema histórico. A nosotros en particular los que nos parecen mejores, son el de la *Conversión de los naturales* de Felipe Gutiérrez y el de las *Informaciones* de Ibarrarán.

Cierra nuestra investigación sobre la Virgen de Guadalupe en el arte de la pintura, dos cuadros del P. Gonzalo Carrasco, S. J. que se conservan en la iglesia de la Compañía de la ciudad de Puebla. El caso del P. Carrasco como pintor, es un ejemplo claro de una deformación artística. Habiendo sido en su juventud y en los primeros años de su actividad pictórica un extraordinario artista, cuyos soberbios ejemplos de su calidad nos quedan en los cuadros de "Job en el estercolero" y en el de "San Carlos Borromeo", que se conservan en la Escuela Nacional de Artes Plásticas, una vez que ingresó a la Compañía de Jesús y se dedicó de lleno a un incesante apostolado, aunque siguió pintando, la calidad de su obra decayó en forma que la hace irreconocible. Se han aducido diversas razones para explicar el hecho anterior; el P. Cuevas afirma que, "en los últimos diez años de su vida, afectada su vista del daltonianismo, erró notablemente el uso de los colores". Nosotros pensamos que más bien sucedió que convirtió su arte en un medio de apostolado, pintando las obras de esta época de prisa y con fines caritativos. A estos últimos tiempos pertenecen las pinturas aquí reproducidas (*figuras* 103 y 103-A), y si se incluyen en este *Album*, es más como testimonio de un momento histórico, que como obra importante de arte, pues fueron pintadas en la época de la persecución religiosa, representando a Nuestra Señora Santa María de Guadalupe defendiendo a la niñez mexicana de los peligros que entonces la acechaban. Tiempos de crisis que bendito sea Dios son idos y que seguramente no volverán.

4. LA ESCULTURA

Innecesario es hacer notar que en el ámbito del guadalupanismo mexicano, el arte de la escultura no ha tenido la importancia del de la pintura. La razón es obvia: la Imagen original de Nuestra Señora de Guadalupe es una "pintura" en un ayate, y consecuentemente como se pueden obtener copias más fidedignas, es reproduciendo su imagen pintada.

Sin embargo, no por lo anterior debe de pensarse que no se intentó reproducir en escultura a la Virgen de Guadalupe, pues se han hecho intentos al respecto, aunque los logros no han correspondido a los deseos, pues en términos generales la obra escultórica guadalupana que conocemos, es de calidad muy mediana, además de que el original en sí no se presta para ser copiado en escultura.

En la parroquia del pueblo de Tequisquiac, del Estado de México, hace años estaba expuesta a la pública veneración una escultura de Santa María de Guadalupe, de tamaño aproximadamente igual que el de la Imagen original, tallada en madera y luego estofada, la cual estatua se reputaba obra del siglo XVII. Hará cosa de diez años fue robada y tiempo después abandonada en una barranca. Al recuperarse se encontró la escultura mutilada y muy maltratada, por lo que desgraciadamente poco queda de ella.

La mejor escultura que nosotros conocemos, también obra de fines del siglo XVII, es una talla de un metro veinte aproximadamente de altura, hecha en madera y finamente estofada. Durante algún tiempo estuvo exhibida para su venta en la casa de antigüedades "Galerías la Granja" y hará unos quince años fue adquirida por un particular, ignorándose hoy su paradero.

El Museo de la I. y N. Basílica de Guadalupe conserva dos esculturas de la Guadalupana de igual clase, pero notoriamente de menos calidad. Una de poco más de un metro de altura, es una talla semipopular en madera, y luego policromada. La Virgen en sí es muy basta y el escultor no logró obtener, ni en la figura ni en la expresión del rostro, un verdadero parecido con el original (*figura* 105). La otra escultura, también en madera policromada, de sesenta centímetros de altura, es mejor, aunque un tanto estilizada. Más airoso su cuerpo, no exento de cierto movimiento, la hacen más agradable; y su rostro, aunque más hermoso que el del anterior, tompoco es el de la Imagen del ayate (*figura* 104).

Mayor mérito tienen, aunque sólo sea por el material en el que fueron esculpidas, las Guadalupanas talladas en marfil en las Islas Filipinas durante el siglo XVIII. Aquí se publica una magnífica estatua de una sola pieza, de poco menos de medio metro, y labrada por tanto en un gran colmillo que hace, necesariamente, que la escultura aparezca inclinada hacia un lado, siguiendo la forma de aquél. El parecido con el original, sobre todo la expresión del rostro, es muy relativo, pues predominan los rasgos orientales (*figura* 108). También en Filipinas y en la misma época se trabajaron esculturas en las que sólo la carita y las manos de la Virgen eran de marfil, tallándose el resto en madera, la que posteriormente era estofada.

En el tantas veces citado Museo de la I. y N. Basílica de Guadalupe, se conservan dos esculturas, talladas en materiales diversos. Una, de factura muy popular, esta trabajada en piedra dura y mide cincuenta y seis centímetros de alto, conservando aún restos de su acabado policromado (*figura* 107). Otra aproximadamente del mismo tamaño, está esculpida en "tecali", o alabastro, y circundada con el resplandor hecho en latón dorado (*figura* 106).

Al hablar del "tecali", es de mencionarse aquí la interesante escultura de la Virgen de Guadalupe, de tamaño parecido al del original, que está colocada en un nicho de una de las portadas de la iglesia de San Bernardo, en la Ciudad de México, templo que fue terminado en 1690. Alonso Ramírez de Vargas en un folleto titulado *Sagrado Padrón* que escribió para conmemorar la inauguración de dicho templo, se refiere a la Guadalupana de "tecali" a que nos venimos refiriendo (*figura* 116), diciendo de ella que es "un traslado del ayate a la piedra que desde que la producen los montes de Tecali igualmente la envidian los lunares, el jaspe; el mármol, los visos; el alabastro, la blancura". Francisco de la Maza ha escrito refiriéndose a ella, que es "tosca e ingenua, y el rostro inclusive feo visto de cerca. . . (aunque) el manto, el cuerpo y el ángel son mucho mejores". Moreno Villa, en cambio, la encuentra muy interesante por su arcaísmo: "En toda época, escribe el crítico español, conviven generaciones rezagadas y generaciones avanzadas: la *Guadalupana* de la Iglesia de San Bernardo, en México, se alínea con las primeras. Su actitud, sus paños, la enorme media luna y hasta el ángel corresponden más al siglo XVI que al XVII. La iglesia a

104. Escultura en madera policromada, de mediados del S. XVIII. (Altura: 90 cms.) Museo de la Basílica.

105. Escultura en madera policromada, de mediados del S. XVIII. (Altura: 1.05 mts.) Museo de la Basílica.

106. Escultura en "tecali", o alabastro, con el resplandor de latón dorado. Segunda mitad del S. XVIII. (Altura: 53 cms.) Museo de la Basílica.

107. Escultura, de factura popular, en piedra dura que aún conserva parte de su acabado policromado. Primera mitad del S. XVIII. (Altura: 56.5 cms.) Museo de la Basílica.

que pertenece se fabricó entre 1685 y 1690. Nadie diría que esta imagen fue labrada tan a fines del siglo. Tiene, además, algo de estatua sepulcral".

Otra escultura de tecali de tema guadalupano, es el magnífico medallón tallado en alto relieve que adorna la fachada de la Iglesia del Carmen, en la ciudad de Orizaba, Veracruz. De esta interesante pieza, De la Maza escribió en su estudio *El alabastro en el Arte Colonial de México*, lo siguiente: "En este gran medallón de la churrigueresca portada se representa la Virgen de Guadalupe como la Mujer apocalíptica. . . pero aquí el toque mexicano de la mariofanía de Patmos, es muy gracioso y sutil: se ha sustituido al ángel que lleva a la imagen, por el águila, la cual, además, presenta el apóstol el tintero en que debe mojar su pluma. Es pues, México la base en la que se asienta la Virgen y es el águila mexicana la que da el material, la tinta, para que San Juan escriba el famoso capítulo XII".

La estatua de la Virgen de Guadalupe más hermosa que conocemos, es una imagen labrada en piedra marmórea, de poco más de metro y medio de altura, la cual está colocada en medio de la ventana central de la preciosa fachada churrigueresca, tallada en piedra, del Santuario de Guadalupe de la ciudad de Aguascalientes. La enmarcación es magnífica: una de las fachadas construidas a base de los estípites mejores que produjo el Arte Virreinal a lo largo de todo el siglo XVIII, y la Virgen, por lo airoso de su figura, por cierta semejanza que tiene con la estampada en el ayate original, por la unción que expande toda ella y por la serena belleza de su rostro, la constituyen en la obra maestra entre de las de su género (*figura* 118). Verdaderamente interesante sería saber quién la esculpió, cosa que estimamos no imposible, pues en el Archivo de Notarías de Aguascalientes, debe existir el contrato para su ejecución. Igualmente valdría la pena investigar en esa región si no existen otras tallas, quizás otras Guadalupanas más, labradas por la misma mano.

Fue muy frecuente en el siglo XVIII colocar estatuas de la Guadalupana, unas veces labradas en piedra caliza y otras en cantera, en nichos u hornacinas de las fachadas de las construcciones civiles. Generalmente se colocaban en edificaciones que hacían esquina, tal como puede verse en las *figuras* 110, 114, 115 y 117, que corresponden a ejemplares que aún se conservan en la Ciudad de México, siendo de consignar también que esta costumbre existió en diversas ciudades de la Nueva España. En otras ocasiones fue sobre simples muros en donde se construían nichos, o bien donde se labraban relieves en forma de retablos, adornándose unos y otros con la imagen de Nuestra Señora. Magnífico ejemplo de los últimos es el relieve que aún se conserva en la Ciudad de México, en una casa situada en las calles de la República del Salvador, en donde sobre un escudo de la Orden de San Agustín se colocó la imagen de la Virgen de Guadalupe timbrada con una gran corona, en forma de un riquísimo retablo (*figura* 112).

Unicos en su género son los monumentos llamados "Misterios" que a lo largo de la Calzada del Tepeyac, que conduce de la Capital a la Basílica, se construyeron para servir a modo de capillas "posas". Antes fueron quince —hoy sólo quedan siete u ocho— y al pie de cada uno, los peregrinos, que iban a visitar a Nuestra Señora, rezaban el misterio del rosario allí representado. Sobre tan curiosos monumentos hechos de mampostería y piedra esculpida, D. Antonio Pompa y Pompa escribe en su *Album del IV Centenario Guadalupano:* "Una de las reparaciones de mayor interés fue la efectuada (en la Calzada) en 1675, año en el cual, el canónigo de la Catedral de México, Dr. Isidro Sariñana, Prefecto de la Congregación de Nuestra Señora de Guadalupe, propuso que se levantaran en la calzada quince capillas, dedicadas todas ellas a los Misterios del rosario. Bien pronto dieron principio las obras, erigiéndose los monumentos de artística traza y original hechura, en cuyo frente y en relieve se pusieron los motivos de cada misterio. Todo ello se hizo con limosna de los fieles. El primer torreón se principió el 24 de diciembre de 1675. . . dirigiendo la cons-

108. Magnífica escultura filipina, trabajada en colmillo de marfil, de la primera mitad del S. XVIII. (Altura, sin la peana: 46 cms.)

109. *Uno de los "misterios", edificados en 1675, que aún se conservan a lo largo de la antigua Calzada de Guadalupe.*

110. *Hornacina en una casa de la plaza d Loreto de la ciudad de México.*

114. *Hornacina en la casa del Mayorazgo de Guerrero en la ciudad de México.*

115. *Hornacina en la plaza d Santo Domingo, México, D. F*

111. Fachada lateral de la antigua Basílica de Guadalupe.

113. Parte central de la fachada principal de la antigua Basílica

16. Escultura en "tecali", que adorna el nicho de una de las portadas de la iglesia de San Bernardo, México, D.F.

112. La Virgen de Guadalupe sobre el escudo de la Orden Agustina. Relieve en la fachada de una casa en las calles de República del Salvador.

117. Hornacina en el palacio de San Mateo de Valparaíso, actualmente sede del Banco Nacional de México.

trucción el maestro Cristóbal Medina y a semejanza del erigido por él fueron hechos los restantes".

Ya en 1938 se lamentaba el señor Pompa del estado de abandono y destrucción en que estaban sumidos tan interesantes monumentos, y de entonces a ahora la situación no ha mejorado, sino que ha ido en peor, pues al construirse detrás de ellos y a escasos dos metros atrás horrendas construcciones "modernas", los pocos que quedan en pie han quedado totalmente aprisionados (*figura* 109).

Dentro de las obras de talla en piedra relativas a asuntos guadalupanos, son dignos de mencionarse, desde luego, los dos grandes relieves que adornan las fachadas central y lateral de la I. y N. Basílica. El gran recuadro que contiene el alto relieve de la primera, representa a Juan Diego con la santa tilma ante el Obispo Zumárraga, que se postra ante la imagen en medio de dos familiares suyos que en actitud de pasmo admiran el milagro. Un sitial con su dosel, adornado con el escudo franciscano —clara alusión a la Orden religiosa a la que pertenecía el prelado—, aparece a un extremo, y en su parte inferior está delicadamente representado un sillón frailero. Arriba Dios Padre preside la escena, rodeado de ángeles (*figura* 113). El relieve contenido en la fachada lateral, reproduce el momento en el que Nuestra Señora se aparece a Juan Diego, a quien acompaña un ángel (*figura* 111). Estas fachadas corresponden a las obras realizadas entre los años de 1695 a 1709, que fue cuando se renovó la planta de la Basílica. El arquitecto de dichas obras fue Pedro de Arrieta, uno de los más famosos de entonces. Sin embargo, ignoramos quién fue el maestro cantero o escultor que labró los relieves referidos.

Más o menos contemporáneo a las portadas de la I. y N. Basílica, es la del Colegio Apostólico de Guadalupe, aledaño a la ciudad de Zacatecas, el cual, como se dijo en páginas atrás, fue construido por el insigne apóstol Fray Margil de Jesús. La portada parece de mano indígena, sobre todo las partes escultóricas de ella, y era uno de los monumentos virreinales que más gustaban a Moreno Villa, que la describió en su monografía *La escultura colonial mexicana.* También entusiasmó esta preciosa obra de cantería a Francisco De la Maza, quien escribió: "Hay un extraño caso plástico que no volvió a repetirse: el de suponer a San Lucas pintando a la Virgen de Guadalupe, relieve que está en la enjuta izquierda de la portada principal de Guadalupe, en Zacatecas... Fray Antonio Margil de Jesús... se acogió a la tradición antigua eclesiástica de que San Lucas había pintado a la Virgen María y la aplicó a la Guadalupana". (*Figura* 119).

Por último, dentro de esta brevísima mención a Vírgenes de Guadalupe talladas en piedra, anotamos por lo interesante de su factura, el gran lavabo, con cuatro piletas y todo labrado en piedras de distintas clases, que adorna la sacristía del Santuario de Nuestra Señora de Guadalupe de Acámbaro, Gto. En él, como puede ver el lector en la foto aquí reproducida (*figura* 120), al centro, en la parte alta y encima de un pelícano, aparece la Santísima Señora.

Ahora bien, si existen aún tantos relieves hechos en piedra, natural es que en madera se ejecutaran muchos, aunque aquí sólo nos referiremos a la obra de talla relativa a tema guadalupano más importante que se realizó durante todo el México virreinal, o sea al propio coro de la Basílica, que según el *Diario* de Castro de Santa Anna, dicha "hermosa sillería de caoba encarnada fue concluida el 12 de diciembre de 1756". D. Manuel Romero de Terreros en su libro *Las Artes Industriales* dice que "es de estilo churrigueresco, artísticamente labrada; y el motivo de ornamentación de todos los tableros en los respaldos de los sitiales, consiste en la representación, en bajo relieve, de las advocaciones de las Letanías Lauretanas, hábilmente combinadas con asuntos históricos guadalupanos". Entre los tableros de los respaldos se encuentran talladas las cuatro Apariciones de Nuestra Señora (*figuras* 121, 122, 123 y 124), así como diversos milagros obra-

118. Escultura en mármol que adorna la fachada del Santuario de Guadalupe de la ciudad de Aguascalientes.

119. Detalle de la portada del Ex-Colegio de Guadalupe de la ciudad de Zacatecas. En la enjuta izquierda, San Lucas pintando a la Virgen de Guadalupe.

120. Lavabo monumental, de cantera tallada, en la sacristía del Santuario de Guadalupe de la ciudad de Acámbaro.

121, 122, 123, 124. Las cuatro Apariciones. Relieves en madera, tallados en 1756, que pertenecían a la sillería de la Colegiata de Guadalupe. (1.02 × 0.52 mts.) Museo de la Basílica.

125, 126. Medallón tallado en madera, estofado y policromado. En el reverso, la Sagrada Familia, con San Joaquín y Santa Ana; en el anverso, la Virgen de Guadalupe. Primera mitad del S. XVIII. (Altura, con relicario, 6.3 cms.)

127, 128. Relicario de oro con una cera de Agnus que lleva impresa en el reverso una imagen de la Virgen de Guadalupe. Finales del S. XVIII. (Altura, con relicario, 5.5 cms.)

129, 130. Medallón, tallado en madera, estofado y policromado. En el reverso, San Miguel Arcángel; en el anverso, la Virgen de Guadalupe, con las cuatro Apariciones. Principios del S. XVIII. (Altura, con relicario, 7.5 cms.)

131. Relieve en barro policromado en una de las pechinas del Santuario de Guadalupe de la ciudad de Morelia. Principios del presente siglo.

dos por la Virgen de Guadalupe, y en los que aparece su imagen.

En este *Album* se reproducen por primera vez dos preciosos relicarios de plata que contienen sendos medallones labrados en madera y con vistas dobles, los cuales son verdaderamente portentosos y constituyen las piezas de talla de tema guadalupano más pequeñas que conocemos. El primero, que puede fecharse a principios del siglo XVIII representa, en alto relieve, a la Virgen de Guadalupe enmarcada en las cuatro Apariciones; en la otra cara está el Arcángel San Miguel. El óvalo de madera mide cinco y medio centímetros de alto y las escenas representadas están finamente policromadas (*figuras* 129 y 130). El otro relicario, aún más pequeño y quizás de fecha poco posterior, contiene un óvalo, también de madera, en cuyo anverso aparece una imagen de Nuestra Señora de Guadalupe tallada en relieve y luego, asimismo, policromada. Aún más notable es la escena del reverso, en la que hay una Sagrada Familia tallada con increíble perfección y posteriormente estofada (*figuras* 125 y 126).

Pueden considerarse dentro de la escultura popular del siglo XIX, los medallones con las Apariciones que decoran las pechinas del Santuario de Guadalupe, en la ciudad de Morelia. Son curiosísimos, pues están trabajados en barro policromado, al igual que la riquísima decoración de la iglesia, que por su exuberancia es comparable únicamente —claro que salvo tiempo y estilo— a las magníficas yeserías poblanas del siglo XVII (*figura* 131).

5. LAS ARTESANIAS

Imposible es el tratar aquí en general de las artesanías relacionadas con su producción de temas guadalupanos, ya que todas, sin excepción han producido no una, sino infinidad de imágenes en las más originales formas y actitudes. Ante tal imposibilidad derivada fundamentalmente de la falta de espacio, sólo hablaremos de las piezas artesanales aquí publicadas, que entre tan enorme variedad han sido seleccionadas, para dar una ligera idea de la gran riqueza del guadalupanismo en el campo de las artesanías.

Desde el oro y la plata, pasando por más modestos materiales como el cobre y aún la hojalata; la porcelana, la terracota, la arcilla y el barro; el vidrio y el espejo; la pluma, las telas, los hilos, el estambre, la chaquira y la lentejuela; la concha de nácar, el coral, la cera; los mosaicos, las piedras duras y las piedras semi-preciosas; y hasta la palma y los "popotes", han servido para que el mexicano, a lo largo de los siglos, exprese a través de esos elementos —muchas veces verdaderamente insólitos— su paciencia y amor, su originalidad, su imaginación y su sentido del arte, para plasmar con ellos la imagen de su Madre y Señora.

Dentro de todas las artesanías, una de las que tienen mayor antigüedad, importancia y tradición en México, es el arte plumario que constituye, como escribe Toussaint, "una de las muestras más preciadas del ingenio indígena, de su curiosidad manual y del gusto armónico con que supieron mezclar los colores". No es éste el lugar para explicar la técnica de este arte, ejercitado ya en nuestro país en los tiempos prehispánicos y cuyas obras causaron el pasmo de los europeos, yendo la mayoría de ellas a enriquecer los más famosos museos del viejo continente. Bástenos decir que los amantecas u oficiales del arte plumario, aprovechando la pluma de los colibríes, "asentaban esta pluma —como explica Fray Bartolomé de las Casas— sobre lienzo de algodón y sobre una tabla y en ello, de la misma manera que tomaran con pinceles de colores que tuvieran aparejadas en sus conchas y salseretas, así tomaban las plumitas de todos colores que tenían en sus cajoncitos o vasos, distinctas y apartadas. . . y pegabánlas con cierto engrudo muy sotilmente . . ."

Durante todo el siglo XVI continuó en boga este arte que sirvió, en muchos casos, para suplir trabajos de bordado y aún de pintura. A esta época pertenece la Virgen de Guadalupe del Museo Michoacano referido en páginas atrás; pero en la subsecuente centuria comenzó a decaer el ejercicio y la calidad de estos trabajos, aunque algunos se realizaron después. Con el tiempo perdió su finura y degeneró su técnica, quedando, sin embargo, reminiscencias de arte tan peregrino; la Guadalupana que aquí publicamos (*figura* 132), perteneciente a la Colección del historiador José Miguel Quintana, es una pieza que data de finales del siglo XVIII y viene a demostrar lo antes afirmado.

Una de las razones por las cuales desapareció, o al menos por lo que degeneró el arte plumario, fue por haber sido introducida en México durante el siglo XVI la alta técnica del bordado europeo de entonces, principalmente a través de la llamada escuela *toledana*. Ordenanzas para el gremio de bordadores fueron ya expedidas por el Cabildo de la Ciudad de México, en 1546, y dada la proliferación de iglesias y conventos que hubo en la Nueva España desde esas tempranas fechas y en lo adelante, fácil es comprender la importancia que tuvo, pues era necesario satisfacer la demanda de infinidad de ornamentos sagrados. Por otra parte, también el mobiliario civil requería de bordados, ya que era frecuente su uso en reposteros, cortinajes, sillones fraileros, etc. Lo anterior propició que el bordado, durante la época del Virreinato alcanzara un desarrollo y calidad verdaderamente notables, y entre los mil y un objetos que entonces se trabajaron, fue usual que muchos de los "escudos de monjas que llevaban las religiosas en sus hábitos sobre el pecho —escribe el Marqués de San Francisco—, solieran estar bordados en su casi totalidad, teniendo pintados solamente los rostros y manos de las figuras". Aquí se publican dos ejemplares de esta clase (*figuras* 133 y 134) ejecutados en el siglo XVIII y en los cuales, al centro, aparece como motivo principal Nuestra Señora de Guadalupe.

Aunque moderna y no mexicana —fue bordada en París en 1898 por M. Lecordier— es la magnífica casulla aquí reproducida (*figuras* 135 y 136), que conserva entre sus ornamentos la Santa Iglesia Catedral Primada de México. Esta espléndida casulla tejida con hilo de oro, está ricamente bordada siguiendo la técnica del Renacimiento. En su parte frontal, trabajados con sedas de colores, aparecen tres medallones que representan vistas de la Basílica de Guadalupe y de las capillas del *Cerrito* y del *Pocito*. En su parte posterior, circundada por las cuatro Apariciones y en medio de rosas hechas en relieve con hilo de oro, está la imagen de Nuestra Señora del Tepeyac, representada en finísimo bordado y enmarcada también entre cintas en donde aparecen inscritas parte de las Letanías Lauretanas. Abajo de la Virgen se ven un medallón con las palabras *Non fecit*. . . , y los escudos de armas que usaron los devotos que mandaron hacer el ornamento. Estos fueron D. Miguel Cervantes Estanillo y su esposa Dña. Matilde Romero de Terreros, que junto con esta casulla encargaron a Francia los demás ornamentos del oratorio de su casa del Indio Triste, y cuando en los años treintas se desmanteló esa mansión, pasaron parte de aquéllos a la Catedral.

Dentro de los trabajos que podríamos clasificar de costura, es muy curiosa por lo bien lograda la Virgen de Guadalupe formada con chaquira (*figura* 137), en la que salvo los rostros y las manos, lo demás está bordado con ese material. Es un trabajo de mediados del siglo XIX y entra en el campo de los llamados "dechados", o sean muestras de labores que eran muy afectas de realizar, con infinita paciencia, las monjas y señoritas de esas épocas más tranquilas.

Y ya que de paciencia se habla, es de hacer notar también la curiosa Guadalupana que aquí se publica (*figura* 138), la cual está hecha "al hilo pegado". Es éste un trabajo intermedio entre el arte plumario y el bordado, que estuvo en México muy en boga en el siglo XVIII: se adhería a una tabla un dibujo o grabado en el que los rostros, las manos y los cuerpos de las imágenes se iluminaban al óleo; todo lo demás, ropajes, adornos, etc., era cubierto con hilos de seda de colores que se pegaban con cera de Campeche, siguiendo los trazos del dibujo y adecuando los colores y los tonos a lo que se quería representar. En algunos casos, como en el de la presente Virgen se completaba el adorno con papel de oro y de plata que era real-

132. La Virgen de Guadalupe. Trabajo plumario de finales del S. XVIII. Colección de D. José Miguel Quintana. (17 × 12 cms., sin marco).

133, 134. Escudos de monjas, pintados y bordados a la manera "toledana". (Diámetro 17 cms.)

135, 136. Frontal y posterior de una casulla bordada por M. Lecordier, París, 1898. Colección de la Catedral Primada de México.

137. Bordado, o "dechado", en chaquira. Mediados del S. XIX. (61 × 46 cms.)

138. Virgen de Guadalupe al "hilo pegado". Va firmada al reverso con el monograma C.M.S. y fechada en Tepeyahualco el 10 de septiembre de 1779. (35 × 26 cms.)

139. Ovalo con figuras de cera, adornado con plaquitas de concha nácar. Trabajo de monjas, mediados del S. XVIII. (Altura, con marco, 47.5 cms.)

140. Ovalo, trabajado en tela de piña, que es un magnífico exponente del arte popular del S. XIX. Lleva la fecha de 1877 y mide 44 cms. de altura. Museo de la Basílica.

141. Miniatura en mosaicos, con marco de plata sobredorada. Trabajo italiano de la primera mitad del S. XIX. (Altura total: 16 cms.)

142. Devocionario con encuadernación de filigrana de plata. Trabajo posiblemente oaxaqueño, mediados del S. XIX. (13.5 × 9.5 cms.) Museo de la Basílica.

143. Altarcito de plata y espejos, segunda mitad del S. XVIII. (Altura: 27.5 cms.)

144. Escultura en plata, fechada en Sevilla el 25 de diciembre de 1952. (Altura: 44 cms.)

145. Emblema de las fiestas del cincuentenario de la coronación pontificia. Mosaico ejecutado en 1945, a base de "popotes" coloreados. (85 × 67 cms.) Museo de la Basílica.

146. Uno de los tableros de loza o "talavera" de ***Puebla****, que adornan la fachada del Santuario de Guadalupe de la ciudad de Puebla. Finales del S. XVIII.*

147. Estatuita en loza o "talavera" de Puebla, de finales del S. XVIII. (Altura: 40 cms.) Colección de la Fundación Franz Mayer, México, D.F.

148. Estatuita en porcelana de Sèvres, mediados del S. XIX. (Altura: 45 cms.) Museo José Luis Bello y González, de la ciudad de Puebla.

zado y punteado, formando diversas figuras. La imagen aquí reproducida está firmada con el monograma C. M. S., rubricada con un pajarito, y fechada en Tepeyahualco el 10 de septiembre de 1779.

También trabajos de monjas son las *figuras* 139 y 140. La primera, pieza de mediados del siglo XVIII, está constituida por un gran número de cabecitas de serafines labradas en cera y luego policromadas, así como por varios ángeles hechos del mismo material y provistos con alas armadas con plaquitas de concha de nácar; igualmente labrada en cera aparece la Santísima Trinidad, y toda esta composición rodea a Nuestra Señora de Guadalupe, que está en la parte principal. Complementa la pieza una serie de reliquias montadas en láminas de nácar, que bordean el todo, y un rico marco barroco dorado, adornado con medallas y ceras de Agnus. El segundo trabajo de factura más popular y posterior, pues tiene la fecha de 1877, es también muy curioso. En él aparece Juan Diego pintado al óleo, sosteniendo un ayate hecho de tela de piña y en el cual está representada la Guadalupana. Un dosel con gran corona, formado de rositas hechas del mismo material, cubre la imagen, estando todo el resto recamado de flores y adornos, también de tela, que contienen cuatro círculos en donde se representan las Apariciones.

Existen infinidad de piezas de orfebrería que se refieren a Santa María de Guadalupe. En este *Album* se muestran dos trabajos europeos de este género: el uno es un camafeo italiano (*figura* 149) con la efigie de la Virgen, en un marco de oro, en el centro de cuyo copete se colocó una reliquia; fue manufacturado a principios del siglo XIX por encargo del General D. José Morán, Marqués de Vivanco, personaje que figuró mucho en la época de la consumación de la Independencia de nuestro país. El otro, un poco mayor de tamaño, es también obra italiana de la misma época y en él aparece la Virgen de Guadalupe formada con minúsculos mosaicos (*figura* 141).

Las obras de platería guadalupana que en el pasado se labraron o fundieron, fueron incontables y de ellas quedan buen número. Aquí se publican como muestra cuatro trabajos de plata de distinto género: es el primero un gracioso altarcito de plata y espejos de la segunda mitad del siglo XVIII, que enmarca una miniatura de Nuestra Señora (*figura* 143); otro es una placa de plata repujada con la imagen de la Virgen (*figura* 150); el tercero es un devocionario con riquísima encuadernación de filigrana de plata, posiblemente trabajo oaxaqueño de mediados del siglo pasado (*figura* 142), y el último es una escultura contemporánea, hecha en Sevilla al estilo de los ricos trabajos de los plateros andaluces (*figura* 144).

Antes se dijo que hasta los "popotes" de colores han servido para crear con ellos arte guadalupano, y ejemplo de esto es la reproducción del escudo oficial utilizado como emblema de las fiestas del Cincuentenario de la Coronación de Nuestra Señora, en 1945. Formado por un "mosaico" de popotes, aparece Juan Diego con la Guadalupana, la vista de la Basílica y del Tepeyac, la corona de 1895 y una orla con los escudos de los países que han proclamado a Nuestra Señora Santa María de Guadalupe, Emperatriz de América (*figura* 145).

La loza de Talavera de Puebla es una de las artesanías que tiene más tradición en nuestro país. A finales del siglo XVI se comenzó a producir, y fueron cientos de miles los azulejos que salieron de sus hornos y que sirvieron para adornar cúpulas, lambrines y pisos de edificios y de iglesias. Menor fue la producción de tableros representando escenas, aunque los hubo en abundancia. Entre estos últimos hay varios que representan temas guadalupanos, como es el caso del publicado aquí (*figura* 146), que pertenece a la fachada del Santuario de Guadalupe, en la ciudad de Puebla, y data aproximadamente del año de 1790. Mucho más escasas fueron las esculturas hechas en Talavera, y de éstas nos han quedado contados ejemplares. Uno de éstos, de la misma época que el tablero anterior, representando una imagen de la Virgen de Guadalupe (*figura* 147), se guarda en la Colección Franz Mayer, en la Ciudad de México.

Publicamos también, una escultura de porcelana de Sèvres de Nuestra Señora de Guadalupe. Existe la tradición de que estas imágenes —de las que conocemos cinco o seis— fueron mandadas a hacer en Francia por el Emperador Maximiliano; sin embargo, pensamos que corresponden más bien a la época del General Santa-Anna. En París, en los registros de la Fábrica Nacional de Sèvres deben existir los datos relativos a la manufactura de estas imágenes, en los que constará quién y cuándo mandó fabricarlas *(figura 148)*.

Algún día en México se hará un estudio iconográfico sobre las imágenes de Santa María de Guadalupe que a lo largo de cuatrocientos cincuenta años han sido trabajadas por un sinnúmero de artistas y artesanos. Con lo principal de esta enorme producción se publicarán varios tomos en los cuales se reproducirán en forma más completa y ordenada las Guadalupanas durante tanto tiempo elaboradas. Será entonces cuando se pueda comprobar en forma plena el inmenso cariño, empeño y cuidado que los artistas de un pueblo lleno de fe, amor y ternura han puesto para retratar a su Madre y Señora.

149. Camafeo italiano, con marco de oro, de principios del S. XIX. (Altura total: 10 cms.)

150. Relieve en plata, siguiendo la técnica tradicional. (55 × 45 cms.)

Ernesto de la Torre Villar

"La Virgen de Guadalupe no es adorno, es destino".
Rodolfo Usigli

La Virgen de Guadalupe en el desarrollo espiritual e intelectual de México

"Diez años después de tomada la ciudad de México, se suspendió la guerra y hubo paz en los pueblos; así como empezó a brotar la fe, el conocimiento del verdadero Dios por quien se vive", dice la relación histórica guadalupana más antigua y verídica, el *Nican Mopohua* de Antonio Valeriano.

Efectivamente, el soberbio y poderoso imperio mexica, había sido destruido por los conquistadores; sus señores y clase dirigente habían desaparecido y su ancestral cultura comenzaba a ser sustituida por otra nueva. Si en los abandonados campos de Anáhuac y en sus ciudades arrasadas, los religiosos se ocupaban por consolar y atraer al Evangelio a los consternados indios, en vastas regiones del país la acción conquistadora proseguía, desolando almas y pueblos.

En la orgullosa Tenochtitlan, totalmente destrozada, apenas se empezaban a levantar algunas construcciones: sede de las autoridades, casas de los vecinos y humilde asiento de religiosos y hombres de iglesia. Los franciscanos, desde sus casas de San Francisco de México y de Tlatelolco, enseñaban, a la par que la doctrina cristiana, artes y oficios europeos a los hijos de los señores principales que habían acogido en sus colegios, y predicaban por toda la tierra extirpando las ancestrales y arraigadas creencias de los indios. Por todos los poblados del Valle de México, ellos y los dominicos, llegados más tarde, trabajaban incansablemente y atraían con su ternura y ejemplo a los humildes macehuales, de "pobre coa y pobre mecapal", que anhelaban tan sólo contar con el diario sustento, con paz y amor.

Destruida su secular cultura, sus instituciones, su clase dirigente y aun sus dioses, los pobres indios colocados por las circunstancias en una situación "nepantla", esto es —como explicara fray Diego Durán— sin arraigo ni confianza en el pasado que se les derrumbó, pero también sin esperanza cierta de un futuro mejor, encontrábanse perplejos en su abandono, en su miseria, en su quebranto material y espiritual.

Por ello, el hecho de que una limpia y fría mañana de diciembre del lejano año de 1531, se apareciera al indio Cuauhtlatoatzin, —llamado en el bautismo, que recién había recibido, Juan Diego— la "siempre Virgen Santa María", "la amada Madre de Dios", y le indicara se le erigiera un templo "para en él mostrar y dar todo mi amor, compasión, auxilio y defensa, pues yo soy vuestra piadosa madre, a ti, a todos vosotros juntos los moradores de esta tierra", significó no sólo para ese humilde indiecillo, nacido en 1474 en el barrio de Tlayácac, vecino a Cuautitlán, sino para toda la raza indígena, un futuro revelador, la promesa cierta de sus salvación material y espiritual, el reencuentro de la fe.

De esos memorables días del nueve al doce de diciembre, deriva la transformación de un pueblo sin aliento ni esperanza, en un pueblo lleno de inquebrantable fe, que le permitirá superar la miseria y amargura, vencer el abandono material y moral, y resistir sin desfallecimiento, la explotación y el olvido.

A partir de esa fecha las palabras dulces y firmes de la Virgen, moldearon la mente y el espíritu del mexicano, quien sabe que es ella la que con certeza escucha "sus lamentos y remedia todas sus miserias, penas y dolores". De esa clara mañana deriva la radical confianza, la firme fe de una nación "en el verdadero Dios por quien se vive", asegurada por las palabras de Santa María su Madre, quien prometía ella misma, dar todo su amor, compasión, auxilio y defensa, a un pueblo huérfano que buscaba la protección materna, a un pueblo abandonado. El sentimiento de orfandad en que yacía y en que yace aún el mexicano, como bien lo afirma notable escritor mexicano, Octavio Paz, encontró en esta advocación mariana su más firme protección. Ahí halló el amor que buscaba, seguro, limpio, permanente, y esa idea revelada hace cuatro siglos y medio a un pobre macehual, se ha convertido en una conciencia colectiva cada día más fuerte y arrolladora. Esta creencia es la que, a partir de 1531, se ha afianzado en la mente mexicana y ella representa la esencia, la médula de la historia de México y la que ha configurado la mentalidad y la manera de ser de nuestro pueblo.

Si la historia es una obra de creación colectiva y si los testimonios de la historia guadalupana que la acreditan fueron muy diversos y surgieron poco a poco, es razonable pensar que ante un hecho de carácter religioso, observado por contados testigos, ninguno de ellos historiador, y todos ellos celosos hombres de iglesia, haya surgido una espectación y una gran reserva y no haya quedado algún documento que comprobara oficialmente el milagro. Se menciona un informe de fray Juan de Zumárraga, lamentablemente desconocido, y por ahora la mención más antigua que tenemos es la *Relación Primitiva* atribuida al P. Juan González, intérprete en náhuatl del Sr. Zumárraga; narración que empieza con las palabras: *Inin Huey Tlamahuizoltzin*, que se traduce por: "Esta es la gran maravilla. . ." Posterior a ella es el *Nican Mopohua*, que años después entre 1545 y 1550, redactó el sabio indígena Antonio Valeriano.

Estos dos documentos, los más primitivos que se conocen, son los testimonios más antiguos de la historia guadalupana. Pero si esta historia contó en sus inicios con sólo dos relaciones escritas, no difundidas o muy escasamente, la historia oral fue creciendo y afirmándose a partir de la narración verbal del propio Juan Diego, quien murió sirviendo la ermita en 1548; de su tío Juan Bernardino muerto en 1544 y de otros indios dignos de crédito, amigos y parientes de aquéllos. La erección de la ermita y la traslación a ella de la imagen, inició en esos primeros años el culto a la Virgen de Guadalupe, culto que con la historia de sus apariciones creció y se difundió por todo el Valle de México, y aun en lejanos lugares a donde la llevaban sus devotos.

Habiéndose iniciado el culto, si se quiere pequeño y regional, poco a poco esa devoción lo extendió por regiones más amplias, como se sabe por documentos procedentes de esos años y de diversas regiones de la Nueva España. Una tradición constante, renovada por el culto, se mantuvo oral y si Valeriano y Juan González habían escrito la historia de las apariciones, un indígena noble, descendiente de los reyes de Tezcoco, conservador y cantor de sus tradiciones y educado por los religiosos, Fernando de Alva Ixtlixóchitl, escribiría más tarde la historia de los milagros que la Virgen obraba, la cual se conoce conoce con el nombre de *Nican Motecpana.* La existencia de la obra de Valeriano, el *Nican Mopohua*, y del escrito de Alva Ixtlixóchitl, posibilitaría al bachiller Luis Lasso de la Vega editar en 1649, un año después de la *Historia* del P. Miguel Sánchez, su célebre obra *Huei Tlamahuizoltica*, en la que incorpora esas dos obras primordiales.

La publicación de la obra del bachiller Sánchez, editada en 1648 y la de Lasso de la Vega en 1649, implica forzosamente la existencia de obras y documentos anteriores en torno a la historicidad de las apariciones y origen del culto, pero no el inicio de la historia. Estas dos obras del siglo XVII no hicieron sino trasladar, más la primera que la segunda, al lenguaje historiográfico y teológico de la época, una auténtica y antigua tradición histórica.

A partir de aquel momento, la historia guadalupana se difundió, corrió y se multiplicó, como igualmente se multiplicó y corrió la de otros venerables santuarios marianos existentes desde el siglo anterior. De ahí, de esos días, deriva inmensa e importante historiografía que ya hacía exclamar, a eruditos tan extraordinarios como Sigüenza y Góngora, que era necesario contener el entusiasmo que despertaba entre los hombres de letras, ese hecho. En el canto 78 de su deslumbrante poema barroco, la *Primavera Indiana*, escribe a ese respecto:

"Basta pluma, reprime el afectuoso
conato heróico de tu vuelo ardiente,
rémora sea el curso presuroso
de tanta reyna el resplandor fulgente:
Pues será, si pretendes este hermoso
prodigio, investigar irreverente,
querer escudriñar al oro venas,
al cielo rayos, o a la mar arenas".

Esta observación de Sigüenza y Góngora, la hará en otras palabras, más de dos siglos después, cuando la bibliografía guadalupana ya era muy amplia, otro ilustre escritor mexicano, Ignacio Manuel Altamirano. Este liberal, autor de uno de los ensayos sociológicos e históricos más importantes que existen en torno de la Virgen de Guadalupe, después de estudiar reflexiva y críticamente cientos de obras guadalupanistas, escribía hacia 1880: "Hoy no se escribe nada en favor de la aparición, ni hay necesidad de ello. El culto está consolidado; nadie se mete a contradecirlo, ni hay para qué, de modo que el P. italiano Antícoli, último de los escritores guadalupanos que acaba de publicar una *Disertación*, probando el portento y repitiendo lo que todos saben, nada ha dicho de nuevo".[1]

En estas afirmaciones que cubren dos etapas muy importantes del guadalupanismo, tenemos concentrado el interés del mexicano hacia la Virgen. En un ensayo de recopilación bibliográfica, dejando a un lado artículos de revistas y periódicos, y también muchos libros, hemos reunido más de seiscientos registros, que sólo son una parte mínima. Calculamos en varios miles todas las piezas guadalupanistas por recoger. Ello muestra el enorme interés por historiar las apariciones y el culto de la Virgen y revela también cómo, frente a la observación de Altamirano, se continúan escribiendo muchas obras que amplían y aclaran los estudios anteriores, con nuevas orientaciones y métodos, nuevos criterios y circunstancias. La historiografía guadalupana, como se podrá ver en los excelentes estudios de los padres Fidel de J. Chauvet y Luis Medina Ascensio, es de enorme riqueza y tratándola ellos, nos eximimos de su estudio. Otros testimonios que acreditan su antigüedad, veracidad y desarrollo devocional, se encuentran ligados, tanto a la edificación material de la Nueva España y del México independiente, como a las expresiones estéticas de los mexicanos reveladoras de su aguda sensibilidad. En el capítulo que aborda el licenciado José Ignacio Conde, mucho y muy bien se habla de ello, por lo cual nosotros nos referiremos a otras muestras de la influencia guadalupana en la mentalidad y espiritualidad del mexicano.

Es indudable que todos y cada uno de los testimonios históricos, está íntimamente ligado a la circunstancia total en que se produjo, que responde a una particular manera de ser, de sentir, de pensar, de expresarse. Si en los primeros testimonios hallamos todavía el eco de la secular cultura indígena, muchos de sus acentos característicos, y el esfuerzo de su adaptación al mundo novohispano, como el *Canto del Atabal* y la *Relación* de Valeriano; en otras posteriores, la *Historia* del P. Miguel Sánchez, descubrimos el mundo de la retórica teológica, la abigarrada erudición escriturística propia de la época, así como en el *Manifiesto* de Bartolache un razonamiento muy propio del espíritu ilustrado de su época y así en todos los casos. Unas veces el lenguaje descubre una piedad humilde, sencilla emoción; otras muestra al retórico de escuela hábil para el silogismo; otras más al predicador vehemente, efusivo, pleno de recursos oratorios; en tanto que en diversas ocasiones gozamos del lenguaje claro, preciso, terso, y en otras más, de un estilo descuidado y hasta ramplón, pero sincero, espontáneo.

1. LA DIFUSION DEL CULTO MARIANO EN MEXICO

Antes de proseguir nuestro intento, tenemos que afirmar que la magna obra de evangelización de América en general y de México en particular, trató de llevar a los naturales en una forma directa, de acuerdo con el espíritu renovado de los misioneros de la época, el conocimiento del verdadero Dios, de su doctrina y preceptos, en forma llana y sencilla. Ante la existencia de cosmogonías ricas en expresiones, de seculares cultos y de complicados panteones religiosos, los misioneros tuvieron que proceder con enorme tacto y talento, para poder esparcir en buena tierra la semilla evangélica. Una iglesia cristocéntrica fue el ideal misionero, pero ese ideal encontraba su mayor apoyo en el reconocimiento a María, como Madre del Redentor. El europeo fue un pueblo mariano desde siglos, y España, una de las naciones en donde este culto tuvo profundas manifestaciones. El religioso, el soldado, el administrador, el colono, si bien se sentían apoyados en Cristo y levantaban la cruz como señal de su presencia y su símbolo, también portaban imágenes de Nuestra Señora en sus medallas, pendones y estampas. El primer libro símbolo del pensamiento y de la fe, que llegó a las costas de México, fue un *Libro de horas de Nuestra Señora*, que el náufrago Gonzalo Guerrero, salvado entre los mayas, leía en los luminosos atardeceres de Yucatán, añorando su fe y su cultura. A esas mismas tierras llegó la imagen que Hernán Cortés portaba al iniciar la conquista, imagen que también se alzaría en los templos indígenas del altiplano mexicano. Así, desde esos años de 1519 en adelante, la imagen de María comenzó a ser familiar a los naturales de estas tierras.

Los "lirios de Flandes", los tres primeros misioneros venidos a la Nueva España en 1523, procedían de un ambiente mariano. Sus compañeros de hábito llegados en 1524, encabezados por fray Martín de Valencia, profesaban asimismo esa devoción. Nada extraño es que, del Colegio de artes y oficios que fray Pedro de Gante estableció en el convento de San Francisco, en donde se les enseñó a los indiezuelos las artes a la manera europea, hayan salido numerosas imágenes de la Virgen en pintura y escultura. A más de enseñar a sus alumnos a cantar vísperas y maitines de Nuestra Señora, fray Pedro les enseñó a representar a la Virgen en varios materiales; imágenes que colocaba en los centenares de capillas que él construyó. Un recuerdo de ese empeño lo tenemos en la bella imagen esculpida hacia 1530, en piedra, que estuvo primero en San Francisco y hoy se encuentra en la parroquia del pueblo de Tepepan. Esa imagen que tiene el aspecto de una madona de fines del medievo e inicio del renacimiento, muestra el anhelo de contar con representaciones apropiadas en la obra evangelizadora. Los primeros libros impresos en México, a partir de 1539, año en que se introdujo la imprenta en México, entre los cuales se cuentan cartillas, doctrinas, vocabularios, etc., ostentan, tanto en grabados procedentes de Europa, como en otros fabricados aquí, imágenes diversas de la Virgen; la mayor parte de ellos representaciones de la Purísima Concepción. En los frescos de los conventos de franciscanos, dominicos y agustinos, que se levantaron por todo México, las representaciones de la Virgen son también numerosas. Fuera de las reticencias de algunos evangelizadores para no difundir el culto a la Virgen de Guadalupe, encontramos que en general, todos ellos apoyaron su acción en la mediación de la Virgen María.

Uno de los hombres a quien más debe el indio la preservación de su cultura, protección y enseñanza, el primer oidor y luego obispo de Michoacán, el licenciado Vasco de Quiroga, al establecer sus hospitales de indios, organizar a los pueblos michoacanos y conservarles sus buenas tradiciones, evangelizándolos profundamente y por las vías del raciocinio, fomentó el culto de la Virgen María. Bajo su protección establecióse una industria de santeros que hacían figuras con corazón de las cañas, de Cristo Crucificado y de la Virgen. A más de la imagen de Nuestra Señora de la Salud, patrona de Pátzcuaro y que recuerda continuamente la obra de Tata Vasco y cuyo culto viene de 1538, en esos talleres michoacanos se hicieron numerosas imágenes de ese ligero y durable material, que los misioneros que se adentraron en las tierras de Jalisco, Zacatecas y otras regiones, llevaron consigo por ser fácilmente transportables. De ahí salió la imagen que llevó a zona chichimeca, fray Antonio de Segovia y que se quedó en San Juan de Los Lagos y también la de nuestra Señora de Talpa y la de Zapopan.

Hernán Cortés, a más de traer la Virgen en el estandarte que se conserva en el Museo Nacional de Historia, tuvo una pequeña imagen de madera que regaló, al término de la conquista, al cacique Don Gonzalo Acxotecatl Cocomitzin, y la cual pasó al convento de San Francisco de Puebla. Otra imagen traída por uno de los soldados de Cortés, Juan Villafuerte, y que éste dejó escondida en un magueyal arriba de San Bartolo Naucalpan, dió origen al célebre santuario de Nuestra Señora de los Remedios. Bajo esta misma advocación se fundó, en 1543, la ciudad de Valladolid, en Yucatán, de la que esa imagen es patrona. Esa misma Virgen es titular del convento de San Juan de Dios en Campeche. También de los Remedios es la advocación de la imagen que se venera en Cholula, Puebla, y que se menciona fue hallada hacia 1540, por Juan de Tovar.

También con carácter de conquistadora aparece Nuestra Señora de la Defensa, que se venera en la catedral de Puebla y que llevó, como protectora, Don Pedro Porter Casanate, cuando fue a consolidar la conquista de Chile.

Otras advocaciones de la Virgen María, muchas de ellas del siglo XVI, otras un poco posteriores fueron: Nuestra Señora de Zapopan; Nuestra Señora de Ocotlán, en Tlaxcala (1541); Nuestra Señora de la Raíz, en Jacona, (siglo XVII); Nuestra Señora de Guanajuato, que se dice fue obsequiada por Carlos V en 1557; Nuestra Señora de la Bufa de Zacatecas, que fue un regalo hecho en 1586 a ese real de minas, por el obispo de Guadalajara, una vez que obtuvo el título de ciudad; Nuestra Señora de Acahuato, en Tancítaro; Nuestra Señora de los Afligidos de Juquila, Oaxaca, llevada por fray Jordán de Santa Catarina, quien la regaló a un indio de la localidad; y en el lejano Yucatán, Nuestra Señora de Izamal, que se dice hizo traer de Guatemala, fray Diego de Landa después de 1556; Nuestra Señora del Rayo, en Guadalajara; Nuestra Señora de Tamazula, Jalisco; Nuestra Señora de la Consolación, en la recolección de San Cosme, D. F.; y más tarde otras advocaciones como Nuestra Señora de los Dolores de Acatzingo; Nuestra Señora del Socorro, en el convento de San Agustín, Morelia; Nuestra Señora de Los Angeles, introducida por los franciscanos en 1580; Nuestra Señora del Roble, en Monterrey, etc., etc.[2]

Tampoco hay que olvidar que el culto a la Inmaculada Concepción, mucho antes de su proclamación dogmática, tuvo gran difusión en México. Aquí lo introdujeron desde el siglo XVI, los franciscanos y las religiosas concepcionistas, que fueron las primeras llegadas y consagradas a la enseñanza de las niñas, y a la vida contemplativa. El Ayuntamiento de la Ciudad de México dispuso en 1528, solemnizar la fiesta de la Asunción, el mes de agosto. Esta fiesta es una de las que más fuerte arraigo tuvo en las zonas agrícolas, pues coincidió con el inicio de las cosechas. Todavía en el campo son célebres las manzanas de la Virgen, que se colocan junto a su catafalco en la fiesta de agosto. La catedral de México se erigiría en 1544, con el título de la Asunción.

Todas estas advocaciones y conmemoraciones, muestran claramente cómo la devoción a Nuestra Señora fue generalmente aceptada y si bien en un principio se reguló, por razones pastorales, más tarde su culto se extendió por todo el país, bajo denominaciones diferentes, muchas de las cuales tuvieron gran difusión y todavía al presente, constituyen polos de atracción de miles de peregrinos que a ellos acuden. Varios de ellos, si bien originados en el siglo XVI, su crecimiento se sitúa al principio del siglo XVII, siglo en el cual también se inician las historias de esos santuarios. Las obras que dedicó el P. Florencia a las Vírgenes de Zapopan y de San Juan de los Lagos, son reveladoras de este hecho.

Los santuarios marianos de la Nueva España, distribuidos por su inmenso territorio, dan idea del culto a la Madre de Dios. Ellos fueron centros vivos de evangelización, de catequesis profunda y efectiva y también núcleos irradiantes de civilización. Surgidos a base de una imagen llevada por los misioneros a los puestos de avanzada, sirvieron para que, a su vera, surgieran numerosas poblaciones, se asentaran los indios indómitos y se alcanzara la pacificación del territorio. Tanto en los "hospitales-pueblos", ideados por don Vasco de Quiroga, como en los hospitales que los franciscanos crearon en lugares de avanzada, en donde, como su nombre lo indica, se ofrecía hospitalidad, se recibía en paz a los amigos, se curaba a los enfermos y consolaba a los afligidos, como también en todas las misiones, la imagen de María estaba presente a un lado de la cruz de Cristo.

La Compañía de Jesús, al llegar a la Nueva España en 1572, trajo, a más de la devoción de Nuestra Señora de Loreto, la devoción a imágenes de la llamada Virgen de San Lucas, algunas de las cuales colocó en sus colegios e iglesias. Sin embargo, bien pronto los hijos de San Ignacio, atraídos por la devoción cada vez mayor del pueblo mexicano a la Virgen de Guadalupe, se convirtieron en sus más fervientes partidarios y difundieron su culto por todo el orbe.

Los dominicos, propagadores de la devoción del Santo Rosario, difundieron la de la Virgen de esa advocación por todo el territorio que les tocó misionar. Su culto se extendió tanto como su devoción y a ello se debe la erección de soberbias capillas a Nuestra Señora del Rosario, que son verdaderos tesoros del arte barroco novohispano.

Los franciscanos, como señalamos ya, difundieron su culto por tierras de infieles. En el siglo XVIII se extendió entre ellos la devoción a Nuestra Señora del Refugio, venida de Italia y la cual los padres de la Compañía habían tomado como protectora de sus misiones. Nuestra Señora del Refugio empieza a acompañar en esta época a los misioneros que van hacia el septentrión de la Nueva España. Por eso en casi todas sus iglesias, encontramos imágenes de ella.

Nueva devoción, la que consagró todo un mes —el de mayo— al culto de la Virgen, fue introducida sólo hasta 1850 por el canónigo de Guadalupe, García Quintana. Esta devoción había surgido en Italia en el siglo XVII. El mismo canónigo creó el cementerio del Tepeyac y remozó la calzada que sube al cerro.

En fin, por todos los rumbos de la Nueva España, el culto mariano se expandió; la Virgen María fue considerada madre y protectora, pero, poco a poco, el culto a Nuestra Señora de Guadalupe adquiere un lugar predominante.

Todas las advocaciones anteriormente citadas, son representaciones hechas en madera, lienzo, piedra, caña, etc., por manos humanas. Unicamente la imagen de Nuestra Señora de Guadalupe, tiene la propiedad de ser Aquerótipa, esto es, obra no realizada por la mano del hombre, sino por la de Dios, milagrosamente. Esta diferencia fundamental distingue a la Guadalupana y en buena parte en ella radica su universal aceptación; su carácter taumatúrgico; la admiración que provoca en cuantos la invocan.

Aparecida en el centro de México, la imagen de Guadalupe se ha expandido por todo el inmenso territorio de nuestra patria y aún, desbordando fronteras, ha llegado a remotos países, llevada por la devoción agradecida de los fieles. En México su culto aumenta día tras día. Desde la época de la Guerra de Independencia, su culto se expandió avasalladoramente, convertida en símbolo nacional y hoy no existe rincón del país en donde no se le venere. Los mexicanos, desde hace varios siglos, se ocupan de cantar sus glorias, de alabarla. Unos, a través de manifestaciones populares, espontáneas y aún a menudo bastante materiales, pero de profundo significado; y otros, a través de sofisticadas creaciones intelectuales, en las que se advierte la fina sensibilidad artística, la aguda reflexión y capacidad creadora, han manifestado su adhesión a la "Virgen María, Madre del verdadero Dios, por quien se vive."

Fuera de esos campos, el histórico y el de las artes plásticas, busquemos para mostrar esa adhesión, entre los frutos de la mentalidad mexicana, del pensamiento de los miles de hombres que con su esfuerzo han forjado la cultura de México, aquellos consagrados a la Virgen de Guadalupe, o bien aquellos en los que su existencia y culto hayan motivado su acción razonadora, su reflexión creativa.

2. EL GUADALUPANISMO EN LA SENSIBILIDAD NOVOHISPANA

El culto guadalupano se inicia y desarrolla al mismo tiempo que la nación mexicana, concebida ésta como la fusión de dos culturas igualmente valiosas: la indígena y la española. La gestación de México fue dolorosa, lenta, angustiosa en ocasiones, en otras exultante y, desde los inicios de su fusión biológica y espiritual, la Virgen de Guadalupe ha estado ligada a su vida. Ella apareció cuando los primeros mesticitos jugaban al lado de los indiezuelos y cuando los conquistadores empezaban a ser conquistados por las tierras mexicanas. Nueva España, la primera manifestación política de nuestra patria, va a tener, a partir de 1531, un gobierno estable y civilizado con la llegada de don Sebastián Ramírez de Fuenleal y los oidores, como Maldonado, Quiroga, Ceynos y Salmerón, quienes imponen el imperio de la ley y la justicia, protegiendo materialmente a los naturales. Ese mismo año se inicia la protección espiritual de los conquistados, quienes encontrarán en las promesas de la Madre de Dios a Juan Diego, no sólo seguro cumplimiento, sino también y ésto es lo esencial, la posibilidad de recobrar la fe que las iniquidades de la conquista les habían arrancado. Recuperada la fe y estabilizada la tierra, Nueva España surge avasalladoramente; crece, se expande y si bien mil calamidades naturales y humanas se abaten sobre sus habitantes, afligiendo mayormente a los indios que a los españoles, Nueva España adquiere una personalidad definida que la distingue de su metrópoli. Esta prosigue la transmisión de la cultura europea. La filosofía clásica, el humanismo, las artes y las ciencias, penetran en la mente y sensibilidad de los novohispanos y producen efectos admirables. Imprenta, universidad, colegios para indios y españoles, para jóvenes, niñas y doncellas, ejercen su acción bienhechora y originan una cultura relevante. Hombres de toga elaboran penetrantes tratados; los filósofos redactan macizas obras en las que reflexionan sobre los más candentes problemas de la época. Los historiadores reviven el pasado y describen la historia que camina siempre como el viento, y los poetas cantan a lo divino y a lo humano.

De este ambiente humanístico, rico en espiritualidad y belleza, surgen las primeras alabanzas poéticas a la Virgen del Tepeyac, a la Virgen Morena. Se menciona como el primer cantor novohispano de la Virgen —pero antes que su poema se encuentra otro, el *Cantar del Atabal*, de Don Francisco Plácido, quien adaptó antiguo cantar indígena para alabarla y proclamar su aparición protectora— al poeta español Hernán González de Eslava, nacido en 1534, pero llegado a México en 1558. Aquí estudió, se ordenó clérigo y compuso su obra literaria. Uno de sus poemas que revela su talento, es la *Canción a Nuestra Señora,* en el que los críticos ven una clara alusión a la Virgen de Guadalupe. Dice así:

Sois hermosa, aunque morena,
Virgen, y por vuestro amor
el tiempo abrevió el Señor
de nuestra gloria y su pena.
Al Sol, morena, anduvisteis
tanto, que en vos se encerró:
el Sol de vos se vistió
y vos del Sol os vestisteis;
y por vos, linda morena,
rindiéndose a vuestro amor
el tiempo abrevió el Señor
de nuestra gloria y su pena.
Sois morena en la apariencia,
de dentro hermoseada,
porque fuisteis preservada
de la general sentencia;
y viéndoos de gracia llena
tanto pudo vuestro amor
que el tiempo abrevió el Señor
de nuestra gloria y su pena.
Y si os quiere por Esposa
Dios, para hacernos bien,
decid, morena preciosa:
"Nigra soy, mas soy hermosa,
hijas de Jerusalén."

Con esta canción fechada entre 1577 y 1580, Nueva España, por la voz de sus más renombrados hombres de letras, inicia el canto poético a Nuestra Señora, canto que con otro ritmo y sonoridad, con otra entonación poética, viene desde los trovadores, de los viejos romances, de Garcilaso de la Vega y Boscán, de fray Luis de León, fray Luis de Granada, Santa Teresa, Góngora, Quevedo y Lope. Sonoridades de esas voces, se escuchan en las alabanzas dirigidas a la Madre de Dios que, desde el siglo XVI al presente, ha sido cantada por los ingenios poéticos de México. También en su honor han resonado los ecos y los metros de la poesía latina y la influencia de Horacio, Virgilio y Ovidio, se revela en clásicos poemas de muy diversas épocas.

Otro poeta florecido en el siglo XVI, fue el sevillano Mateo Rosas de Oquendo, bien estudiado por don Alfonso Reyes, y quien en su peregrinante vida describió, tanto las espaciosas llanadas del Tucumán, en su obra la *Famatina* (1595), como "los melancólicos paisajes cercanos a Guadalupe y los volcanes."[3]

El uso de la lengua del "Latio" y de "Castilla" en los siglos XVI y XVII, no hizo que se olvidaran las lenguas indígenas y que en ellas se compusieran importantes obras literarias. El fruto logrado en el Imperial Colegio de Santiago Tlatelolco, que cristalizó en brillante generación de estudiantes indios, que hablaban fluidamente tres lenguas y que traducían al español a los autores clásicos, si bien se cortó en agraz por una torpe política cultural, no se extinguió del todo y así, en los colegios seminarios se prosiguió el cultivo, necesario para la evangelización, de las lenguas indígenas. A ello se debe que en el siglo XVI, varios párrocos hayan escrito numerosas obras en las lenguas indias, comunes en sus curatos. Uno de ellos, el presbítero José Antonio Pérez de la Fuente, natural y párroco de Amecameca, escribió en náhuatl "Veinte loas y una comedia guadalupana, titulada "*El portento mexicano*".[4]

La proliferación extraordinaria de versificadores desde finales del siglo XVI, que hacía exclamar a González de Eslava que había "más poetas que estiércol", produjo también excelentes poetas; desgraciadamente muchos olvidados. Todos ellos participaban en los certámenes que con numerosos pretextos se convocaban y en los cuales la sociedad colonial, no sólo entretenía sus ocios, sino que desplegaba su ingenio, gusto y sensibilidad. La inauguración de un templo o monumento; las reales fiestas, saraos, cabalgatas y toros; los sucesos prósperos y funestos, como la exaltación de un beato, las sequías e inundaciones, etc., todo ello servía para que se escribieran, leyeran y fuesen laureadas mil y mil piezas poéticas, algunas de ellas de indudable valor. Entre ellas encuéntranse numerosas consagradas a las advocaciones marianas, Guadalupe entre ellas, y frecuentes referencias al Tepeyac y a la Virgen.

En uno de los infaustos sucesos, la inundación de la capital, iniciada en 1629 y que se repitió en los años posteriores, la Santa Imagen fue llevada desde su santuario de Tepeyac, a la Catedral Metropolitana. El año de 1634, cesada la inundación, se regresó a su iglesia y con ese motivo, poeta anónimo compuso los siguientes versos, "dechado de narración fresca y cordial, donde ríe y llora la ternura guadalupana":

Partida de Nuestra Señora
de Guadalupe (1634)

. . . De David divina Torre,
que a aquella serpiente fiera
por atreverse a ofenderos
destrozásteis la cabeza . . .
pues sois el Maná de gracia,
hoy atrevida mi lengua
os pide amparo de Madre
y favor como a Princesa,
para rendiros las gracias
por tantas mercedes hechas
en medio de penas tantas
a México, Patria nuestra,
cuyas esperanzas tristes
sólo con vos se consuelan,
pues con vuestro Hijo sois
la más cierta Medianera.
Pero ¿qué puedo deciros,
si el Pastor Manso, que os lleva,
con obras que al mundo admiran
silencio pone a las lenguas?
Y cuando con obras tales,
Señora, no lo supiera,
en vuestra Partida santa
nuestras lágrimas pudieran;
y juzgo que fueran tantas,
que si Dios no lo impidiera,
como os trajeron por aguas,
por lágrimas os volvieran.
Como tórtola viuda,
dejáis, Virgen, esta tierra,
temiendo por nuestras culpas
llorar en la misma pena.
Todos los que os visitaban,
¿qué dirán cuando no os vean,
y más, Virgen, los dichosos
que están en la gracia vuestra?
En la Catedral sagrada
juzgo yo que se enternezcan
los que a su culto madrugan,
no viendo las luces vuestras . . .
. . . De la pasada ruina
los corazones se acuerdan,
y en medio de pena tanta
no es mucho que se enternezcan.
Hoy renueva esta memoria,
Virgen, la Partida vuestra,
al Pueblo que alegre fuisteis
años cuatro Compañera.
Todos será bien que os lloren,
pues no salís de la cerca,
cuando despiden las nubes
truenos, agua, fuego y piedra.
De vuestra sagrada imagen
hay vocaciones diversas,
que consolar aseguran
tan amarga y triste ausencia.
Confieso que toda es una
y en una sola se encierra,
y que se derivan todas
de la Original primera;
pero son acá pintadas
de humanas manos diversas,
con matizados colores
que humanos hombres inventan.
Vos, Virgen, sois dibujada
del que hizo Cielo y tierra,
cuyo portento no es mucho
dé indicio que sois la mesma.
Si venís de tales manos,
¿qué mucho llore la tierra
una ausencia que es forzosa
de un Milagro que se ausenta?
Si vinisteis por el agua,
ya, Virgen, vais por la tierra
que, a pesar de mi pecado,
Dios por Vos enjuga y seca . . .
. . . Coloquios, bailes, cantares,
todos, Virgen, os festejan,

que aunque sienten vuestra ida
con vuestra vista se alegran.
 Vuestro querido Hortelano
en medio su huerto os lleva
como Rosa señalada
que plantó su mano inmensa;
 en hombros sacerdotales
quiere que vais, dando muestras
de que os quiere como a Hija
y como a Madre os respeta . . .
 Por las enramadas calles
de juncias, arcos, trompetas,
que adornan ventanas graves
vestidas de oro y seda,
todos alegres llorando
van con Vos, sagrada Reina,
haciendo promesas varias
al Sol porque se detenga . . .
. . . Y cuando el Sol
muestra sus rayos
a pediros luces nuevas,
a Guadalupe dichoso
os partís, Virgen, contenta.
 Buen viaje, mi Señora!
Idos muy en hora buena;
alegrad los Naturales
que ha tanto tiempo os esperan.
 Alégrense los montes,
los campos, flores y yerbas,
vuestra fuente milagrosa,
ganados, montañas, peñas!
 Vuestro cristalino río,
las avecillas risueñas,
en coro os cantan la salva,
con sus arpadillas lenguas.
 Los labradores contentos
de veros en vuestra Iglesia,
con regocijos y bailes
corran toros, hagan fiesta.
 No olvidéis de la memoria
la tierra que hicisteis Nueva
cuyas nuevas esperanzas
en Vos se lograron puestas;
 que si verde el otro ramo
fue la señal que al Profeta
libró de cuidados tantos
allá en las tierras de Armenia.
 El vuestro, Virgen Paloma,
fue Encarnado, que a esta tierra,
libró con vuestra venida
a los tristes hijos de ella;
 que en Vos hallaren el Arca
donde vidas casi muertas
escaparon del Diluvio
de aquellas aguas Letheas! . . .

Pedro de Marmolejo en la *Loa Sacramental . . . de las calles de México*, escrita en 1635, dejó a su vez en su poema, finos rasgos líricos al hablar del "pan como rosas blancas", que Dios enamorado de esa "graciosa morena", dejó a su Iglesia, clara alusión a la ya cantada Virgen Morena.

Altamente elogiado por sus contemporáneos y por críticos posteriores, como Eguiara y Eguren, fue don Antonio de Solís Aguirre, a quien llamaron "gran padre en la poesía". Si los tercetos a la cruz de Mañozca fueron calificados "de robusta elegancia y desnuda grandeza, aquí y allá, no indignas de los Argensola y la 'Epístola a Fabio' ", las octavas que forman su *Laudanza de México y Guadalupe,* publicadas en 1652, tienen también alto valor. Veamos las octavas consagradas a la Virgen de Guadalupe, en las que ya campea declarado y vivo sentimiento criollo en torno a la Virgen:

. . . Es Guadalupe un sitio, que al Oriente
una legua distante del poblado,
tiene un cerro que a muchos hace frente;
más que galán, soberbio y arriscado;
mana a sus pies una pequeña fuente,
cortos caudales y cristal menguado,
quizá porque su heroica pesadumbre
tiene donde mirarse a mejor lumbre.
 Mas ¿qué mucho, si goza resplandores
de quien el Sol apenas es un rayo;
si sabe producir tan nuevas flores
que no produce ni conoce el Mayo?
Duplicando María los Tabores,
en éste quiere hacer primer ensayo
de lo que estima hacerse nuestra hermana
naciendo en él Criolla Mexicana.
 Caminaba Juan Diego a la Doctrina
que en Tlatelolco entonces se enseñaba;
y entre muchas oyó una voz divina
que por su propio nombre lo llamaba:
los retiros al Cerro le examina

confuso, y aún pensando que se engaña,
cuando descubre, en su mayor altura,
el Prodigio mayor de la Hermosura . . .
. . . Oh Prodigio que al Cielo se levanta
Con nombre mayor de los mayores!
Mándale que en limpia y pobre Manta,
recoja del peñasco varias flores;
el tiempo, que era Invierno, al Indio espanta,
el lugar no acostumbra estos primores,
pues cuando mucho, espinas y jarales
producen sus helados pedernales.
Sube a buscarlas; y a uno y otro lado
la vista vuelve apenas cuidadosa,
cuando del Paraíso trasladado
mira un cuartel de Primavera hermosa.
Corta las flores, tráelas al Prelado,
dícele que son señas de la Rosa
que halló entre las espinas por su suerte;
suelta los nudos, y las flores vierte . . .
. . . Decir la forma de la Imagen Santa
séame lícito sólo, pues en ella
a todas con milagro se adelanta;
está de Sol vestida nuestra Estrella;
puestas las manos, y su hermosa planta
de media Luna los candores huella;
albricias, que el Misterio deseado
en esta Concepción el Cielo ha dado! . . .[6]

Don Luis de Sandoval Zapata, de noble y rica familia, educado por los padres de la Compañía de Jesús, en el colegio de San Ildefonso, mereció el elogio del P. Francisco de Florencia, quien incorporó alguno de sus poemas en su obra guadalpana y le llamó: "excelente filósofo, teólogo, historiador y político, y de un espíritu poético tan alto, que pudo, si no exceder, igualar a los mayores de su edad." Este notable poeta florecido a mediados del siglo XVII, escribió varios poemas dedicados a la Virgen de Guadalupe. Uno de ellos, el que incorporó el P. Florencia en *La Estrella del Norte*, dice así:

El Astro de los pájaros expira,
aquella alada eternidad del viento,
y entre la exhalación del monumento
víctima arde olorosa de la pira.
En grande hoy metamorfosis se admira
mortaja, a cada flor más lucimiento:
vive en el Lienzo racional aliento
el ámbar vegetable que respira.
Retratan a María sus colores;
corre, cuando la luz del sol las hiere,
de aquestas sombras envidioso el día,
Más dichosas que el Fénix morís, Flores
que él, para hacer pluma, polvo, muere;
pero vosotras, para ser María."[7]

Tenido como el máximo de los poetas de la Compañía y uno de los mayores de la Nueva España, fue el P. Francisco de Castro, S. J. Antes de 1675 había compuesto su obra dividida en cinco cantos y 254 octavas, titulada, *La Octava Maravilla*, la cual no fue impresa sino hasta 1729. El valor de su poesía fue estimado en su época y también posteriormente, pues don Cayetano de Cabrera le llamó, "El Homero de los mexicanos" y el sabio doctor Bartolache le consideraba de "un ingenio, o más bien de un entusiasmo, muy semejante al de nuestro don Luis de Góngora." Sor Juana Inés de la Cruz, la excelsa poetisa, admiraba su poesía, a la que dedicó el bellísimo soneto en que pide la publicación del magno poema del P. Castro.

El poema de Sor Juana, uno de los más hermosos sonetos sacros de la Décima Musa, en el que elogia a la Imagen y a su cantor es el siguiente:

La compuesta de flores Maravilla,
divina protectora americana,
que a ser se pasa Rosa Mejicana,
apareciendo Rosa de Castilla;
la que en vez del dragón — de quien humilla
cerviz rebelde en Patmos, huella ufana,
hasta aquí Inteligencia soberana,
de su pura grandeza pura silla;
ya el Cielo, que la copia misterioso,
segunda vez sus señas celestiales
en guarismos de flores claro suma:
pues no menos le dan traslado hermoso
las flores de tus versos sin iguales,
la maravilla de tu culta pluma.[8]

Y viniendo ya el poema del P. Castro, seleccionemos en él algunas de las octavas que se refieren a la imagen de la Virgen, sin desdeñar aquellas en las que narra las apariciones; la utilización del maguey — de cuyo hilo estaba tejida la tilma de Juan Diego — y que nos recuerda algunas descripciones históricas, entre otras, una de Vasco de Quiroga — y muchas otras más. Gocemos pues de algunos botones de este rosal, tomados del canto V, en el que describe la imagen:

. . . Bajos los ojos, alta la mesura,
—de aquéllos el color tan retirado
a nuestro aspecto, como en la clausura
Virginal de su párpado cerrado—,
desear y ver deja su hermosura,
si no es que —por no hallar del matizado
que piden sus dos Soles paralelo—
el discreto Pincel recurrió al velo.

¿Qué mucho, sí otra vez que la Divina
Pluma sus Ojos describirnos quiso,
se acogió de Hesebón a la piscina
dejando su color tan indeciso
como el Pincel, echándole cortina
de un símil tan expuesto a incierto viso
y no más arduo en frase que en idea,
a la piedad que ansiosa lo desea?
. . . Debe de ser Color inaccesible
aquel de sus visuales dos Espejos,
pues Voz, Pluma y Pincel a quien posible
es todo, lo pintaron tan de lejos,
que al fin nos lo dejaron imposible,
bien cual de su Color siempre perplejos:
traza fue del Pintor, alto desvelo,
dejar lo que es del Cielo, para el Cielo.

La que ultimó su Rostro superficie,
si al Oro y Alabastro no le debe
su amable Tez, de entre Narciso y Cielo
con templanza feliz el color bebe,
puesto que en su Semblante nos delicie
el de un trigueño que esmaltó la Nieve,
afectando un color en su Retrato
a los ojos de nadie menos grato.

Negro afeitó el matiz de su Cabello;
y —aunque, cercando su Melena hermosa,
ansias mostraba el Sol de enrojecello—,
quiso, empero, Belleza tan piadosa
excusar a la Noche el descabello;
que en vez de triste, ya vanagloriosa,
viendo allí su color ennoblecido,
no le pesara haber anochecido . . .
. . . Brazos el Angel y Alas hacia arriba
crespando con modesta gala, entiende
en componer la que en su cuello estriba
Beldad; de cuyo Manto la que pende
y por sobre la Luna se deriva
punta, con la derecha mano prende,
parte dejando al diestro Pie visible
que calzó de color pardo apacible.

Con la siniestra, empero, del Vestido
coge la fimbria, recatando en ella
el Pie siniestro; pienso que —atendido
aún más el feliz paso de su huella
que el recato— su Autor esclarecido
solamente su diestra Planta bella
quiso ostentar, en fe de que ha pisado
siempre diestro, feliz, inmaculado.

Modesto el garbo, puro el movimiento,
la acción del que galán carga y camina,
por la siniestra, parte honora el viento,
porque hacia aquella parte el rostro inclina;
contrapuesto al que carga Firmamento,
cuyo divino Oriente se termina
hacia el opuesto rumbo algo inclinado,
felicitando el Mundo de aquel lado.

Pero ¿por qué el aspecto divididos
irán Reina y Vasallo tan amantes?
¿Cómo salieron rumbo a lo reñido
Pincel, tus dos pintados Caminantes?
¿Si no pueden no ser bien avenidos,
por qué no van a una sus Semblantes?
¿Cómo, a Señora y Siervo tan amados,
dibujaste los Rostros encontrados?

Sería porque no hubiera —en Paraíso
tan feliz, tan ameno y tan Celeste—
región menos feliz por cualquier viso
que a discurrirle la piedad se apreste;
sino que al que le mira, sea preciso,
ora por aquel rumbo, ora por éste,
hallar su manderecha a cualquier mano
en uno y otro Aspecto Soberano.

No parece vulgar la conjetura;
pues si encarasen ambos a una vía,
allá cargara toda la ventura,
y el favor no guardara simetría
dado que la observase la pintura:
mire a la diestra el Cielo de María

y a la siniestra el de su Siervo alado,
y así será siniestro ningún lado . . .

. . . Así, pintó la Fénix Maravilla
a quien —cual de Sol tanta, expresa
Sombra—
no sólo no le pasa interrumpilla
por su mudanza al Tiempo, mas se asombra
de ver que hoy como ayer su matiz brilla:
no en Guadalupe más valiente Sombra
de patrocinio a México, que propia
de su etérea Beldad amena copia.
De aquel nombre, hasta el siglo que hoy florece,
el Sitio y el Bosquejo se apellida:
donde a pesar del Tiempo, si no crece
en Lienzo frágil su Beldad florida,
a pesar de los años permanece.
—sin que una flor el Tiempo le despida—
tan Primavera ahora como entonces:
¡oh, Lienzo, envidia a los azules bronces![9]

Y el máximo ingenio del siglo XVII, siglo en el que se consolida la inteligencia y el nacionalismo de la sociedad novohispana, Carlos de Sigüenza y Góngora, filósofo, astrónomo, matemático, cosmógrafo, historiador y poeta; el amigo admirado de Sor Juana Inés de la Cruz, quien le llamara "Dulce, sonoro, cisne mexicano", consagró uno de sus más grandes, por el mérito, poemas a la Virgen de Guadalupe. *La Primavera Indiana*, escrita, por lo que se sabe, primero en latín y más tarde volcada al español y publicada en 1680, es uno de los poemas más notables de la poesía barroca novohispana de excesos gloriosos, "magnífico a fuerza de audacia y de riqueza y de trabajo". Poema extenso, no es éste el sitio para trasladarlo íntegro; pero sí podemos dar unas muestras de esta magna obra guadalupanista.[10] Algunos de sus más bellos cantos, referentes a la Aparición, son los siguientes:

XLVI

En esta suspensión de los sentidos,
México estaba, cuando acaso un pobre
(que la inocencia más que en los erguidos
cedros, se alberga en el inculto roble)
llega a afrontarse con los desmedidos
peñascos, donde teme no zozobre
aún el viento veloz su sutileza,
tales los riscos son, tal su maleza.

XLVII

Llega a afrontarse con el peñascoso
vasto Tepeyácac, donde un concento
suavemente en metro armonioso
tiene el alma suspensa al indio atento:
Estático el sentido, el deleitoso
métrico coro investigó al momento,
intento vano si del cielo nace,
que el eco solo entre malezas yace.

XLVIII

Para el curso, a la vista de un flamante
prodigio, dulcemente intempestivo,
cada lampo de luz era un diamante
de asombros raros pródigo incentivo:
Lustre en fin de una reina, que en radiante
trono de resplandor nada ofensivo,
(cada voz de dulzuras Nilo inmenso)
al indio dijo, que atendió suspenso.

XLIX

María soy, de Dios omnipotente
humilde madre, virgen soberana,
antorcha cuya luz indeficiente
Norte es lucido a la esperanza humana:
Ara fragante en templo reverente
México erija donde fue profana
morada de Plutón, cuyos horrores
tala mi planta en tempestad de flores.

L

Aqui la voz de afectuoso ruego,
que a mi piedad virgínea sea votado,
verá mis luces el opaco ciego,
y obtendrá el pecho triste dulce agrado:
Ve a la Mitra que en plácido sosiego
rige apacible su rebaño amado,
intímale mi imperio. Y una nube
trono se finge en que al Olimpo sube.

LI

Más que admirado, en dulces suspensiones
tiernamente robados los sentidos,
sin darle al gusto breves digresiones,
vuela el indio con pasos desmedidos:
Mucho portento fue, pocas razones
las que el humilde Juan dio a los oídos
del sagrado pastor, que escucha atento,
crédulo poco a misterioso intento.

LII

Camina triste, hacia el eriazo monte,
de no haber merecido algún agrado,
cuando inundó de luz el horizonte
la gran reina, que había venerado:
Más fogoso, que el de Faetonte
el bello solio fue, donde postrado
dio la respuesta el indio temeroso
con voz sumisa, y ánimo amoroso.

LIII

Dispónele a segundas obediencias,
y vuelve Juan diciendo, que María
intima venerar sus excelencias
hacia los reinos de Calixto fría:
Dánle a las voces cultas reverencias,
y en certificación de quien le envía,
le ruegan traiga de las vastas breñas,
de la virgen intacta, intactas señas.

LIV

Menos confuso, al tímido paraje
vuela Juan espoleado del deseo,
dice, que su obediencia sin ultraje
de la incredulidad tuvo trofeo:
Que le piden de aquel tosco boscaje
para la ejecución de tanto empleo,
señas de mano de tan gran señora,
que las difiere a la siguiente aurora.

LV

Apenas anunció del rubio Apolo,
la esposa de Titón, el presto vuelo:
cuando camina el indio, al monte solo,
al termino final de su desvelo:
(plausible día al mexicano polo).
Sube al monte por montes mil de hielo,
ciego obediente de la gran María
por varias flores, que en el monte había.

LVI

Estas, le dice, son, éstas las claras
divinas señas de mi dulce imperio,
por ellas se me erijan cultas aras
en este vasto rígido hemisferio:
No hagas patente a las profanas caras
tan prodigioso plácido misterio,
sólo al sacro pastor, que ya te espera,
muéstrale esa portátil primavera.

LVII

Dáselo así, y al descoger la manta,
fragante lluvia de pintadas rosas
el suelo inunda, y lo que más espanta
(¡oh maravillas del amor gloriosas!)
es ver lucida entre floresta tanta,
a expensas de unas líneas prodigiosas,
una copia, una imagen, un traslado
de la reina del cielo más volado.

Sabios y laboriosos, los mexicanos del siglo XVII, se distinguieron por su obra constructiva sin la cual no hubiera madurado la cultura y conciencia de la Nueva España. Historiador y teólogo, el P. Miguel Venegas, nacido en Puebla de los Angeles en 1680, distrajo su doliente vida redactando importantísimas obras históricas relativas a la labor evangelizadora y civilizadora de los hijos de la Compañía de Jesús, en las lejanas tierras del noroeste mexicano. Si su bien informada obra *Empresas apostólicas de los misioneros de la Compañía de Jesús de la Nueva España en la Conquista de las Californias*, que terminó el año de 1739, pero que sólo se publicó extractada en 1757 con el título de *Noticia de la California y de su conquista temporal y espiritual hasta el tiempo presente*, (1757 en Madrid y 1943 en

México) implican un gran esfuerzo de información y crítica, pues utilizó los escritos de los padres Juan María de Salvatierra, Francisco María Piccolo, Juan de Ugarte y Eusebio Kino; también se ocupó de la redacción de una biografía de los padres Zappa, Salvatierra, del eremita Juan González, y en preparar un *Manual de Párrocos* y muchas obras más. Su labor histórica no le privó de consagrar muchos momentos de inspiración a la poesía, habiendo compuesto un *Certamen* al Niño Dios y un *Hymnus Eucharisticus* o de agradecimiento a la Virgen de Guadalupe, que se imprimió anónimo en 1756. Este poema rimado en dímetros yámbicos predilectos de la himnografía litúrgica, como afirma Alfonso Méndez Plancarte, lo tradujo él mismo en forma de romance dividido en las mismas 52 cuartetas del original. Algunas de ellas son las siguientes:

Juan vio a la Virgen primero,
si de estrellas coronada,
vestida también del Sol
y con la luna a sus plantas.
Mas un Juan Diego, después,
segundo en nombre de gracia,
mereció ver, por sencillo,
Imagen tan soberana.
A Aquella, al temple de luces,
astros quisieron pintarla;
pintáronla, pero en breve
su iluminación se acaba.
A ésta pintaron las Rosas
con sus matices de grana,
y en un burdo Lienzo queda
por siglos eternizada.
No hizo con otras naciones
fineza tan extremada
la Reina de Guadalupe,
Patrona de Nueva España . . ."[11]

Y ya también en pleno siglo XVIII, ufanándose en sus cantos guadalupanos, criollos y peninsulares, tenemos preciosas muestras clásicas inspiradas en su mayor parte en los poemas de Horacio, como los *Himnos* que compuso el P. Vicente López, S. J. (1691-1757), cordobés de origen, pero arraigado fuertemente en la Nueva España. Espíritu dilecto, gran humanista, sabio, laborioso, mucho debió a su entusiasmo el Dr. José de Eguiara y Eguren, para preparar la *Bibliotheca Mexicana*, obra que es la *Summa* de la cultura de México. Para esta obra en la que vibra el nacionalismo criollo y la veneración a la Guadalupana, el P. López redactó su *Dialogo Aprilis*, y fue tanta la admiración que el P. López produjo en Eguiara, que éste lo incitó a proseguir su monumental obra. Encendido elogio del P. López, escribirá a su fallecimiento el sapientísimo Eguiara.[12]

De entre su obra guadalupanista destacan tres preciosos himnos, que dada su extraordinaria factura, el P. Méndez Plancarte propuso figuraran para primeras vísperas, maitines y laudes, en el *Oficio* y *Misa de la Virgen de Guadalupe*, extendiéndolo a la Iglesia Universal, anhelo que desde 1933 expusiera al Sumo Pontífice, Monseñor Orozco y Jiménez. Estos tres bellísimos himnos que Alfonso Méndez Plancarte califica de "neta joya antológica, entre lo más fino y horaciano de toda nuestra rica poesía latina", y traducida por el mismo crítico y poeta, son los que siguen:

Primer canto

Ya por tres veces los collados puros
en mudo asombro sepultarse vimos,
y por tres veces verdear las faldas
del Guadalupe;
hasta que al cabo, a la vegada cuarta,
de Dios la Madre, bajo ansiada nube,
aquí fijó de su potente amparo
firme la sede.
Llegada apenas, celestiales cantos
ya la acompañan; resonar parecen
los hondos valles; y al pasar, de gracia
tiñe los montes.
Por Ella en flores se reviste varias
Diciembre cano; y de retama verde
se orna la tierra, y por Favonio brillan
blondos los prados.
A poco, manda se le erija un Templo
do nuestras voces con frecuencia escuche,

y en donde pueda retener por siempre
fijos los ojos.
Aquí la implora el Indio, aquí el Ibero;
Ella de entrambos la esperanza alienta
con blando rostro, y a uno y otro Mundo
riega con dones.
Por la Divina Trinidad, oh Madre,
te suplicamos, y de tu Hijo Santo
por los gemidos, que del Mundo Nuevo
¡nunca te apartes! . . .

Segundo canto

¿Quién el Artífice que, de la nieve
flores brotando, manda se pinte
de la Señora la inimitable
Faz en la leve manta del Indio?
¿Quién a las níveas vestes agrega
peplo cerúleo que estrellas vivas
con inmortales rayos recorran?
¿Por qué la hace su ronda de oro
el Sol insomne, guardia solícito?
¿Cómo la rútila Cintia, la Luna,
sus virginales sandalias besa,
cual ambiciosa de más candores
de plata? ¿Y cómo no teme el Angel
verse aplastado, si carga el Cielo?
¡Tú lo dispones, Inclito Máximo
Dios Unitrino! ¡Tú así lo quieres!
Y agradecida Tus glorias canta
por tal celeste regalo América.

Tercer canto

En la de un Indio Tilma levísima,
a flores de álgidas peñas, ¿qué Artífice
de la Señora la inimitable
Faz, les ordena que pinten?
¿Quién da, a la rósea veste, azul peplo
do inextinguibles Luceros fuljan?
Y al Niño Atlante, gentil Celífero,
¿cómo tal Cielo no abruma?
¿Por qué, cual ávida de más argénteo
candor, las plantas le oscula Cintia,
y el Sol, insomne, viva ronda áurea
Le hace, en intérmino día?
¡Tú lo ordenaste, oh Augusta Tríade
que al cosmos, Inclita, Máxima, imperas!
Y por tan célico Don, ¡inmortales
gracias Te rinde la América![13]

A más de esta soberbia obra poética que son los *Hymni in laudem B. Mariae Virginis de Guadalupe,* impresos en 1756 en México y reeditados en 1785 en Madrid, podemos mencionar que los padres de la Compañía en Italia, a donde fueron confinados luego de su expulsión en 1767, se convirtieron en los más eficaces propagandistas de Nuestra Señora de Guadalupe. A falta de un pabellón que revelara su nacionalidad, su sentimiento nacionalista, los jesuitas enarbolaron la imagen guadalupana, no sólo como demostración de su fe, sino como símbolo de su origen; como muestra de pertenencia a una provincia americana, en la cual la Madre de Dios había dejado milagrosamente estampada su imagen. Si en México le dedicaron culto, afanes y devoción, en Europa quisieron darla a conocer escribiendo su historia, narrando apariciones y milagros, cantándola en bellísimos y rigurosos metros clásicos, joyas de nuestras letras y mostrando que ella era inseparable de su sentimiento patrio. Ella fue para ellos, en una palabra que expresa su último y auténtico sentido, diría el historiador Luis González y González, "la matria."

Así, a esa "matria" y a esa "patria", los jesuitas expulsos consagraron todos sus esfuerzos, sus nobles y ardientes afanes. Ya en el momento de embarcarse y alejarse de las playas de México, sus ojos, como escribiera Diego José Abad, "se hacían toda el agua del mar", porque se retiraban más y más de aquella por la que siempre habían sentido "una pasión ardorosa y limpia". Y esa pasión fue la que los impulsó a rememorar en todas sus obras su país de origen, sus tradiciones, su historia y monumentos, sus hombres y paisajes, su inmenso mundo tan caro a ellos y tan injustamente perdido.

Sin contar algunas obras de jesuitas que antes del extrañamiento habían podido editar en Italia, una vez ya en exilio, podemos mencionar las siguientes: del Padre Andrés Fuentes, *Guadalupana B. María Virginis Imago, quae Mexici colitur carmine descripta,* (Faventiae 1775); José María de Gondra, *De Imagine Guadalupensi Mexicana,*

EL PATRONATO DISPUTADO, DISSERTACION APOLOGETICA, Por el Voto, Eleccion, y Juramento de Patrona, A MARIA SANTISSIMA, VENERADA EN SU IMAGEN DE GUADALUPE DE MEXICO, E INVALIDADO PARA NEGARLE EL REZO del Comun, (que à Titulo de *PATRONA* electa, y jurada, segun el Decreto de la Sagrada Congregacion de Ritos) se le hà dado en esta Metropoli,

POR EL BR. D. JUAN PABLO ZETINA INFANTE, Mrò. de Ceremonias en la Cathedral de la Puebla,

EN EL SINGULARISSIMO DICTAMEN, Y *PARECER,* que sin pedirselo, diò en aquella, y quiso extender à esta Ciudad, à corregir el que le pareciò arrojo de esta Metropolitana.

DEDICASE AL ILL.MO V. SEÑOR DEAN, Y CABILDO SEDE-VACANTE De la Santa Iglesia de los Angeles.

POR MANO DEL DR. D. JOSEPH FERNANDEZ MENDEZ, Rector, que fuè, de esta Rl. Universidad, Canonigo de dicha Santa Iglesia, Examinador Synodal de su Obispado, &c.

CON LICENCIA, EN MEXICO: EN LA IMPRENTA REAL Del Superior Gobierno, y del Nuevo Rezado de *Doña Maria de Rivera,* en el Empedradillo. Año de 1741.

ESCUDO DE ARMAS DE MEXICO: CELESTIAL PROTECCION DE ESTA NOBILISSIMA CIUDAD, DE LA NUEVA-ESPAÑA, Y DE CASI TODO EL NUEVO MUNDO, MARIA SANTISSIMA, EN SU PORTENTOSA IMAGEN DEL MEXICANO GUADALUPE, MILAGROSAMENTE APPARECIDA EN EL PALACIO ARZOBISPAL EL AÑO DE 1531. Y JURADA SU PRINCIPAL PATRONA EL PASSADO DE 1737.

En la angustia que ocasionò la PESTILENCIA, que cebada con mayor rigor en los Indios, mitigò sus ardores al abrigo de tanta sombra: DESCRIBIALA DE ORDEN, Y ESPECIAL NOMBRAMIENTO DEL ILUSTRISSIMO, Y EXCELENTISSIMO SEÑOR DR. D. JUAN ANTONIO DE VIZARRON, Y EGUIARRETA, Del Consejo de S. Mag. Arzobispo de esta Metropolitana, Virrey, Gobernador, y Capitan General de esta Nueva-España, D. CAYETANO DE CABRERA, Y QUINTERO, Presbytero de este Arzobispado:

A expensas, y solicitud de esta Nobilissima Ciudad, QUIEN LO DEDICA A LA AUGUSTA MAGESTAD DE NUESTRO REY, Y SEÑOR, EL SEÑOR DON FERNANDO SEXTO, Rey de las Españas, y Emperador de las Indias.

CON LICENCIA DE LOS SUPERIORES: Impresso en Mexico por la Viuda de D. JOSEPH BERNARDO DE HOGAL, Impressora del Real, y Apostolico Tribunal de la Santa Cruzada, en todo este Reyno. Año de 1746.

ZODIACO MARIANO, EN QUE EL SOL DE JUSTICIA CHRISTO Con la salud en las alas visita como Signos, y Casas proprias para beneficio de los hombres los templos, y lugares dedicados à los cultos de su SS. Madre POR MEDIO DE LAS MAS CELEBRES, Y MILAGROSAS IMAGENES De la misma Señora, que se veneran en esta America Septentrional, y Reynos de la Nueva España.

OBRA POSTHUMA DE EL PADRE FRANCISCO DE FLORENCIA, de la Compañia de Jesus, reducida à compendio, y en gran parte añadida por el P. JUAN ANTONIO DE OVIEDO de la misma Compañia, Calificador del Sto. Oficio, y Prefecto de la Ilustre Congregacion de la Purissima en el Colegio Maximo de S. Pedro, y San Pablo de Mexico.

QUIEN LA DEDICA AL SACROSANTO, Y DULCISSIMO NOMBRE DE MARIA.

CON LICENCIA. En Mexico en la nueva imprenta del Real, y mas Antiguo Colegio de San Ildefonso año de 1755.

MARAVILLA AMERICANA, Y CONJUNTO DE RARAS MARAVILLAS, OBSERVADAS Con la direccion de las Reglas de el Arte de la Pintura EN LA PRODIGIOSA IMAGEN DE NUESTRA SRA. DE GUADALUPE DE MEXICO

POR DON MIGUEL CABRERA, PINTOR

DE EL ILL.MO SR. D. D. MANUEL JOSEPH RUBIO, Y SALINAS. Dignissimo Arzobispo de Mexico, y de el Consejo de su Magestad, &c.

A QUIEN SE LA CONSAGRA.

CON LICENCIA: En Mexico en la Imprenta del Real, y mas Antiguo Colegio de San Ildefonso. Año de 1756.

151 a 154. Portadas de diversas obras, impresas a mediados del S. XVIII.

GUADALUPANO
ZODIACO
PARA RECIBIR DE LA ESCOGIDA
COMO EL SOL
MARIA
SEÑORA NUESTRA
LOS MAS PROPICIOS INFLUXOS.
DISPUESTO
Por el P. Francisco Xavier Lazcano de la Compañia de Jesus.
A honor inclyto de la misma Immaculada
REYNA
MARIA SEÑORA NUESTRA,
EN SU PORTENTOSO SIMULACRO
DE GUADALUPE.

CON PRIVILEGIO.
Reimpreso en Mexico, por D. Felipe de Zuñiga, calle de la Palma, año de 1776.

BREVE RAGGUAGLIO
DELLA PRODIGIOSA
E
RINOMATA IMMAGINE
DELLA MADONNA
DI GUADALUPE
DEL MESSICO.

IN CESENA MDCCLXXXII.

PER GREGORIO BIASINI ALL' INSEGNA DI PALLADE
Con Licenza de' Superiori.

FLORES GUADALUPANAS,
O
SONETOS ALUSIVOS
A LA CELESTIAL IMAGEN
DE MARIA SANTISIMA
NUESTRA SEÑORA
EN SU ADVOCACION
DE GUADALUPE,
ESPECIALMENTE
QUANTO A EL VESTIDO Y ADORNOS.
ESCRITOS
Por un Autor Americano de nombre incierto: revistos y añadidos por el P. Fr. Joseph Antonio Plancarte, Religioso Menor de la Santa Provincia de Michoacan.

CON LAS LICENCIAS NECESARIAS.
En México en la Imprenta de D. Felipe de Zúñiga y Ontiveros, calle del Espiritu Santo, año de 1785.

LA ESTRELLA
DEL NORTE DE MEXICO,
APARECIDA AL RAYAR EL DIA DE LA LUZ
Evangelica en este Nuevo Mundo, en la cumbre del cerro de Tepeyacac, orilla del mar Tezcucano, à un Natural recien convertido pintada tres dias despues milagrosamente en su Tilma ò Capa de Lienzo delante del Obispo y de su familia, en su Casa Obispal, para luz en la Fé à los Indios; para rumbo cierto à los Españoles en la virtud; para serenidad de las tempestuosas inundaciones de la Laguna.
EN LA HISTORIA DE LA MILAGROSA IMAGEN
DE NUESTRA SEÑORA
DE GUADALUPE
DE MEXICO,
Que se apareció en la Manta de Juan Diego
COMPUSOLA
EL PADRE FRANCISCO DE FLORENCIA,
de la extinguida Compañia de Jesus.
DEDICALA
AL ILUSTRISIMO Y REVERENDISIMO SEÑOR
Don Francisco de Aguiar y Seixas, Arzobispo de Mexico, el Br. Don Geronimo de Valladolid, Mayordomo del Santuario.
Con las Novenas propias de la Aparicion de la Santa Imagen.
CON LICENCIA.
En Madrid: En la Imprenta de Lorenzo de San Martin, Impresor de la Secretaría de Estado y del Despacho Universal de Indias, y de otras varias Oficinas de S. M. Año de 1785.

155 a 158. Portadas de diversas obras, impresas en el último tercio del S. XVIII.

Jambici Archilochii dimetri acatalectici. (Faventiae, 1774); José Angel de Toledo, *Triduo di Divozione in apparechio alla Festa di María Santíssima di Guadalupe nel Messico*... (Bologna, 1778); Francisco Javier Clavijero, *Breve raguaglio della prodigiosa e rinomata Imagine della Madonna di Guadalupe del Messico*, (Cesena, 1782); el P. José María de Gondra tradujo al italiano y publicó en Ferrara, en 1783 la *Maravilla Americana*, de Miguel Cabrera; José Angel de Toledo, *Triduo*... (Roma, 1792); y sin ser una obra dedicada exclusivamente a la Virgen de Guadalupe, tenemos el extraordinario *Poema Heroico*, del P. Diego José Abad, impreso por vez primera en Venecia en 1773; en Ferrara, en 1775 y una póstuma en Cesena, en 1780. En este grandioso poema que para nuestra fortuna y la de la cultura de México, ya ha sido traducido por el incansable y sapiente humanista, Benjamín Fernández Valenzuela, uno de los más hermosos cantos es un laude purísimo a Nuestra Señora.[14]

Mas no se diga que sólo los poetas cultos, los genios literarios, han cantado a Nuestra Señora. Si ellos lo han hecho, es porque quisieron alabar a Dios con sus más ricos y sazonados frutos, ofreciendo a El y a María de Guadalupe, como "puras ofrendas de agradable olor", lo que su mente y corazón atesoraban· pero también los cantores populares, los poetas espontáneos, los que movidos por su inspiración llana y sencilla, dicen en versos limpios e ingenuos lo que su corazón les manda; atropelladamente a veces, otras con limpidez, como agua pura que de la montaña baja, cantarina, fresca y con aromas de pino y musgo.

Ya se ha intentado recoger en un cancionero guadalupano, mucha de esta poesía y sería labor importante completar esa obra.[15] Aquí tan sólo insertamos algunas cuantas de ese vasto mar que es la poesía guadalupanista.

Para las fiestas que se celebraron en la catedral de México, en el año de 1690, un funcionario español empleado en la Real Audiencia, don Felipe de Santoyo y García, compuso unos villancicos cantados en esa ocasión, los cuales están llenos de "conceptos dichosos como cándidamente llanos en su lenguaje."

Algunas de sus más bellas expresiones son las siguientes:

Vengan a ver una zarza
que arde, que brilla, que no se consume,
y toda de flores y rayos corona
los llanos, los montes, los valles, las
cumbres...
¡Pronóstico que publica
el más florido milagro,
que dice que habrá en las Indias
rosas para todo el año!

Y concluye con estos primorosos versos:

Las luces acrisola,
sola flor bella;
ella es planta amorosa
Rosa, azucena...[16]

Más tarde —y eso no significa que no haya habido cantores en los años intermedios, sino que éstos no llegaron a nosotros, aunque sí prendieron amorosamente en el corazón y la mente de los fieles, encontramos un romance compuesto por el bachiller Bernardino de Salvatierra y Garnica, en 1737, que él quiso fuera una *Métrica Historia*. Esta historia romanceada tiene un gran encanto, pues en ella escuchamos el ritmo, las palabras sencillas y diáfanas del romance tradicional, el que surgido de España llegó a México y ha servido para cantar nuestras hazañas bélicas, la vida de los héroes populares, los sucesos gratos o nefastos que conmueven al pueblo. Vayan a manera de ejemplo algunas de sus cuartetas:

"En el año de quinientos/ y treinta y uno
cabales,
según cuentan los anales/ por solares
movimientos,
El décimo solamente/ con cuatro meses
contado,
había que estaba ganado/ aqueste rico
Occidente.

Cuando en un desierto, puerto/ monte o cerrillo fragoso
donde a nadie le es dudoso/ considerarlo desierto.
Hay un paraje nombrado/ Tepeyacac, que (sin yerro)
explica nariz de cerro/ y por eso es tan sonado.
Del puente y acequia real/ de México a su llegada,
hay una venial jornada/ para una legua mortal . . ."

Y adelante presenta a los actores de la Historia:

"Pasaba un indio inocente,/ que Juan Diego era nombrado, por frente al cerro, al lado/ de la parte del Poniente.
Este, con lealtad atenta/ iba gozoso a Santiago, a dar la cuenta con pago/ porque vivía con gran cuenta.
Cuando una música grata,/ bandolera del oído le roba todo el sentido,/ y la atención le arrebata.
Angeles atiende en suma/ de los celestiales tronos, que cantaban dulces tonos/ entre violines de pluma, etc.[17]

Así, en estas cuartetas diáfanas, musicales, el bachiller Salvatierra narra toda la historia de la Virgen. Obra para ser cantada en las ferias, acompañada de guitarra y vihuela, ante una multitud absorta que aprendía en sencillos versos, una maravillosa historia. Obra digna de un rapsoda popular, que como Homero, como el autor del *Poema del Mio Cid*, y como otros tantos que ponían en el lenguaje del pueblo los hechos históricos, próximos o lejanos, y en los cuales la veracidad se tiñe de belleza que a menudo los historiadores descuidan.

Aquí debemos señalar que en 1785, fray José Antonio Plancarte, de la Provincia franciscana de San Pedro y San Pablo de Michoacán, publicó unas *Flores Guadalupanas o Sonetos Alusivos a la Celestial Imagen de María Santísima*, no propias, sino de un autor americano de nombre incierto.

Otras obras como el *Elogio Histórico de María Santísima de Guadalupe*, del Lic. Ignacio Vargas, abogado en la Real Audiencia, y muchas más podrían añadirse, así como rica colección de coplas y villancicos cantados en diversas oportunidades; pero eso quedará para un estudio particular. Sí diremos, siguiendo esta línea, que ya a principios del siglo XIX, El Pensador Mexicano, Joaquín Fernández de Lizardi, compuso un *Auto Mariano para recordar la Milagrosa Aparición de Nuestra Madre y Señora de Guadalupe*, obrilla ingenua y encantadora, destinada a recrear al pueblo devoto y fiel.

Fuera del campo de la poesía encontramos, tanto a finales del siglo XVIII, como en los inicios del XIX, amplias constelaciones de escritores, teólogos, predicadores, abogados, funcionarios, médicos, de marcada tendencia guadalupanista. Muchos de ellos fueron además, fervientes nacionalistas y por defender la independencia de su patria, fueron condenados por las autoridades virreinales. Uno de estos casos es el del doctor de la Universidad, José María Alcalá y Orozco, notable orador sagrado, quien con el Lic. Juan Wenceslao Barquera, fue miembro de la asociación de "Los Guadalupes". Alcalá, apoyado por la acción de éstos, fue designado diputado a Cortes en 1814, y por órdenes de Calleja no se le permitió volver a México. Murió en Madrid en 1823.

Miembro también de esa asociación secreta fue don Juan Francisco de Azcárate y Lezama, cuyas ideas en torno a la Independencia, reveló inteligentemente desde 1808.

Ignacio Carrillo y Pérez, periodista, minero y poeta, escribió su *Pensil Americano, florido en el rigor del invierno* (1797); don Juan Francisco Domínguez, escritor religioso, nos dejó varias obras guadalupanas. Su amor a la Virgen le llevó a vivir en la Villa, en donde murió muy anciano el 25 de agosto de 1813. Otros mexicanos que escribieron en torno de la Guadalupana, son, entre muchos, José Ignacio Larrañaga, *Elogio a la Virgen de Guadalupe* (1794); José Antonio Lima y Casas, *Elogio a la Vir-*

LA AMERICA SOCORRIDA

EN EL GOBIERNO

DEL EXCELENTISIMO SEÑOR

DON BERNARDO DE GALVEZ

CONDE DE GALVEZ

&c. &c. &c.

EGLOGA

DEDICADA

A MARIA SANTISIMA

EN SU PORTENTOSA IMAGEN DE GUADALUPE

POR

DON BRUNO FRANCISCO LARRAÑAGA

CON LAS LICENCIAS NECESARIAS.

MEXICO: Por D. Felipe de Zúñiga y Ontiveros, calle del Espiritu Santo, año de 1786.

MANIFIESTO

SATISFACTORIO

ANUNCIADO

EN LA GAZETA DE MEXICO

(Tom. 1. Núm. 53.)

OPUSCULO GUADALUPANO

COMPUESTO

POR EL DOCTOR D. JOSEPH IGNACIO BARTOLACHE,
natural de la Ciudad de Santa Fé,
Real y Minas de Guanajuato.

En México, Año de M. DCC. XC.

Impreso con licencia de los Superiores, por D. Felipe de Zúñiga y Ontiveros, calle del Espíritu Santo.

ELOGIO HISTORICO

DE

MARIA SANTISIMA

DE GUADALUPE

DE MEXICO.

EN TERCETOS ENDECASILABOS,
Con notas instructivas y curiosas de lo escrito de la Maravillosa Aparicion y Milagros obrados hasta el dia en beneficio del Reyno.

DEDICADO

A LA EXCELENTISIMA SEÑORA

DOÑA ANTONIA MARIA

DE GODOY Y ALVAREZ,
Marquesa de Branciforte, Dama de la Reyna Nuestra Señora, de la Real Orden de Maria Luisa, y Virreyna de esta Nueva España, &c.

POR EL LIC. D. IGNACIO VARGAS,
Abogado de la Real Audiencia de este Reyno, de su Ilustre y Real Colegio, y de Pobres de esta Corte por Su Mag. [Q. D. G.]

Este se mandó recoger por el Govno. y está muy bien recogido.

CON PRIVILEGIO Y LICENCIAS NECESARIAS:
En México por los Herederos del Lic. D. Joseph de Jauregui, calle de Santo Domingo y esquina de Tacuba. Año de 1794.

PENSIL AMERICANO

FLORIDO EN EL RIGOR DEL INVIERNO,

LA IMÁGEN

DE MARÍA SANTÍSIMA

DE GUADALUPE,

Aparecida en la Corte de la Septentrional América México,

En donde escribia esta Historia DON IGNACIO CARRILLO Y PEREZ, hijo de esta Ciudad y Dependiente de su Real Casa de Moneda, año de 1793.

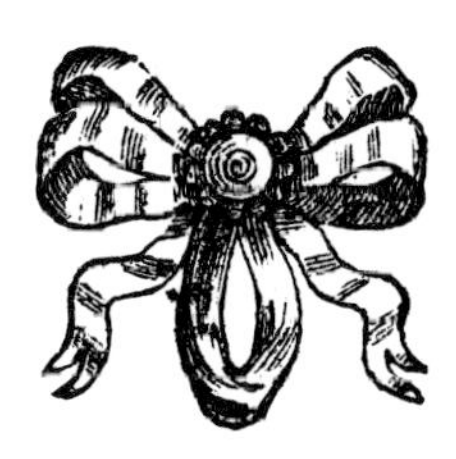

EN MÉXICO:
Por D. Mariano Joseph de Zúñiga y Ontiveros, calle del Espíritu Santo, año de 1797.

159 a 162. Portadas de diversas obras, impresas a finales del S. XVIII.

gen de Guadalupe (1801); José Mariano López Torres, con varios sermones (1810); Josefa Elvira Rojas y Rocha, *Sonetos a la Virgen de Guadalupe* (1805); Juan de Dios Uribe, quien escribe preciados versos sáficos (1807), etc., etc.

Uno de los prohombres nacionalistas, vehemente orador sagrado y poeta de no escasos méritos, fue el P. José Manuel Sartorio, párroco de San Miguel, de donde la multitud lo llevó paseando en triunfo por la ciudad, al ganar las elecciones de diputados en 1812. Sartorio escribió no menos de una docena de sonetos dedicados a la Virgen. Uno de ellos es el siguiente:

De Guadalupe aquella Imagen bella
Que México venera allá pintada,
De estrellas y de rayos adornada,
Modesta y graciosísima doncella.

¿Qué imagen es? Divina copia es ella,
De la Madre de Dios que penetrada,
De un dulce amor al darse retratada,
Estas voces parece que destella:

Indios queridos ved en este encanto
La hermosa prenda de un amor materno
Que a todo el orbe llenará de espanto:
¿Quién lo asegura? Mi labio tierno.
¿Quién concibió el diseño? El amor Santo.
¿Quién lo pintó después? El Dios eterno.[18]

Para cerrar esta primera parte, hemos de señalar que la gran poesía de carácter religioso consagrada a la Virgen de Guadalupe, no ha cesado. En nuestros días ese gran humanista que fue Gabriel Méndez Plancarte, compuso una *Oda Guadalupana*, notabilísima pieza poética. El P. Octaviano Valdés, es igualmente autor de un *Poema Guadalupano*, leído en la conmemoración del cincuentenario de la Coronación, en 1945.

3. LA ORATORIA SAGRADA

El sermón, maravilloso medio de comunicación por el que se transmiten toda serie de ideas, fue durante siglos el que formó e informó la conciencia de la sociedad occidental. Nada puede reflejar mejor la ideología predominante en determinados momentos que el sermón, transmisor de ideas sociales, políticas, económicas, filosóficas, morales, estéticas, como tan bien lo probó Bernardo Groethuysen en su precioso libro, *La Conciencia burguesa.* La Nueva España también tuvo, como tribuna de toda clase de ideas, al púlpito, y los sermones que tratan del tema guadalupano no son sólo ditirambo y alabanza, sino signo del cambio de los tiempos, pauta en la que encontramos en una coexistencia asombrosa, sentimientos estéticos, anhelos políticos, ratificaciones históricas, digresiones teológicas, etc. Muchos sermones se pueden mencionar y existen publicadas preciosas colecciones de sermones guadalupanos, como la que editó el editor poblano Narciso Bassols en 1890, en la cual recoge las piezas oratorias de José Patricio Fernández de Uribe, José María Diez de Sollano, Francisco Javier Miranda, Agustín Rivera, etc., y había que mencionar los pronunciados por don Agustín de la Rosa y Clemente de Jesús Munguía; y ya en nuestros días, por Luis G. Sepúlveda, José de Jesús Manríque y Zárate, Luis María Martínez, Angel María Garibay K., etc., etc.

Dentro de este riquísimo filón, permítasenos rastrear levemente y señalar la importancia ideológica de algunos de ellos. El pronunciado por Fray Servando Teresa de Mier y Guerra, uno de los más destacados predicadores de su época, en la Basílica el mes de diciembre de 1794, ante la presencia del arzobispo Núñez de Haro y Peralta, es por su trasfondo político uno de los más importantes. Mier, criollo radical, de acendrado nacionalismo que madura en sus producciones posteriores, al modificar intencionalmente la historia de las apariciones, no lo hace por no creer en ellas; sino porque quiere emplear el vínculo más fuerte de unión nacional; el símbolo mexicano por excelencia, el argumento mayor de la evangelización española, para declararnos independientes de España. La idea de Mier fue probar que la luz evangélica había llegado a México muchos siglos antes que los españoles, por lo cual éstos no tenían derecho alguno a dominarnos políticamente.

Esta argumentación heterodoxa, diferente de la tradicional, alarmó a tal grado a las autoridades eclesiásticas, que decretaron la expulsión de Mier de la Nueva España y su reclusión en un convento español. De ese momento arrancará la argumentación política e intensa que Mier hace, justificando la Independencia de México. No es por tanto el P. Mier un antiaparicionista como a menudo, con falacias pseudofilosóficas o argumentaciones que no penetran al fondo de su pensamiento, se pretende hacerlo pasar.

Al año siguiente de que el dominico P. Mier pronunció su sermón, se eligió como predicador al carmelita fray Francisco de San Cirilo. Al imprimirse el sermón de este predicador, en las licencias se decía que ese sermón se publicaba para "reparar el escándalo que contra su admirable Aparición pudo fomentar la ligereza y falta de reflexión del Orador del año antecedente". Y otro censor decía que serviría para rebatir "la ligereza de algunos espíritus inquietos". Estos dos censores no penetraron en el pensamiento de Mier, que llevaba intenciones de gran alcance político. El orador que sí pudo captar algo de las ideas de Mier, al concluir su sermón, imploró a la Virgen para que los mexicanos no formasen designios que no conviniesen a su voluntad. Ese anhelo de independencia no contradecía los deseos de la Patrona de México, sino los de las autoridades virreinales. Mier con su sermón, antes que Hidalgo, tomará a la imagen de Guadalupe como estandarte de nuestra independencia. Si él la enarboló como ideólogo, Hidalgo lo haría como revolucionario.

4. LA VIRGEN DE GUADALUPE A PARTIR DE LA REVOLUCION DE INDEPENDENCIA

La madurez de la conciencia nacional que aspiraba a una independencia ideológica y también política, desembocó en el movimiento emancipador. Profundas desigualdades socio-económicas que afligían a grandes núcleos de la sociedad; crisis agrícolas; cambios institucionales que gravaron no sólo a los más desheredados, sino a la clase criolla de mediana y alta posición; discriminación en la provisión de empleos civiles y eclesiásticos; difusión de ideales libertarios procedentes de la Ilustración y del Liberalismo; crisis de los sistemas políticos europeos y una coyuntura favorable provocada por la abdicación de los reyes españoles en favor de Napoleón Bonaparte y la invasión de España por las fuerzas francesas, originaron de consuno el movimiento emancipador, la revolución de independencia que estalló en la madrugada del 16 de septiembre de 1810 en el curato de Dolores.

El movimiento dirigido por Hidalgo, Allende y Aldama, que conmovió la Nueva España, tuvo sus antecedentes. En años anteriores en diversas regiones de México, conspiraciones y alzamientos preludiaron la rebelión de 1810. El cura de Dolores, Miguel Hidalgo encontró en el centro del país eco potente y dio a su movimiento el carácter de una revolución eminentemente social, la primera de este género en América.

Hacia estos años el nacionalismo mexicano tenía ya un símbolo, la Virgen de Guadalupe, que como afirma Ignacio Manuel Altamirano, estaba "robustecido por la universalidad y exaltado por la opresión, por lo cual iba a extender su influencia en la política y a dar bandera a los oprimidos".[19]

Por ello no es extraño que en la misma mañana del 16 de septiembre, al pasar por el Santuario de Atotonilco, el padre Hidalgo tomara como pendón una imagen de la Guadalupana que ahí había y la alzara como bandera. A partir de ese momento la Virgen de Guadalupe, aclamada por las multitudes que se sumaron al movimiento insurgente, se convirtió en el símbolo de la emancipación, en su emblema, protección y guía.

La fuerza que la Virgen de Guadalupe dió al movimiento insurgente, fue rápidamente apreciada por sus enemigos. Así, el obispo de Michoacán, Abad y Queipo, en el edicto de excomunión de 24 de septiembre de 1810, trató de arrebatar a los insurgentes la bandera que les fortalecía y señaló que era insultar a la religión y al rey, el que Hidalgo hubiera "pintado en su estandarte la imagen de nuestra augusta Patrona, Nuestra Señora de Guadalupe, y puéstole la inscripción siguiente: 'Viva la religión. Viva Nuestra Madre Santísima de Guadalupe. Viva Fernando VII. Viva la América y muera el mal gobierno.' "

El edicto de Abad y Queipo no contuvo la revuelta, al igual que las otras exclamaciones hechas en varias ciudades por diversos funcionarios.

Las autoridades civiles no iban a la zaga. El virrey Francisco Javier Venegas redactó un bando aparecido en la *Gaceta de México*, 21-28 de septiembre, en el que ante la fuerza de la revolución tuvo que darla a conocer al pueblo, señalando era producto de "alborotadores de la quietud pública" y asegurando pronto sería dominada e indica que los rebeldes "han llegado hasta el sacrílego medio de valerse de la sacrosanta imagen de Nuestra Señora de Guadalupe, patrona y protectora de este reino, para deslumbrar a los incautos con esta apariencia de religión, que no es otra cosa que la hipocresía impudente".

La Inquisición de México y el arzobispo Lizana, señalaron también, en sus escritos del 13 y 18 de octubre, la utilización "sacrílega" de la imagen por los insurgentes.

A más de la opinión de las supremas autoridades del reino, no faltaron las de sus satélites, las de los apoyadores de todo tiempo, quienes con argumentos especiosos trataban de mostrar que los insurgentes no deberían emplear como símbolo la imagen guadalupana.

Un abogado linajudo, consejero de las autoridades, don Agustín Pomposo Fernández de San Salvador —tío y tutor de la heroína Leona Vicario— en un escrito que tituló *Memoria cristiana política*, publicado en octubre de 1810, movido de su ardor realista, escribía, mintiendo, que los rebeldes destruian las iglesias, quemaban las imágenes y cometían toda suerte de atropellos. Uno de los párrafos de su escrito dice: "¡Santo Dios, cuál será el infernal furor con que miren arrojar a las llamas por las manos sacrílegas e impías, ese escudo de la protección del cielo, esa imagen amabilísima y sacrosanta de la reyna de los serafines, de la Madre tierna de los americanos, Santa María de Guadalupe. . ." y terminaba exclamando: "Españoles, americanos, europeos, indios, castas, hijos todos de Jesús y María: ¿tendréis fuerzas para ver pisar a Jesucristo y despedazar y quemar sus imágenes y las de su purísima Madre, hasta la Guadalupana?"

La actitud de don Agustín Pomposo, miembro del Colegio de Abogados, contrastaba con la del Dr. Miguel Guridi y Alcocer, quien el 13 de agosto de 1808, en el propio Colegio, había pronunciado un sermón de acción de gracias en el cual afirmaba que la Virgen de Guadalupe, Patrona del Colegio, "era nuestra patrona y la prenda del cielo que poseemos, por cuyo conducto nos derrama sus bendiciones".

Y ya en un tono menos serio, tampoco faltaron los que se lanzaban a un ruedo literario, en el que trataban de mostrar sus virtudes pseudopoéticas. Así, en noviembre de 1810 aparece una escaramuza poética, firmada con el seudónimo de Lic. Miguel Hidalgo Anticostilla, natural de tierra fuera, en la que señala que fue el diablo quien inspiró a don Miguel Hidalgo a tomar como bandera el estandarte guadalupano, con el fin de que la plebe lo ultrajara. Sus menguados versos que nos dan idea de todas las falacias de argumentación empleadas para contrarrestar la fuerza del símbolo guadalupano, dicen:

"Para traer las bestias a mi atajo
con más velocidad y sin trabajo,
preséntales la imagen. . .
a fin de que la ultrajen,
(aquí Luzbel escupe)
llamada Guadalupe,

y así vayan robando.
A la Virgen pondrán en tus banderas
y la imagen también del Rey Fernando,
y has de ver cuánto crece el fiero bando,
como río que rompe las riberas,
las calzadas y puentes,
aumentando en su curso las corrientes. . ."

También en noviembre de 1811, el Dr. Juan Bautista Díaz Calvillo, enemigo jurado de los insurgentes, reforzó el enfrentamiento político que se había iniciado, utilizando como actoras a dos advocaciones de la Virgen María, la de Guadalupe y la de los Remedios. Esta última traída por los conquistadores, era patrona de la ciudad, e imagen muy venerada por todos, pero dolosamente se le quiso enfrentar a la mexicana imagen, dando lugar a una ocurrente polémica en la que, ignaros panegiristas utilizaron para defender sus inmediatos y materiales intereses políticos, a las dos imágenes, enfrentándola en estéril y ridícula lucha.[20]

Episodio de este enfrentamiento fue la "Leva sagrada de patriotas marianas", auspiciada por la virreina, destinada a crear una milicia femenina encargada, se decía, de defender a la Virgen de los Remedios.

La Virgen de Guadalupe se afianzó en el ánimo de los mexicanos que deseaban su libertad y constituirse en país independiente y soberano. La revolución de independencia identificó de manera indisoluble a la nación mexicana con la Virgen de Guadalupe y representó de ahí en adelante, su bandera espiritual, a la par que el lábaro tricolor, su bandera política. De esta suerte, desde aquella luminosa mañana de septiembre de 1810, la imagen de la Virgen de Guadalupe ha acompañado al pueblo de México en todos sus goces y pesares.

Al año siguiente, el humilde parroco de Nocupétaro y Carácuaro, don José María Morelos, enviado por Hidalgo, su maestro, a revolucionar el sur de México, levanta el estandarte guadalupano, pone a sus fuerzas bajo su protección y honra la advocación imponiendo a uno de sus regimientos el nombre de Guadalupe, así como a la capital de la nueva provincia de Tecpan, que erige el 18 de abril de 1811, con el título de Ciudad de Nuestra Señora de Guadalupe. En esa población el 13 de julio, ordena se labre moneda de cobre para uso del comercio y emite también su importante decreto por el que detiene la guerra de castas, que se cernía como una amenaza del movimiento insurgente.

Ese mismo año, ante la derrota del ejército insurgente de Hidalgo y Allende en Calderón, su retirada al norte, la aprehensión de sus caudillos y la reorganización del gobierno independentista que realiza Ignacio López Rayón, surge en la ciudad de México, con amplias ramificaciones en el centro del país, la sociedad secreta de "los Guadalupes", destinada a apoyar con recursos pecuniarios y humanos, información, medicinas, etc., a las fuerzas insurgentes.

La sociedad secreta de "los Guadalupes", formada por iniciativa de numerosos patriotas entre otros, Juan Wenceslao Barquera, jurista y educador destacado, no sólo contó con el apoyo de López Rayón y de Morelos, sino que aglutinó a miles de mexicanos partidarios de la independencia, quienes aportaban a ese movimiento sus recursos, apoyo y colaboración de todo tipo. Nobles y aristócratas, gente de pueblo, mujeres, hombres y niños, eclesiásticos, juristas, médicos, se agruparon en torno de "los Guadalupes" quienes tuvieron una organización con doce jefes jerarquizados y cuya firma representaba, al igual que el nombre del grupo, un elemento relacionado con el culto y la imagen guadalupana. Así: señor Guadalupe No. 1, 2, etc. hasta el doce, y los nombres de "Serafín Rosier", que recordaban al ángel de la imagen y las rosas del milagro. La actuación de la sociedad de "los Guadalupes" permitió que los insurgentes estuvieran informados de todos los actos de las autoridades realistas; les posibilitó contar con una imprenta para publicar sus periódicos; favoreció que los grupos nacionalistas triunfaran en las elecciones de diputados a Cortes, de miembros de las Diputaciones Provinciales y el fortalecimiento de una conciencia

163. La inundación de la Villa de Guadalupe en 1812. Acuarela propiedad de la Real Academia de la Historia, Madrid. (49.5 × 33.5 cms.) Copia obtenida por su Correspondiente D. José Miguel Quintana.

cívica muy importante en el desarrollo político de México. Su actuación apoyó al ejército de Morelos y sólo disminuyó a partir de 1816, una vez sacrificado el caudillo en San Cristóbal Ecatepec, un nublado día de diciembre de 1815.[21]

A más de "los Guadalupes" identificados con el emblema nacional, las tropas insurgentes volcáronse en significar su adhesión a su culto y en mostrar orgullosamente como su protectora a la Virgen. Así, en el año de 1812, al describir un espía realista la entrada del ejército insurgente en Cuautla, señalaba que: "las repúblicas de todos estos pueblos se han declarado en su favor y traen la imagen de Guadalupe en sus sombreros". ¡Curiosa coincidencia! Un siglo después, al entrar las fuerzas libertarias de Emiliano Zapata en Cuautla y también en México, sus hombres llevaban en sus enormes sombreros, a guisa de símbolo protector, una imagen de la Virgen de Guadalupe.

Independientemente del fervor popular de los campesinos que integraban las tropas de la insurgencia, sus dirigentes afianzaban, en sus documentos legales, un guadalupanismo que representaba el símbolo de su lucha. En los "*Puntos de Nuestra Constitución*", que el licenciado López Rayón envió a Morelos el 7 de noviembre de 1812, en el número 33 señala:

"Los días 16 de septiembre en que se proclamó nuestra feliz Independencia, el 29 de septiembre y el 31 de julio, cumpleaños de nuestros generalísimos Hidalgo y Allende, y el 12 de diciembre consagrado a nuestra amabilísima Protectora Nuestra Señora de Guadalupe, serán solemnizados como los más augustos de nuestra Nación". Y en el número 34 leemos: "Se establecerán cuatro órdenes militares que serán: la de Nuestra Señora de Guadalupe, la de Hidalgo, la del Aguila y la de Allende, pudiendo obtenerlas los magistrados y demás ciudadanos beneméritos que se consideren acreedores a este honor". El punto 35 añadía: "Habrá en la Nación cuatro cruces grandes respectivas a las órdenes dichas".

Ese mismo año de 1812, al lanzar Morelos su proclama a los hijos de Tehuantepec, titulada: *Desengaño de la América y traición descubierta de los europeos*, escribió: "México espera, más que en sus propias fuerzas, en el poder de Dios e intercesión de su Santísima Madre que en su portentosa imagen de Guadalupe, aparecida en las montañas del Tepeyac, para nuestro consuelo y defensa visiblemente nos protege. Espera que esta Soberana Reina del Empíreo castigará vuestra insolencia y perfidia inaudita con que se está viendo ultrajada con lanzas y escarnecida con las sacrílegas voces de: "Aquí está ésta. . ."[22]

Como vemos, Morelos confesaba plenamente que la Virgen de Guadalupe era madre de quien los mexicanos recibían consuelo y defensa y quienes estaban obligados a evitar, que por los excesos de la guerra se agraviara e insultara nombre e imagen. En ese mismo mes de diciembre, el día primero, comunicaba a Rayón que la ciudad de Oaxaca había sido tomada por las fuerzas insurgentes y señalaba que ese triunfo "se debió a la Emperadora Guadalupana", a la que atribuia todas sus victorias. Y al regresar hacia Acapulco, Morelos nombró como intendente de la Intendencia de Nuestra Señora de Guadalupe de Tecpan, al mariscal Ignacio Ayala, quien a partir de ese momento expidió disposiciones como gobernador de esa provincia.

El 29 de julio de 1813, Carlos María de Bustamante que dirigía en Oaxaca el *Correo Americano del Sur*, publica en ese órgano insurgente un "*Memorial que un americano dirige al cielo por mano de Nuestra Madre Santísima de Guadalupe*", en protesta a los desmanes cometidos por las fuerzas de Gabriel Yermo y otros realistas, con los mexicanos, y los abusos de aquellos contra los pueblos indefensos. El mismo periódico, a finales de diciembre de aquel año, mencionaba igualmente cómo los insurgentes y sus partidarios habían celebrado solemnemente en Oaxaca las "portentosas apariciones de Nuestra Soberana Patrona María Santísima de Guadalupe".

El Congreso Nacional convocado por Morelos, para reunirse en Chilpancingo el mes de septiembre de 1813, mostró igualmente su filial devoción a Nuestra Señora. El día 13 designó como representante de la Provincia de Nuestra Señora de Guadalupe de Tecpan, al Lic. don José Manuel de Herrera, y reunido solemnemente el Congreso Insurgente en la ciudad de Chilpancingo, Morelos leyó en él uno de los documentos más trascendentales del movimiento emancipador, aquel que resume el ideario insurgente y que representó el cimiento más firme de la organización jurídico-política a que el país aspiraba.

En ese documento titulado *Sentimientos de la Nación,* en su artículo 19, el Generalísimo declaraba: "Que en la misma (Constitución) se establezca por ley constitucional la celebración del 12 de diciembre en todos los pueblos, dedicado a la Patrona de nuestra libertad, María Santísima de Guadalupe, encargando a todos los pueblos la devoción mensual"; y en el artículo 23 disponía se solemnizara también el 16 de septiembre y se recordara a Hidalgo y a Allende.

La elección que el Congreso dio a Morelos como Generalísimo, fue conocida y aplaudida en todo el ámbito insurgente. "Los Guadalupes" con ese motivo, escribieron a Morelos el 3 de noviembre de ese año de 1813, felicitándolo por su nombramiento.[23] Disuelto el Congreso y dirigidos los ejércitos a las provincias asignadas, Morelos partió con su contingente rumbo a su antiguo curato de Carácuaro. Ahí, en ese humilde pueblecillo, celebró solemnemente la fiesta del 12 de diciembre y trazó sus planes de las futuras campañas.

Por todas partes donde dominaban las fuerzas insurgentes, la glorificación a la Virgen de Guadalupe iba en aumento. Era invocada y considerada como protectora. Al elaborar los dirigentes a finales de 1814, el *Calendario Patriótico,* dispuesto por el Gobierno Insurgente para normar su actividad cívica y política al año siguiente, esto es en 1815, se señalaba como día festivo el 12 de diciembre y se indicaba que en ese año se cumplirían 284 años de la Aparición de la Virgen y 65 de la creación de la Colegiata.

El año de 1815 marca, con la muerte de Morelos, el decaimiento de la guerra insurgente que sólo se anima como una inmensa llamarada que surge de improviso y pronto se extingue, con la expedición en el año de 1817 de Francisco Javier Mina, a quien acompañaba fray Servando Teresa de Mier. Su fracaso no hizo desaparecer los anhelos de independencia, pues Pedro Ascensio, Vicente Guerrero y otros caudillos, mantuvieron en varias regiones del país prendida la antorcha de la libertad.

La existencia de grupos rebeldes en la Nueva España, a finales de la segunda década del siglo XIX; los cambios políticos operados en España; la resistencia de muchos grupos ultraconservadores a plegarse a las instituciones liberales; la creencia de buena parte de la sociedad de que resultaría benéfica para México la separación de España y la honda presión de grandes núcleos de gente de campo que anhelaba un cambio sustancial en su vida, movió a criollos importantes dentro de la milicia virreinal a conseguir la independencia de México, pactando con los núcleos insurgentes. Esta es la razón por la cual Agustín de Iturbide, nombrado Jefe de las armas del sur, se puso en contacto con Vicente Guerrero, conviniendo ambos en sumar sus fuerzas para consumar la Independencia, lo cual logran hacer en el año de 1821.

Entre tanto ocurría esto, la veneración a la Virgen de Guadalupe continuaba. Uno de los patriotas más esclarecidos, don Miguel Guridi y Alcocer, tlaxcalteca de origen, cura en varias parroquias, diputado a Cortes y hombre de letras, quien ya en el año de 1808, luego de incorporarse al Colegio de Abogados, pronunció en solemne función, notable sermón en honor de la Virgen de Guadalupe; escribió y publicó en el año de 1820 la *Apología de la aparición de Nuestra Señora de Guadalupe,* famosa pieza literaria y consistente obra histórica, en la cual, a más de rebatir los argumentos antiaparicionistas de Juan Bautista Muñoz, hace una defensa enérgica y reciamente fundada de la historia de las apariciones. La *Apología* que le valió una distinción de la Real y Pontificia Universidad de México, a más de penetrar historiográficamente en numerosas fuentes con certeza y conocimiento, revela el espíritu guadalupanista y nacionalista de los hombres que dirigían los destinos de México, pues Guridi y Alcocer a más de ser canónigo de la catedral, fue miembro del Congreso Constituyente y prominente político.

El mes de febrero de 1822, el Gobierno Imperial y el Cabildo de la ciudad de México, decretan conceder el título de ciudad a la Villa de Guadalupe, dándole el nombre de Guadalupe Hidalgo.

Instalado Agustín de Iturbide en el trono, instituye la Orden Imperial de Guadalupe, cuyos estatutos son aprobados el 20 de febrero de 1822 y ratificados por el Congreso el 11 de junio siguiente.

En la ceremonia de inauguración de la Orden Imperial de Guadalupe, una copia de la imagen tocada a la original, fue llevada al salón de sesiones del Congreso en Palacio, donde permaneció largos años.

Reunido el Congreso Constituyente el 12 de agosto de 1822, decretó que el 12 de diciembre "seguirá siendo fiesta de tabla y de corte", esto es, muy solemne y obligatoria.

Al abdicar Iturbide, antes de abandonar México, depositó ante el altar de la Virgen su bastón de Generalísimo. El Congreso, en ese año de 1824, declaró se considerara como fiesta nacional el 12 de diciembre. Establecida la República y al elegirse su primer presidente, el afortunado fue un antiguo insurgente, quien había trocado su nombre de Félix Fernández, por el de Guadalupe Victoria, y quien autorizó que a uno de los primeros buques de la armada mexicana se le diese el nombre de "El Tepeyac".[24]

Cabe aquí indicar cómo esta veneración hacia la advocacion de Nuestra Señora de Guadalupe, sublimada por el sentimiento patriótico, este amor desbordado a "la Emperadora", "la Patrona", "la Protectora" de los mexicanos auténticos, de los criollos, indios y mestizos, las castas inclusive, acrecentó la universalización de su devoción y su culto. El fervor que despertó como símbolo de una nación que, alcanzada su madurez, necesitaba mostrarse ante el concierto de las naciones, fue tal que su culto y veneración cundió por todas las regiones del país, que la proclamaron como auténtica madre y protectora. La conciencia general de los mexicanos la llevó, sin declamaciones oficiales como las del Patronato del siglo anterior, a la categoría de Patrona Universal, de protectora de la nacionalidad. Ese consenso espiritual la elevó a una categoría superior de todas las advocaciones marianas existentes en el país. Estas se mantuvieron y crecieron también en la medida en que su culto se amplió pero todas ellas quedaron en cierta medida supeditadas, por una aceptación espiritual y emocional, a la de Nuestra Señora de Guadalupe. Así, las devociones regionales muy fuertes, necesarias y de amplia extensión, fueron superadas, no desestimadas ni suprimidas, por la devoción nacional guadalupana.

Habiendo concluido Guadalupe Victoria su periodo presidencial pacífica y ordenadamente, fue seguido por el viejo y fiel caudillo revolucionario, Vicente Guerrero. Desorden interior y amenazas del exterior tuvo que sortear Guerrero, entre otras la invasión que dirigida por el brigadier Isidro Barradas, trataba de sojuzgar nuevamente a México. Las fuerzas nacionales dirigidas certeramente por los generales Manuel Mier y Terán y Antonio López de Santa Anna, vencieron a los invasores. Sus banderas fueron llevadas como trofeos de guerra a la ciudad de México y de ahí conducidas, por órdenes del Presidente, al Santuario de Guadalupe. Lorenzo de Zavala narra en su *Ensayo Histórico de las Revoluciones de México*, cómo "los oficiales Mejía, Stavoli, Woll y Beneski", las llevaron a los pies de la Virgen, "cuya imagen había sido entre los insurgentes el *Labarum maravilloso* de los tiempos de su primer movimiento nacional. Nada faltó a esta augusta ceremonia, viéndose entonces la calzada que se extiende desde México hasta la Villa de Guadalupe Hidalgo, cuya extensión es de tres millas, cubierta de un gentío inmenso, que saludaba a don Vicente Guerrero con aclamaciones de una alegría sincera, y si me es lícito decirlo así, *legítima*".[25]

Al fallecer en el año de 1830 el Lic. Miguel Domínguez, ex Corregidor de Querétaro, fue sepultado por disposición suya y de la familia, en la iglesia del Pocito el 22 de abril. Al morir ocupaba el alto cargo de magistrado de la Suprema Corte de Justicia. Otros ilustres mexicanos años más tarde, serían igualmente sepultados en el Panteón de la Villa, que ahí se creó.

Esta nueva demostración del amparo que la Virgen otorgaba a los mexicanos, librándolos de sus enemigos que intentaban dominarlos, aumentó al aproximarse el año de 1831, en que se cumplían trescientos años de las apariciones. Solemnísimas festividades se organizaron en aquella ocasión en la cual el júbilo popular se desbordó por todo el país. Ceremonias oficiales y religiosas, con las que alternaba el fervor popular, recordaron la fecha memorable.

En la oportunidad de esa celebración un poeta anónimo que se decía párroco del arzobispado, compuso un *Himno Guadalupano*, que ya contiene tintes nacionalistas y al que se puede considerar como el primer himno de carácter nacional consagrado a la Virgen.

En la capital mexicana creóse una Junta Guadalupana, cuyo principal promotor fue el ilustre insurgente, notable escritor, destacado periodista, diputado permanente y fervoroso guadalupano, Carlos María de Bustamante. A más de escribir dos voluminosos estudios destinados a desmentir al cronista Juan Bautista Muñoz, y que publicó años más tarde en 1840 y 1843, Bustamante, movido por el entusiasmo del tercer centenario editó un *Manifiesto de la Junta Guadalupana a los mexicanos*, en el cual resume las demostraciones de amor que el pueblo hace a su protectora, a la que se debe honrar con motivo de su milagrosa aparición.

En los años subsecuentes el símbolo guadalupano fue usado con finalidades políticas. Las logias masónicas que se disputaron la primacía política, emplearon designaciones referentes a la Guadalupana, para distinguir sus grupos. Los yorkinos señalados como radicales antiespañoles, denominaron a uno de sus grupos, como señala Altamirano, con el nombre de "India Azteca".[26]

Poco tiempo después de que Carlos María de Bustamante publicara sus refutaciones a Muñoz, otro mexicano igualmente nacionalista y antiespañol, escribió *La Aparición de Nuestra Señora de Guadalupe.* Don J. Julián Tornel y Mendivil hace en este libro aparecido en 1849, cálida defensa de las apariciones de México y adopta una actitud contraria a los españoles.

Uno de los hombres que tuvo el destino del país en sus manos en diversos periodos, que lo defendió en ocasiones valerosamente, pero en muchas otras actuó con enorme desacierto, el general Antonio López de Santa Anna, el 11 de noviembre de 1853, restableció la Orden de Guadalupe y él mismo se autodesignó Gran Maestre de la misma. Este restablecimiento temporal fue convalidado el 10 de abril de 1865, por el Gobierno de Maximiliano quien, al modificar los estatutos, decretó que la Orden tendría 500 caba lleros; 200 comendadores; 100 Grandes Oficiales y 30 Grandes Cruces. Tanto en esta ocasión como en la de Santa Anna, las designaciones recayeron en personas sin ningún apoyo popular, muchas de carácter aristocratizante y ajenas por completo a los anhelos del pueblo. La idea esbozada por el licenciado López Rayón de incorporar en ella a los mexicanos distinguidos y premiar su auténticos méritos en favor de la patria, no encontró una continuidad en la creación de la Orden de Guadalupe realizada por Iturbide, Santa Anna y Maximiliano.

Otros destacados mexicanos, dirigentes del pensamiento de grandes núcleos, distinguidos por sus estudios, conducta y amor a Mé-

ODA

EN GLORIA Y ALABANZA

DE NUESTRA MADRE Y SEÑORA

DE GUADALUPE,

POR LOS SEÑALADOS FAVORES

CON QUE NOS REGALA,

Y ESPERAMOS NOS CONTINUE,

ESPECIALMENTE

EN LAS CIRCUNSTANCIAS DEL DIA.

POR EL DR. DON FRANCISCO ALONSO Y RUIZ DE CONEJARES.

MEXICO: EN CASA DE ARIZPE

AÑO DE 1810.

APOLOGIA

DE LA APARICION

DE

NUESTRA SEÑORA

DE GUADALUPE

DE MÉJICO,

EN RESPUESTA

A LA DISERTACION QUE LA IMPUGNA.

SU AUTOR

EL DR. D. JOSÉ MIGUEL GURIDI

Alcocer, Cura del Sagrario de la Catedral de dicha ciudad.

MÉJICO: AÑO DE 1820.

En la oficina de Don Alejandro Valdes, calle de Santo Domingo.

DEFENSA

GUADALUPANA

ESCRITA

POR EL P. DR. Y MTRO.

D. MANUEL GOMEZ MARIN,

PRESBÍTERO DEL ORATORIO

DE S. FELIPE NERI DE MÉJICO,

CONTRA LA DISERTACION

DE D. JUAN BAUTISTA MUÑOZ.

MÉJICO, 1819.

EN LA IMPRENTA DE D. ALEJANDRO VALDES, CALLE DE SANTO DOMINGO.

MANIFIESTO

DE LA JUNTA GUADALUPANA

A LOS MEXICANOS,

DISERTACION HISTORICO-CRITICA

SOBRE LA APARICION

DE

NUESTRA SEÑORA

EN TEPEYAC:

ESCRITA POR EL LICENCIADO

DON CARLOS MARIA DE BUSTAMANTE,

DIPUTADO AL CONGRESO DE LA UNION,

POR EL ESTADO LIBRE DE OAXACA.

MÉXICO.

OFICINA DEL C. ALEJANDRO VALDÉS, A CARGO DE J. M. F.

1831.

164 a 167. Portadas de diversas obras del primer tercio del S. XIX.

xico, don Agustín de la Rosa y don Clemente de Jesús Munguía, obispo de Michoacán, pensador profundo que supo discutir en un plan de altura con los reformistas mexicanos, produjeron en estos años algunas obras y sermones de gran sentido guadalupano. Poco más tarde, hacia 1887, insigne guadalupanista don Fortino Hipólito Vera, iniciara su serie de estudios de gran valor científico, en torno de la aparición de Nuestra Señora y el inicio y desarrollo de su culto. Su *Tesoro Guadalupano* es de 1887.

Los liberales, en su mayor parte creyentes, aún cuando algunos hayan sido anticlericales, mostraron su afecto y respeto a la Guadalupana. Al triunfo de la Revolución de Ayutla contra Santa Anna, el Patriarca del sur, Juan Alvarez, y don Ignacio Comonfort, asistieron a solemnes ceremonias en la Villa. El gobierno liberal de don Benito Juárez, al trasladarse a Veracruz y formular el calendario de fiestas obligatorias, conservó la del día 12 de diciembre y así lo decretó el 11 de agosto de 1859. Y el año de 1861, al decretarse la nacionalización de los bienes de la iglesia, numerosos objetos de valor que se habían recogido del templo de la Virgen, fueron devueltos por órdenes expresas del Presidente Juárez.

Uno de los liberales de espíritu más puro, de mayor influencia política e ideológica, hombre respetado por su labor orientadora de la sociedad mexicana y de enorme reputación en el campo de las letras, Ignacio Manuel Altamirano, nacido en Tixtla, de familia indígena y elevado a los puestos más destacados en el mundo intelectual y político, escribió en 1880 uno de los estudios más documentados y serenos en torno a la Virgen de Guadalupe. Ese lúcido trabajo que apareció en 1880 en el periódico *La República* y que después recogió en su preciosa colección de *Paisajes y Leyendas. Tradiciones y costumbres de México,* bajo el título de *La fiesta de Guadalupe,* representa el estudio más importante escrito por un intelectual liberal, de la calidad espiritual y mental de Altamirano. Es el estudio de un patriota que ha alcanzado extraordinaria madurez mental y que reflexiona en torno a la historia guadalupana con respeto y admiración. Este trabajo debe ser considerado como la expresión más alta del espíritu liberal que, lleno de admiración, tenía que confesar la grandeza del fenómeno guadalupano. No es la mente de Altamirano la del hombre de iglesia, ni la del apologista entusiasta, ni la del humilde y sencillo devoto, sino la del ser especulativo, del filósofo, del sociólogo, la del hombre con gran experiencia en el desarrollo político y social del país, la del profundo conocedor de la historia mexicana y es por ello que su testimonio adquiere un gran valor. Para mostrarlo espiguemos algunas de sus afirmaciones.

En el inicio de su trabajo nos dice: "Si hay una tradición verdaderamente antigua, nacional y universalmente aceptada en México, es la que se refiere a la aparición de la Virgen de Guadalupe.

"Ella ha dado origen al culto más extendido, más popular y más arraigado que haya habido en México, desde el siglo XVI hasta hoy, y ha hecho del Santuario del Tepeyac, el primer santuario de nuestro país . . .

"Es tradición tan antigua que algunos como el venerable P. Sahagún, han creído ver en ella solamente la continuación de una tradición religiosa azteca modificada.

"Es tan nacional que no hay en la República, ciudad grande o pequeña, aldea o villorrio, que no la celebre con grandes fiestas; ni mexicano por ignorante que sea, que no la conozca. No sería imposible encontrar en los lugares más apartados del centro del país o en las montañas en que viven retraídas y melancólicas algunas tribus dispersas, quien ignorase que nuestra nación es independiente, que tenemos un gobierno republicano, que hay una constitución que nos rige, que el Presidente de la República se llama Don Fulano de Tal, o que el Gobernador del Estado, Don Mengano, pero es seguro, segurísimo, que no hay nadie, ni entre los indios más montaraces, ni entre los mestizos más incultos y abyectos, que ignore la *Aparición de la Virgen de Guadalupe.*

"Y es tan universalmente aceptada la tradición y tan querida, que en ella están acordes no sólo las razas que habitan el suelo mexicano, sino lo que es más sorprendente aún, todos los partidos que han ensangrentado el país por espacio de medio siglo, a causa de la diferencia de sus ideas políticas y religiosas. Ellos habrán podido lanzarse al campo de la guerra civil para defender las excelencias del sistema central, monárquico o federal; ellos habrán podido destrozarse para sostener o atacar la inmunidad de los bienes eclesiásticos y las Leyes de Reforma dadas por Juárez; ellos habrán agitado a la República para derrocar a un gobernante y elevar a otro; ellos en fin, se habrán subdividido en facciones personales llenas de odio y en facciones locales mezquinas y turbulentas, pero, en tratándose de la Virgen de Guadalupe, todos esos partidos están acordes y, en último extremo, en los casos desesperados, el culto a la Virgen mexicana es el único vínculo que los une. No es ésto todo: la profunda división social que se produjo naturalmente a causa de la conquista española y la consiguiente clasificación de razas y de castas que estableció el dominio colonial, y que no ha sido posible extirpar en tan poco tiempo, desaparece también solamente ante los altares de la Virgen de Guadalupe. Allí son iguales todos; mestizos e indios, aristócratas y plebeyos, pobres y ricos, conservadores y liberales. Es la única vez (con excepción de las leyes de la naturaleza), en que el pueblo de México soporta verdaderamente la ley de la igualdad. En las demás hay bellas teorías, pero en la práctica no pueden aclimatarse. Respecto de la que hay en el culto a la Virgen, se aclimató desde el siglo XVI y los autores de ella, a lo que dice la tradición, fueron el obispo español Zumárraga y el indio Juan Diego, que comulgaron juntos en el banquete social, con motivo de la Aparición, y que se presentan en la imaginación popular, arrodillados ante la Virgen en la misma grada."[27]

Y al finalizar su bien informado estudio, Altamirano escribe las siguientes reflexiones que cada día tienen mayor vigencia:

"Los mexicanos adoran a la Virgen de consuno, los que profesan ideas católicas, por motivos de religión; los liberales por recuerdo de la bandera del año diez; los indios, porque es su única diosa; los extranjeros, por no herir el sentimiento nacional y todos la consideran como un símbolo esencialmente mexicano.

"Nada recuerda tanto a la patria en el extranjero, dicen todos los viajeros mexicanos, como la imagen de la Virgen de Guadalupe. El P. Guzmán, que viajó por Palestina hace muchos años, se echó a llorar oyendo a un turco, doméstico en el convento del Santo Sepulcro de Jerusalén, que se puso a cantar en español este verso de boleras, que probablemente le enseñó algún fraile que había ido del convento de San Fernando de México a residir en aquel remoto lugar:

'Las morenas me agradan
desde que supe,
que es morena la Virgen
de Guadalupe.
Vamos andando
a la fábrica nueva
de San Fernando.'

"Las fiestas cada vez se celebran con igual pompa; es difícil encontrar una familia mexicana en que no haya una persona del sexo femenino y aún del masculino, que se llame Guadalupe, y no hay nadie que no evoque algún recuerdo al pronunciar este nombre. El día en que no se adore a la Virgen del Tepeyac en esta tierra, es seguro que habrá desaparecido, no sólo la nacionalidad mexicana, sino hasta el recuerdo de los moradores del México actual."[28]

Esta notable opinión es la que la mayor parte de los liberales mexicanos ha sustentado. Manifestada por uno de sus más singulares representantes, tiene un gran valor. "La creencia y el culto —como reconocía Altamirano— se habían consolidado; nadie se mete a contradecirlo, ni hay para qué," afirmaba. Y efectivamente, hasta ese momento todo cuanto se producía en torno a la Virgen, no hacía otra cosa sino acrecentar la devoción.

Otro destacado liberal, del grupo de los puros, y quien ejerce enorme influencia política y es considerado a la vez como un patriarca de las letras patrias, Guillermo Prieto, en su *Romancero Nacional,* publicado el año de 1885, para "excitar el amor a la Patria y la veneración a nuestros héroes", y escrito sacrificando la metáfora seductora, la alegoría brillante y el apóstrofe conmovedor, al tono de plática y al relato sabroso, pero humilde, del calor del hogar, en varios de sus romances hace alusión al pendón guadalupano levantado por Hidalgo, quien a más del estandarte, llevó en varias ocasiones, entre otras en Acámbaro en octubre de 1810, una banda cruzada al pecho con una imagen de la Virgen de Guadalupe.

Así en el *Romance de Dolores,* en su última parte dice:

En Atotonilco el Grande
La previsión del caudillo
se apodera de la Imagen
Sagrada que en Guadalupe
Hízose erigir altares.
Y "Este es, oh pueblo —le dice—
Este será tu estandarte;
Ella es amparo del indio,
Ella es del indio la madre.
Ella hasta México mismo,
Nos conducirá triunfantes"
A las palabras de Hidalgo
como que los cielos se abren;
"¡Que viva la Santa Virgen!"
repiten montes y valles.

Y en el *Romance Segundo de San Miguel el Grande,* escribe:

"Lleva Hidalgo el estandarte . . .
de su pueblo a la cabeza,
por la dilatada plaza
entusiasta lo pasea,
y desde el mesón mentado
que alto en la plaza descuella,
en voces tan elocuentes,
con expresiones tan tiernas
a los pueblos felicita,
por la protección excelsa,
que cual lloraron los hombres
llorado hubieran las piedras,
si entendieran lo que dijo
y si corazón tuvieran.
Padre proclaman a Hidalgo,
Jefe y norte de la empresa,
y el Cura, llorando entonces,
se abrazó de su bandera."

Pocos años después, en 1888, se publicó una carta personal que ilustre historiador católico dirigió al arzobispo de México, informándole lo que sabía de la historia de las apariciones. Joaquín García Icazbalceta, racionalista, historiador, científico, siguiendo los pasos del cronista español Juan Bautista Muñoz, desestimó los testimonios históricos existentes, la tradición, y con ello abrió nueva polémica. Su trabajo ha sido refutado por numerosos escritores que han mostrado sus insuficiencias. La crítica histórica posterior ha aportado muy importantes trabajos reveladores, no sólo de la devoción a la Virgen de Guadalupe, sino del interés, de la inteligencia, de la capacidad de historiadores, literatos, teólogos, hombres de ciencia, por explicar el hecho de las apariciones y el siempre creciente culto de la Virgen. Después de la *Carta* de García Icazbalceta, que ha sido enarbolada como bandera anticlerical, ningún estudio antiaparicionista serio ha aparecido; en cambio, la literatura guadalupanista se ha enriquecido dejándonos los excelentes estudios de Jesús García Gutiérrez, Mariano Cuevas, Alfonso Junco, Alfonso y Gabriel Méndez Plancarte, José Bravo Ugarte, Fidel de J. Chauvet, Luis Medina Ascensio, Antonio Pompa y Pompa, Primo Feliciano Velázquez, Rafael Montejano y Aguiñaga, Angel María Garibay, José Vasconcelos, Rodolfo Usigli, Xavier Icaza, y muchos otros más, en quienes la sapiencia no mengua ni la fe, ni el reconocimiento de un hecho profundamente espiritual, como es el guadalupanismo.

168. Litografía de Murguía, a partir de un dibujo de L. Garcés, que adorna el Officium Parvum Beatae Mariae Virginis, *publicado en ocho idiomas por José M. Lara, México, 1870.*

El año de 1895, el episcopado mexicano obtuvo la autorización pontificia para coronar solemnemente la Imagen de la Virgen. Reconstruido su santuario, la coronación efectuóse el 12 de octubre de aquel año, con grandes festejos en los que el pueblo volcó su devoción. Testimonio del reconocimiento de los mexicanos quedó en el *Album de la Coronación*, que preparó diligente y eficazmente el notable bibliógrafo e historiador, doctor Nicolás León. El santuario se enriqueció con un nuevo altar diseñado por el notable pintor Salomé Pina y el arquitecto Francisco Agea.

La separación de la Iglesia y el Estado, surgida de las leyes reformistas, impidió desde el año de 1867, como sostiene Altamirano, que las autoridades civiles participaran en las celebraciones y que asistieran como anteriormente, a ceremonias religiosas, pero no impidió se diera un entendimiento cordial sólo turbado en algunas ocasiones.

5. EL GUADALUPANISMO A PARTIR DE 1910

La Revolución Mexicana surgida de un justo anhelo del pueblo por gobernarse democráticamente y mejorar sus condiciones de vida, lanzó a una larga lucha a grandes contingentes obreros y campesinos. De nuevo los campos de México se ensangrentaron y vieron transcurrir por el país a millares de hombres luchando por sus ideales políticos, sociales y económicos; pero la mayor parte de ellos, amparada en esa lucha justa, por su inmensa fe en la Virgen de Guadalupe. Ya señalamos cómo en esta ocasión, igual que había ocurrido en 1810, los pueblos entraban a las ciudades y villorrios portando en sus enormes sombreros la imagen guadalupana.

La lucha política radicalizó muchas opiniones y creó un enfrentamiento con la Iglesia, que se superó hasta después de los años treinta; pero aún en los momentos de mayores crisis no cesó el culto guadalupano. Al llegar el año de 1931 se efectuaron urgentes reparaciones en el templo, las cuales se prolongaron hasta 1938.

Con motivo de la celebración del Cuarto Centenario de las apariciones, el pueblo entero de México volcó su fe y celebró jubilosamente el hecho. Nuevos testimonios quedaron de esos jubileos, el *Album Histórico Guadalupano,* del Padre Mariano Cuevas, que aportó nueva documentación guadalupana y poco más tarde, el *Album Guadalupano,* preparado por Antonio Pompa y Pompa. Nuevos trabajos históricos, producto de serias investigaciones, como el de Primo Feliciano Velázquez, los del P. Jesús García Gutiérrez y otros más, acrecentaron la bibliografía guadalupana, ya bastante crecida como mostró el Lic. Rafael Montejano y Aguiñaga en sus *Notas para una bibliografía Guadalupana.*

En el año de 1945 se conmemoró el Cincuentenario de la Coronación de la Imagen. Para entonces, las obras de reparación del Santuario habían concluido y también estaba casi lista la calzada de Guadalupe, que desde Peralvillo conduciría los peregrinantes al templo, obra que prohijó e inauguró el Presidente Miguel Alemán.

Con motivo del Cincuentenario, el Cabildo de Guadalupe solicitó del Pontífice el envío de un delegado suyo. Pío XII comisionó al Cardenal Arzobispo de Quebec, Rodrigo de Villeneuve, para asistir a las ceremonias y él mismo envió un mensaje, escuchándose por radio la voz del Santo Padre. En esa oportunidad, destacados intelectuales hicieron profesión de su fe guadalupana. Ensayos históricos como los de Alfonso Junco; poemas como los de José María Gurría Urgel, Gabriel Méndez Plancarte, Rafael Bernal, Octaviano Valdés; artículos periodísticos en los que René Capistrán Garza planteaba la síntesis nacional en el culto de Guadalupe; compositores como Miguel Bernal Jiménez, quien compuso dos misas para esa oportunidad: la *Aeterna Trinitatis* y la *Juan Dieguito;* o como don Cirilo Conejo Roldán, maestro de capilla de la Catedral de Querétaro y autor de la misa, *Solemnis Guadalupensis Jubilaei,* cantada como las anteriores, en esta ocasión. Grandes conjuntos vocales e instrumentales, dirigidos por don José María Villaseñor y don Martín Villaseñor, ejecutaron tanto música mexicana, como la de los grandes maestros europeos.

Culminación de ese entusiasmo fue la proclamación de Nuestra Señora de Guadalupe, como Trono de Sabiduría en América, idea que surgió del P. Alfonso Castiello y que apoyaron los estudiantes de la ACJM, a la cabeza de los cuales estaba Enrique Ramos Valdés.

José Vasconcelos, el gran filósofo y educador mexicano, escribió en esa oportunidad un penetrante artículo que tituló: *Significado del Trono de la Sabiduría*. De este artículo destaquemos algunos párrafos:

"La aparición domina, contiene y aplaca a los vencedores; les recuerda lo que no comprendió jamás el pagano y es la ley del soldado de Cristo: que la victoria impone responsabilidades y que no la merece quien no la usa para engrandecer y redimir. La aparición, al mismo tiempo, despeja el ánimo de los vencidos, les aleja la congoja y les entrega el tesoro inagotable de la esperanza. Lo más señalado de la aparición es que no se produce por intermedio de un español, de un representante de la raza superior, sino que recae en un indio, humilde símbolo del vencido y lo levanta. Eleva al ignorado Juan Diego por encima de los capitanes y de los obispos y lo convierte en el elegido de la Gracia. Desde entonces el indio quedó ungido. Podrá el encomendero usar de su fuerza, pero nada borrará de su conciencia de amo, el remordimiento de estar ofendiendo, en los indios, a hijos recién adoptados del Cielo". Y al término de su escrito añade: "La ciencia necesaria para vencer la heterogeneidad racial de un pueblo; el secreto de la paz y la dicha de un destino nacional; todo esto se halla contenido en el mensaje del Tepeyac, que es mensaje de amor, no humanista, sino sobrenatural, amor en Cristo".[29]

La conciencia del mexicano que se revitaliza con las conmemoraciones, después de aquellos años, ha continuado produciendo serias reflexiones en torno de las apariciones y del culto guadalupano.

No sólo los hombres piadosos han tenido al asistir a las conmemoraciones guadalupanas, sentimientos reveladores de la fuerza incontenible y sincera que de ellas brota, sino también personajes de vida pasional intensa, actores en acciones políticas revolucionarias, pero dotados de gran sensibilidad, de penetración espiritual y psicológica. Uno de ellos, ser polifacético pues fue escritor, pintor, líder, viajero, etc. fue Gerardo Murillo, llamado el Dr. Atl.

A más de autor de numerosos, amenos y apasionantes libros, de una acción política radical en la Casa del Obrero Mundial, en la que figuró relevantemente, el Dr. Atl es considerado uno de los más grandes pintores del México actual. Si en el paisaje debemos considerarlo como el artista que revoluciona la técnica que había dejado establecida José María Velasco, fue igualmente soberbio retratista.

En uno de sus escritos, al describir una peregrinación del Estado de Oaxaca a la Villa allá por el año de 1945, dice con sincera emoción, no sólo estética sino sociológica y política:

"En treinta años esta ha sido la primera manifestación de virilidad y de cohesión que ha dado el pueblo de México, que no sólo ha respondido sino evidenciado su sentimiento místico.

"Yo he contemplado en primer lugar la formidable fe de los peregrinos, hombres, mujeres y niños, que no sólo llenaba de fuerza sus rostros, y sus ademanes, sino que saturaba la atmósfera de las calles y los alrededores de la Basílica.

"El espectáculo que ofrecían los peregrinos a la Villa de Guadalupe, se puede considerar único en el mundo. Yo he asistido a verdaderas explosiones religiosas en las solemnes funciones papales, en la Basílica de San Pedro de Roma y otras grandes festividades en la India, y nunca vi una potencia espiritual tan grande como la que está iluminando durante tantos días, la Virgen de Guadalupe.

"¡Qué belleza!, ¡qué carácter! ¡y qué revelaciones encumbradas de toda aquella muchedumbre iluminada por el más extraordinario y puro misticismo! Mientras la muchedumbre tenía un carácter indio, era mayor su belleza y su serenidad extraordinaria.

"Entre todas las peregrinaciones, una se distinguió bajo todos los aspectos, la oaxaqueña. ¡Qué tipos!, ¡qué vestidos!, qué rostros lejanos, venidos de un pasado lleno de misterios, que se convierten milagrosamente en radiaciones luminosas!

"Esas mujeres de Oaxaca, con su marcado tipo zapoteca, vestidas con elegancia indígena, representaban todo el arte extraño de la mitología indígena, revestida de un esplendor que ya no estamos acostumbrados a contemplar.

"Yo tuve la impresión de que los ídolos del Museo Nacional surgían de la muerte y salían a la luz a rendir culto y homenaje a la Virgen del Tepeyac; eran los antiguos fieles de Tonantzi, revestidos de magnificencia imperial.

"Pero aparte de todo este esplendor, que pudiera tener un carácter estético-espiritual, estos homenajes extraordinarios nos llevan al convencimiento de que en México existe un profundo sentido racial, capaz de producir el milagro de una completa cohesión nacional, único medio de poder salvar a la Patria de un desastre definitivo.

"La evidencia de este hecho es de tal manera tremenda, que he sentido la necesidad, yo, que soy el hombre más ANTI-RELIGIOSO DEL UNIVERSO, de crear un poderosísimo partido católico en nuestro país, ya que sería el único que podría representar la conciencia de la Nación y de ponernos en condiciones de empezar a ser un país consciente y civilizado".[30]

Podría decirse apresuradamente que la Virgen de Guadalupe sólo ha ejercido su influencia espiritual e intelectual entre los mexicanos, mas esa afirmación es errónea. A lo largo de su historia vemos cómo ha actuado tanto sobre los naturales del país, indios, mestizos y criollos, como sobre los peninsulares, los españoles y otros europeos. Si en su aparición estuvieron presentes los elementos que componen nuestra nacionalidad, Juan Diego el indígena y Zumárraga el ibero, esa confluencia de la doble estirpe ha continuado manifestándose. Ya señalamos cómo un europeo, Lorenzo Boturini, italiano de origen, fue el primer promotor de su coronación y un entusiasta de su historia; cómo el P. Vicente López escribió los más bellos himnos sacros en su honor, etc. Ahora añadiremos que otro gran escritor, trasterrado, de enorme sensibilidad, Juan Larrea, cuya acción cultural en México fue tan positiva, en uno de sus más importantes libros, *Rendición de Espíritu,* publicado por Cuadernos Americanos en 1943, al intentar una interpretación del Nuevo Mundo, escribió sugerentes páginas en torno de la formación espiritual de América y en concreto de México, estableciendo importantes referencias con la historia religiosa española.

Al recordar Larrea la aparición escribe: "Cundió la noticia del prodigio. Alborotáronse los medios eclesiásticos, construyóse el templo pedido, afirmó el Papa solemnemente que jamás la Virgen había hecho otro tanto con nación alguna y desde entonces la influencia esipiritual de la imagen no ha dejado de ir creciendo. Símbolo mexicano por excelencia, la Virgen de Guadalupe presidió cerca de tres siglos más tarde, las operaciones de emancipación nacional, y no obstante su carácter religioso, amparó algunos movimientos revolucionarios. Por otra parte, siendo el objeto sagrado más característico del continente, rebasando las fronteras nacionales, fue proclamada al cabo del tiempo, Patrona de América".

Muchas reflexiones muy hondas y válidas dejó este notable escritor español en su atrayente estudio, reveladoras de la influencia que él percibió, de la Virgen de Guadalupe en el desarrollo espiritual del mexicano. Ella, afirma en una de sus bellísimas páginas, es la más perfecta y auténtica representación poética de América.

Sociólogos y psicólogos se preguntan y discuten sobre su origen y desarrollo como

ALBUM

DE LA

CORONACIÓN

DE LA

Sma. Virgen de Guadalupe

RESEÑA DEL SUCESO MAS NOTABLE

ACAECIDO EN EL NUEVO MUNDO.

NOTICIA HISTÓRICA DE LA MILAGROSA APARICIÓN

Y DEL SANTUARIO DE GUADALUPE.

DESDE LA PRIMERA ERMITA HASTA LA DEDICACIÓN DE LA SUNTUOSA BASÍLICA.

CULTO TRIBUTADO A LA SANTISIMA VIRGEN

DESDE EL SIGLO XVI HASTA NUESTROS DÍAS.

Guía Histórico-descriptiva de Guadalupe Hidalgo

Para uso de los Peregrinos y de los Viajeros.

EDICIÓN DE "EL TIEMPO" ADORNADA CON MÁS DE 200 ILUSTRACIONES.

Con la aprobación y bendición del Ilmo. Sr. Arzobispo de México.

MEXICO

IMPRENTA DE "EL TIEMPO," DE VICTORIANO AGÜEROS, EDITOR.

Calle de la Cerca de Santo Domingo núm. 4.

1895

ALBUM HISTORICO GUADALUPANO DEL IV CENTENARIO

POR EL

P. MARIANO CUEVAS, S. J.

Doctor en Ciencias Históricas por la Universidad de Lovaina, miembro de las Reales Academias de la Historia y de la Lengua, de la S. M. de Geografía y Estadística y de la S. de Estudios Históricos de la Ciudad de México.

DIRECTOR ARTISTICO

DE ESTA EDICION

DON MATEO A. SALDAÑA

MEXICO, D. F.

ESCUELA TIPOGRAFICA SALESIANA

1930

LA APARICIÓN

DE

SANTA MARÍA DE GUADALUPE

POR EL LIC. DON

PRIMO FELICIANO VELÁZQUEZ,

DE LA REAL ACADEMIA DE LA HISTORIA, DE MADRID,

Y DE LA ACADEMIA MEXICANA

CORRESPONDIENTE DE LA REAL ESPAÑOLA.

MEXICO, D. F.

1931

ALBUM

DEL

IV CENTENARIO

GUADALUPANO

Obra publicada por la Insigne y Nacional Basilica

de

Santa María de Guadalupe.

MEXICO

1938

170 a 173. Portadas de cuatro importantes obras conmemorativas, aparecidas en 1895, 1930, 1931 y 1938 respectivamente.

fuerza ideológica y emocional del mexicano. El mejor dramaturgo mexicano de nuestros días, Rodolfo Usigli, no escapó a estudiar y a dar una interpretación dramática de la aparición de la Virgen. En una de sus mejores obras, *Corona de Luz,* que sigue los lineamientos de la gran dramaturgia moderna, Usigli aborda el milagro del Tepeyac. En los bien meditados prólogos que esa obra teatral contiene y en donde descubre el origen de su idea y la forma como la desarrolló, se hallan muy lúcidas reflexiones en torno a la Virgen. Al explicar la importancia que ella tiene para el mexicano, escribe:

"La Virgen de Guadalupe no sólo es Madre de Dios y del género humano. Para el mexicano es más importante aún, porque apareció en el Nuevo Mundo; porque habló al indio titubeante en un idioma comprensible; porque no le dijo: "Yo estoy con el español" y agrega: . . ."Para el mexicano la Virgen de Guadalupe es tridimensional. No la discute ni la analiza, porque la respira y la siente en él." Y más adelante señala: "Puede asimismo agregarse, por vía de aclaración, otra diferencia: a la inversa de otras vírgenes mencionadas en los textos sagrados, y dc casi todos los santos, la Guadalupana sale de la Iglesia al mundo, para quedarse en él, reinar en él, digamos."

Y al hablarnos del sentido último trascendente que la Virgen tiene para el mexicano, rotundamente exclama: "La Virgen de Guadalupe no es adorno, es destino".[31]

El dramaturgo, hombre de agudas ideas, al reflexionar sobre la actitud espiritual del indio frente a la conquista, analiza sutilmente esa actitud y la única solución que podía hallar, y así escribe:

"Fuera de sus características de gran aventura bélica y económica, la Conquista tiene otra que, a mi entender, no se había investigado lo bastante y que puede expresarse en seis sencillas palabras, y es la circunstancia de que el indio, rodeado quizá durante milenios por divinidades benévolas o terribles, señor y esclavo de templos, pirámides y sacrificios, que comulgaba con los astros y con una tetralogía elemental, sensitiva y profunda; el indio trashumante o asentado, avasallado o avasallador; el indio, en todas sus formas individuadas de existencia, ante el huracán de la Conquista, ante el caballo, el fuego mortal del arcabuz y el brillo asesino del acero, confirmó de un golpe la verdad de las viejas profecías y se quedó desnudo; comprendió por primera vez que la realización de una profecía, como la de un deseo, representa su disolución o muerte; y que, en seis palabras, repito, *el indio había perdido la fe.* Y como este país encabeza al Nuevo Mundo, al nuevo paraíso, la fe no podía quedarse así como así, inhibida en la atmósfera, entre el cielo y la tierra. Ni podía manifestarse por la destrucción, porque de eso se encargaban los españoles; ni por la construcción, porque de ella, en su forma arquitectónica al menos, se encargaban también los españoles. El milagro era necesario y entonces acaeció el milagro".[32]

Y cuando éste ocurre y se pregunta acerca de las últimas consecuencias de ese milagro, es en las palabras de los protagonistas que hallamos la respuesta; una respuesta profética, política de una parte, espiritual por la otra. Así, al ocurrir el milagro, fray Juan de Zumárraga exclama: "A partir de este momento, México deja de pertenecer a España para siempre, y eso es un milagro de Dios". Y el mismo personaje finalmente, dirigiéndose a Motolinía, exclamará: "Veo de pronto a este pueblo coronado de luz, de fe. Veo que la fe corre ya por todo México, como un río sin riberas. Ese es el milagro, hermano".[33]

Y en páginas anteriores, en inteligente diálogo que sostienen un religioso y un emisario de las armas, el fraile, al explicarle su misión, le dice: "Nosotros no queremos dar al indio sino la fe que salva, el Dios que es nuestro gozo y nuestra esperanza, en vez de sus ídolos y de su animal impiedad. . ." "No hay más que un Dios, y cuando Ese llega, todos los que se dicen dioses desaparecen. Queremos que Dios llegue hasta el indio y que el indio levante la casa de Dios, para que la ame como a su obra".[34]

Octavio Paz, quien hace hincapié en que la devoción guadalupana surge y se arraiga hondamente en la conciencia colectiva, estima que el pueblo de México, la sociedad mexicana, desde el siglo XVI, se caracterizó por su afán de singularizarse, de ser diferente y ese anhelo cristalizó al crear en el alma colectiva el culto a la Virgen de Guadalupe. Ella, escribe ratificando lo que dijera hace un siglo Altamirano, "fue el estandarte de los indios y mestizos que combatieron en 1810 contra los españoles, y Ella se convirtió un siglo más tarde en la bandera de las tropas campesinas de Zapata. Ella es objeto de un culto privado y público, regional y nacional. La fiesta de Guadalupe, el 12 de diciembre, es aún hoy día, la fiesta por excelencia; la fecha central del calendario emocional del pueblo mexicano". Y en otro párrafo agrega, en una frase que podría ser irrespetuosa, pero que no lo es, si tomamos en cuenta los intereses espirituales y materiales de los mexicanos, esto es, lo de Dios y lo del César, dirá lo siguiente:

"El pueblo mexicano, después de dos siglos de experiencias y fracasos, no tiene más fe que en la Virgen de Guadalupe y en la Lotería Nacional" [35]

Antes de concluir, debemos advertir, cómo también materialmente el pueblo de México ha querido levantar la casa de Dios y colocar en ella la imagen de la Guadalupana, para rendirle culto. No hay rincón del país en donde no exista ermita, capilla, templo importante, o gran santuario, consagrados a la Virgen de Guadalupe. Si en tiempos del señor Zumárraga, los indios levantaron humilde ermita, hoy continúan erigiendo con su trabajo y su limosna, colosales construcciones, apegadas a la nueva liturgia para que puedan contener a las inmensas multitudes que diariamente acuden a su santuario. La moderna basílica planeada por arquitectos, ingenieros y artistas mexicanos de reconocida autoridad, revela el interés que ellos tienen por esas obras. Esta basílica inaugurada en 1976, con el patrocinio del presidente Luis Echeverría, revela ese otro aspecto del interés que el mexicano tiene hacia Nuestra Señora de Guadalupe.

Así en este repaso de cómo la Virgen de Guadalupe ha motivado el pensamiento y la sensibilidad del mexicano, que hubiéramos deseado, por ser un homenaje a la Virgen, más completo y profundo, hemos tratado de mostrar cómo Nuestra Señora de Guadalupe ha originado una conciencia colectiva que se hunde en los viejos cantares y que desemboca en el sentimiento unánime de un pueblo que se alegra al contemplar cómo esa fe y protección que se le dio, no se ha dado a pueblo alguno.

El Olivar.
En la fiesta del Corpus de 1981.

NOTAS

[1] Ignacio Manuel Altamirano, *La fiesta de Guadalupe*, en *Paisajes y leyendas, Tradiciones y costumbres de México*, Introducción de Jacqueline Covo, México, Editorial Porrúa, S. A., 1974, XXXVI-274 p. (Sepan Cuántos, Núm. 275) pp. 55-135.

[2] Jesús García Gutiérrez, *Ramillete de Flores Marianas con el Calendario universal y las advocaciones de la Virgen María en México*. México, Buena Prensa, 1946, 139 p., ils.

[3] Alfonso Reyes, *Capítulos de literatura española. Primera y segunda series*, México, Fondo de Cultura Económica, 1957, 455 p., en: *Obras completas de...* VI-55, y recordada por Alfonso Méndez Plancarte, *Poetas Novohispanos. (Primer siglo, 1521-1561)*. México, Universidad Nacional de México, 1944, LII-168 p. (Biblioteca del Estudiante Universitario, 33) Del mismo insigne crítico literario y guadalupanista, tenemos otra importante obra que completa la anterior: *Poetas Novohispanos (Segundo siglo. 1621-1721)*. México, Universidad Nacional Autónoma de México, 1944, LXXVI-190 p. (Biblioteca del Estudiante Universitario, 43).

Entre los escritos de carácter guadalupano que logró reunir el caballero Boturini, figura una historia de la milagrosa Imagen de Nuestra Señora de los Remedios, del Capitán Don Luis Angel de Betancourt, redactada entre 1616 y 1622. En ella, este devoto mariano, a más de ensalzar a la imagen esculpida de Nuestra Señora de los Remedios, se refiere a la de Guadalupe, de la que nos dice:

"A Tepeaquilla baja diligente,
y entre tajadas peñas y redondas,
verás mi Imagen cerca de las ondas.
No como aquí de bulto, de pinceles
que en blanca manta el Grande Apeles tupe,
porque Dios, verdadero Praxíteles,
'Allí me advocará de Guadalupe'."

[4] A. Méndez Plancarte, *Poetas Novohispanos. Primer siglo...* p. XXVIII.

[5] A. Méndez Plancarte. *Poetas Novohispanos. Segundo siglo...* p. LII y 34-36.

[6] *Ibidem*, p. 85 y ss.

[7] *Ibidem*, p. 102.

[8] Sor Juana Inés de la Cruz, *Obras completas de...* Edición, prólogo y notas de Alfonso Méndez Plancarte. 4 vs. México, Fondo de Cultura Económica, 1951-1953 (Biblioteca Americana. Serie de literatura colonial), I-310.

[9] A. Méndez Plancarte, *Poetas Novohispanos. Segundo siglo...* p. 174 y ss.

[10] Carlos de Sigüenza y Góngora, *Primavera Indiana. Poema sacrohistórico, idea de María Santíssima de Guadalupe. Copiada de flores. Escribíalo D. ... al capitán Don Pedro Velázquez de la Cadena, Rector de la Ilustre Archi-Cofradía del Santísimo Sacramento, Secretario de la Governación y Guerra de Nueva España, y de Cámara del tribunal de cuentas de ella*. México, por la Viuda de Bernardo Calderón, 1668. 16 h.

[11] Alfonso Méndez Plancarte, *Guadalupe en más pleno fulgor litúrgico*. México, bajo el signo de Abside, 1952, 46 p., pp. 40-41.

[12] La obra magna de Eguiara, a más de unas disertaciones filosófico teológicas y centenares de sermones, es la *Bibliotheca Mexicana...* México, Ex-nova Typographia in Aedibus Autoris, 1755. De esta obra sólo se imprimió un primer volumen. Parte del manuscrito restante, en tres volúmenes, que se encuentra en la Universidad de Austin, Texas, junto con el volumen impreso, ha sido traducida al español por el humanista Benjamín Fernández Valenzuela, y pronto será editada por la Universidad Nacional de México.

[13] Estos poemas del P. Vicente López se publicaron con el título de *Hymni in laudem B. Mariae Virginis de Guadalupe*, México, 1756, y posteriormente en Madrid 1785. Se ocupó de ellos e hizo preciosa traducción, Alfonso Méndez Plancarte en *Guadalupe en más pleno...* pp. 25-36.

[14] Diego José Abad, *Poema Heróico*, Introducción, versión y aparato crítico de Benjamín Fernández Valenzuela. Noticià preliminar de Felipe Tena Ramírez. México, Universidad Nacional de México, 1974, 781 p.

[15] Jesús García Gutiérrez, *Cancionero Histórico Guadalupano*, México, Jus, 1947, 231 p. (Colección de Estudios Históricos).

[16] Sor Juana Inés de la Cruz, *Obras Completas de...* en el estudio preliminar de Alfonso Méndez Plancarte.

[17] Bernardino de Salvatierra y Garnica, *Métrica historia de la milagrosa aparición de Nuestra Señora de Guadalupe de México*. México, Imprenta de los Herederos de Doña María de Rivera, 1737.

[18] José Manuel Sartorio, *Poesías sagradas y profanas*, del presbítero don... Puebla, Imprenta del Hospital de San Pedro, 1832. 334 p.

[19] Ignacio Manuel Altamirano, *Paisajes y Leyendas. Tradiciones y costumbres de México*. Primera y segunda series. Introducción de Jacqueline Covo. México, Editorial Porrúa, S. A., 1974, XXXVI-274 p. (Sepan Cuántos, Núm. 275) p. 114.

[20] Numerosas son las referencias a este esfuerzo por disminuir el valor del símbolo guadalupano y despojar de él a los insurgentes. En la *Colección de Documentos para la Historia de la Independencia de México*, de J. E. Hernández y Dávalos, 6 vs., México, José María Sandoval, impresor, 1877-1882, en diversos volúmenes y principalmente en el VI, encontramos amplias menciones. Una de ellas, VI, pp. 230-249, de marzo de 1811, es la que procede del Doctor Fray Tomás Basco, Doctor de la Universidad de Guadalajara, Examinador Sinodal del Obispado, etc., quien en un poema de corte horaciano, que se inicia: "Publica triste musa, los lamentos de una alma dolorida..." y en uno de sus versos, al hablar cómo los insurgentes invocaban a María, escribe:

"Este nuevo Lutero, Hidalgo, así avasalla
mil villas y lugares, que a su lado aficiona;
diciendo antes de dar cualquier batalla
¡Muera la vil canalla,
la Santísima Madre de Dios viva,
No existe el Rey, viva la Independencia!"

En nota final que coloca al fin de su poema, dedicado a don José de la Cruz, señala que los insurgentes al entrar a Guadalajara gritaban: "¡Viva Nuestra Señora de Guadalupe, Viva Fernando VII y mueran los gachupines!"

El mes de septiembre de 1811, José María de Terán, oculto bajo el seudónimo de Sejo Amira de Narte, da a luz unos *Clamores de la América y recursos de la protección de María Santísima de Guadalupe, en las presentes calamidades. . .* (Hernández y Dávalos, *Op. Cit.*, VI, pp. 380-82) en los cuales pinta un panorama sombrío causado por la rebelión, y exhorta a los insurgentes a abandonar la rebelión, a implorar perdón y suplicar a la Virgen de Guadalupe mueva el corazón del Virrey, "el Primer jefe de mis dominios", para que les otorgue perdón. Igualmente conmina a los insurgentes a no engañar al pueblo, invocando el nombre de la Virgen".

[21] Ernesto de la Torre Villar; *Los Guadalupes y la Independencia.* México, Editorial Jus. 1966, LXXIX-186 p. (Colección México Heroico, No. 54).

[22] Para ésta y las siguientes citas nos hemos apoyado en la rica serie documental de J. E. Hernández y Dávalos, *Op. Cit.*

[23] E. de la Torre Villar, *Op. Cit.*, p. 126 y ss.

[24] I. Manuel Altamirano, *Op. Cit.*, p. 126 y ss.

[25] *Ibidem*, p. 125.

[26] *Ibidem.*

[27] *Ibidem. Passim.*

[28] *Ibidem*, pp. 127-129.

A un siglo de distancia, esa vieja canción la entonan los modernos trovadores, aplicándole la mexicanísima música del "Ciclito Lindo" y componiéndola como sigue:

"Yo a las morenas quiero,
desde que supe,
que morena es la Virgen,
cielito lindo, de Guadalupe".

[29] José Vasconcelos, "Significado del Trono de la Sabiduría". *La Nación*, México, 2a. Edición especial Guadalupana. Mejorada del número 210, octubre de 1945, p. 45.

[30] Doctor Atl, en *El Universal*, 15 de octubre de 1945. Ver también Xavier Escalada S.J.: "El vulcanólogo Dr. Atl demostró interés en estudiar el guadalupanismo", en *Excélsior*, 10 de mayo de 1981.

[31] Rodolfo Usigli, *Corona de luz. La Virgen.* México, Fondo de Cultura Económica, 1980, 223 p. (Colección Popular) pp. 53-54.

[32] *Ibidem.* pp. 37-38.

[33] *Ibidem.* pp. 222-223.

[34] *Ibidem.* p. 132.

[35] Octavio Paz, en el prólogo que escribió para el libro de Jacques Lafaye, *Quetzalcoatl et Guadalupe. La formation de la conscience nationale au Mexique*, Paris, Editions Gallimard, NRF, 1974, XXVIII-481 p.

174. Altar de plata y retablo churrigueresco en la capilla del Sagrario de la antigua Basílica.

Ramiro Navarro de Anda

Efemérides Guadalupanas

La Historia de la Virgen de Guadalupe está íntimamente ligada a la Historia de México. Sus fastos se mezclan y no hay acontecimiento patrio del que la Guadalupana esté ausente. En sus grandes tragedias y en sus grandes triunfos Ella ha estado presente. El año de las apariciones y el inicio de su culto es, en el tiempo histórico, el del surgimiento de México como nación. La devoción a la Virgen y el desarrollo de su culto corren parejos con la creación de la sociedad mexicana y la formación de su conciencia nacional.

Su culto, localizado en un principio en el valle de México, más tarde se extendió por todo el vasto territorio de la Nueva España y aún más allá, y por todas partes dejó muy vivas manifestaciones de su presencia. De una devoción circunscrita, en sus inicios, a los naturales, pasó a ser la de los mestizos y los criollos, y pronto se universalizó. Todo ello testimoniado por las muchas reproducciones de su imagen, por los templos y altares que se le levantaron, por las obras devotas, teológicas, históricas y literarias que a Ella se dedicaron. Muy abundantes son, pues, los datos que en torno a nuestra Virgen existen.

Ya desde el siglo XVIII, un meticuloso recopilador, Francisco Sedano, formó una *Colección cronológica de noticias de la Virgen de Guadalupe*, en la que reunió cuanto dato conoció acerca de la Virgen y de su Santuario. Más cerca de nosotros, el P. Jesús García Gutiérrez, distinguido guadalupanista, redactó unas *Efemérides Guadalupanas.* Amparados en esas dos importantes experiencias, hemos formado estas efemérides que no son sino una selección de muchísimas más que, por razones de espacio, debimos dejar fuera. De toda suerte, nos darán una idea muy clara de cómo ha transcurrido el culto a la Virgen de Guadalupe, pues hemos procurado que cubran los acontecimientos más salientes, desde sus inicios hasta nuestros días. Veremos que se refieren a las más importantes manifestaciones de su historia, ligadas a sucesos de toda índole y pertenecientes a la propia historia de México. Al lado de datos muy particulares, encontraremos otros de interés general. Muchos de ellos servirán a los especialistas y no pocos representan auténticos hitos de la historia guadalupana y de la historia mexicana.

1474. Nace Juan Diego en el barrio de Tlayácac, en Cuautitlán.
1492, 12 de octubre. Cristóbal Colón llega a la isla de Guanahaní y con ello descubre América.
1493. En su segundo viaje, Colón descubre la isla Dominica, Puerto Rico y Jamaica.
1494. Bartolomé Colón funda la ciudad de Santo Domingo, de donde partirán numerosas expediciones a tierras americanas.
1502-1520. Moctezuma II gobierna el Imperio azteca.
1516-1556. Reinado de Carlos I de España y V de Alemania.
1517. Francisco Hernández de Córdoba, por encargo de Diego Velázquez, gobernador de la isla de Cuba, explora las costas de Yucatán, Campeche y Tabasco.
1518. Juan de Grijalva prosigue las exploraciones de Hernández de Córdoba y llega hasta las costas de Veracruz.
1519. Hernán Cortés, con una expedición salida de Cuba, arriba a la costas de México. El Viernes Santo funda el Ayuntamiento de la Vera Cruz; el 7 de noviembre llega a Tenochtitlan, capital del Imperio azteca y es recibido por Moctezuma II.
1520. Muere Moctezuma y asume el gobierno Cuitláhuac. Se han iniciado las hostilidades que pondrán fin al Imperio azteca.
1521. A la muerte de Cuitláhuac, víctima de la epidemia, le sustituye Cuauhtémoc.
1521, 13 de agosto. Tras de varios meses de sitio, Tenochtitlan cae en poder de los españoles; Cuauhtémoc es hecho prisionero.
1522, 15 de octubre. Hernán Cortés es designado Gobernador y Capitán General de la Nueva España.
1523, 14 de julio. México recibe escudo de armas y título de Ciudad.
1523, 13 de agosto. Fray Pedro de Gante, Fray Juan de Tecto y Fray Juan de Aora arriban a Veracruz e inician la evangelización de México.
1524. Son bautizados Juan Diego y su esposa María Lucía. El nombre indígena del primero era Cuauhtlatoatzin o Cuauhtlatóhuac, que quiere decir: "el que habla como águila". Su mujer se llamaba Malíntzin.

1524, 13 de mayo. Provistos de la bula "Omnímoda" de Adriano VI, que les constituye los genuinos y primeros misioneros, encargados de la conversión de los indígenas y del establecimiento de la Iglesia en México, llegan los franciscanos Martín de Valencia, Francisco de Soto, Martín de la Coruña. Juan Juárez, Antonio de Ciudad Rodrigo, Toribio de Benavente, García de Cisneros, Luis de Fuensalida, Juan de Rivas, Francisco Jiménez, Juan de Palos y Andrés de Córdova, llamados también los "doce apostólicos".

1525. Se establece la Diócesis de Tlaxcala.
1526, 2 de julio. Llegan a la Nueva España los doce primeros dominicos, paladines de la defensa de los indígenas, como Fray Bartolomé de las Casas y Fray Julián Garcés.

1527, 12 de diciembre. Se crea la Diócesis de México-Tenochtitlan.

1528, 6 de diciembre. Fray Juan de Zumárraga llega a Veracruz.
1529. Fallece María Lucía, esposa de Juan Diego.
1530, 2 de septiembre. Se erige el Obispado de México.
1531, 9, 10 y 12 de diciembre. Apariciones de la Siempre Virgen Santa María, Madre del verdadero Dios, a Juan Diego, en las inmediaciones de un cerro llamado Tepeyácac, ubicado al norte de la ciudad de México. Tras la aparición del día 12, tiene lugar la revelación de la Imagen estampada en la tilma de Juan Diego, ante los ojos maravillados de Fray Juan de Zumárraga, efectuada ese mismo día en la casa de éste último.

1531, diciembre 12, a 1532, febrero 6. Fray Juan de Zumárraga coloca la Imagen en su oratorio particular, pero ante el número creciente de gentes que acuden a verla, la lleva a la Iglesia Mayor, donde permanece hasta su traslado a la ermita que se manda construir en el Tepeyácac. Zumárraga, entre tanto, inicia las averiguaciones del caso y de ellas se desprende una quinta aparición, esta vez a Juan Bernardino, tío de Juan Diego, a quien la Virgen le dice llamarse *Tlecuauhtlazupeuh* (la que viene volando de la luz, como el Aguila de fuego). Los enviados del Obispo, al no poder pronunciar este nombre, lo transforman en el de *Guadalupe.*

1532, 7 de febrero. En solemnísima procesión, es conducida la imagen de la Virgen de Guadalupe hasta la ermita que se le ha construido, por órdenes de Fray Juan de Zumárraga, en las inmediaciones del Tepeyácac, lugar que luego será conocido como "Tepeaquilla".
1532. A iniciativa de Fray Pedro de Gante y con el apoyo de Fray Juan de Zumárraga, se funda el Colegio de Niñas de Nuestra Señora de la Caridad.
1533-1546. Fray Juan de Zumárraga, primer Obispo de México.
1533. Fray Juan de Zumárraga inicia las gestiones para traer a la Nueva España la imprenta, así como un molino para papel, e impresores.
1533, 22 de mayo. Desembarcan en Veracruz los primeros agustinos, entre los que sobresaldrá Fray Alonso de la Veracruz, insigne educador, fundador de la Real y Pontificia Universidad de México.
1535-1550. Don Antonio de Mendoza, Conde de Tendilla, primer Virrey de la Nueva España.
1535. Se crea la Diócesis de Oaxaca.
1536. A instancias de Fray Juan de Zumárraga, se funda el Colegio de Santa Cruz de Tlatelolco.
1536. Se erige la Diócesis de Michoacán.
1539, octubre. Llega a México el impresor Juan Pablos.
1540. Fray Juan de Zumárraga funda el Hospital del Amor de Dios.
1540. Llegan a Veracruz los concepcionistas.
1541-1545. Se escribe, posiblemente por el intérprete P. Juan González, la *Relación primitiva de*

las apariciones guadalupanas, considerada anterior al *Nican Mopohua*, de don Antonio Valeriano.
1544, 15 de mayo. Fallece de viruelas, Juan Bernardino, tío de Juan Diego, y es sepultado en la ermita de la Virgen de Guadalupe, con autorización de Fray Juan de Zumárraga.
1545-1550. Don Antonio Valeriano escribe el *Nican Mopohua.*
1546, 11 de febrero. Se concede la dignidad de Arzobispo Metropolitano al Obispo de México, Fray Juan de Zumárraga.
1548. Fallece Juan Diego.
1548, 3 de junio. Fray Juan de Zumárraga fallece en México.
1550-1564. Don Luis de Velasco I, segundo Virrey de la Nueva España.
1550. Grave inundación que obliga a la construcción, ordenada por Don Luis de Velasco I, de varios albarradones y al reforzamiento de la calzada que va de México a Tepeaquilla.
1551-1572. Fray Alonso de Montúfar, segundo Arzobispo de México.
1553, 25 de enero. Fundación de la Real y Pontificia Universidad de México.
1555, 8 de septiembre. Fray Alonso de Montúfar predica a los indios acerca de la devoción a la Virgen de Guadalupe, siendo su intérprete el P. Francisco de Manjarrés.
1556-1598. Felipe II, Rey de España.
1561. Se erige la Diócesis de Yucatán.
1563. Por primera vez aparece el nombre de Guadalupe, en las Actas del Ayuntamiento de México, para designar el lugar hasta entonces nombrado Tepeaquilla.
1567, 28 de enero. Se funda el Hospital de San Hipólito.

1571, 7 de octubre. Durante la batalla de Lepanto, el Almirante español Juan Andrés Doria enarbola como estandarte una imagen de la Virgen de Guadalupe, enviada por Felipe II.

1571, 4 de noviembre. Se establece en la Nueva España el Tribunal de la Inquisición, contra herejes y judaizantes.

1572, El Papa Gregorio XIII prorroga la indulgencia anteriormente concedida a la ermita de Nuestra Señora de Guadalupe.

1572, 28 de septiembre. Llegan a la Nueva España, diecisiete jesuitas, los primeros de una orden que impulsará enormemente la instrucción superior en México.

1573. Se inician la obras de la Catedral de México, consagrada en 1667 y concluida en 1813.
1573-1589. Don Pedro Moya de Contreras, tercer Arzobispo de México.

1574, 25 de mayo. Se concede un rezo especial en honor de la Virgen de Guadalupe.

1580. Nueva inundación de la ciudad de México.

1585, 4 de septiembre. Llegan a Veracruz los primeros carmelitas.

1589. Llegan a Veracruz los mercedarios.

1597, 5 de febrero. Felipe de las Casas, canonizado luego como San Felipe de Jesús, muere crucificado en Nagasaki, Japón.
1600. El bachiller Pedro Infante pide al Arzobispo se le haga merced de la ermita de Guadalupe, por estar muy pobre.

El licenciado Juan Sáenz de Veguillas, clérigo de epístola, que sirvió siete años en la sacristía de la ermita de Nuestra Señora de Guadalupe, pide —apoyado por los vecinos— continuar en el cargo, pues el nuevo sacristán tiene abandonado el templo, al cual le han robado las limosnas.

Fernado Alvarez, encargado de la ermita de Nuestra Señora de Guadalupe, comunica al arzobispado que se robaron las limosnas, forzando los ladrones los cepos. Se ordena se arreglen tales cepos.

Según Don Carlos de Sigüenza y Góngora, en este año es escrita la crónica de los primeros milagros de la Virgen de Guadalupe, titulada *Nican Motecpana*, cuyo autor es don Fernando de Alva Ixtlixóchitl.

El 10 de septiembre, se coloca la primera piedra para el nuevo templo de la Virgen de Guadalupe.
1602. Nueva inundación, de tan graves consecuencias, que se considera el cambiar de sitio a la ciudad de México. La calzada de Guadalupe sufre serios deterioros.
1605. Fallece don Antonio Valeriano, autor del *Nican Mopohua*, gran nahuatlato y latinista, informante de Sahagún y Gobernador de los Indios de México por más de treinta años.
1607. Nueva inundación de la ciudad de México; convocándose a la presentación de proyectos para su desagüe, óptase por el de Enrico Martínez.

1607, 26 de noviembre. Mediante contrato, se encomienda a Diego López de las Navas el decorado del presbiterio del nuevo templo de Nuestra Señora de Guadalupe.

1608, 17 de septiembre. Se inaugura el socavón de Nochixtongo que da salida a las aguas del río de Cuautitlan.

1609. Se reinician las obras para la erección del nuevo templo de la Virgen de Guadalupe, concluidas en 1622 y con un costo de 52,000 pesos. Lo consagró el Arzobispo de México, Don Juan Pérez de la Serna.

1612, 27 de marzo. El Cabildo de la Catedral nombra al racionero Fabián Gutiérrez, mayordomo de la casa y ermita de Nuestra Señora de Guadalupe.

1623. El Virrey Marqués de Gelves hace entrar nuevamente las aguas del río de Cuautitlán a la cuenca de Texcoco, provocando la gran inundación que principió en 1627 y llegó a su máximo en septiembre de 1629, con graves daños al Santuario de Nuestra Señora de Guadalupe.

1628. Juan Barragán Cano edifica la ermita de Nuestra Señora de Guadalupe en San Luis Potosí.
1629, 25 de septiembre. Traslado de la imagen de Nuestra Señora de Guadalupe, desde su Santuario

hasta la ciudad de México, para implorar su auxilio en la terrible inundación arriba mencionada.
1632. Don Francisco Manzo y Zúñiga, Arzobispo de México, funda casas para peregrinos en la Villa de Guadalupe, desaparecidas en 1751, para construir la sacristía, la sala capitular, el archivo y otras oficinas.
1633, 24 de septiembre. Se saca en procesión a la imagen de la Virgen de Guadalupe, para que erradique la "tos chichimeca". La procesión recorre las calles principales de la ciudad de México.
1634, 14 de mayo. Vuelve la imagen de Nuestra Señora de Guadalupe a su Santuario, tras de permanecer en Catedral desde 1629, cuando la inundación ya referida.
1647-1657. Funge como vicario de la ermita de Guadalupe el bachiller Luis Lasso de la Vega, ejecutor de notables obras de construcción y remozamiento del templo.
1648. Aparece la obra del P. Miguel Sánchez, titulada *Imagen de la Virgen María Madre de Dios, milagrosamente aparecida en la ciudad de México.*
1649. Se imprime en el taller de Juan Ruyz, el *Huei Tlamahuizoltica* del bachiller Luis Lasso de la Vega, en el que se reúnen el *Nican Mopohua* y el *Nican Motecpana.*
1649, 19 de diciembre. Se terminan las obras del templo —vecino al Pocito— llamado Iglesia de los Indios, en donde estuvo la primitiva ermita y en donde en 1694 estará depositada la imagen de Nuestra Señora de Guadalupe.

1654, 26 de enero. Parte rumbo a España, don Pedro de Gálvez llevando una imagen de la Virgen de Guadalupe, a la que hace construir un altar en el Colegio de Doña María de Aragón, en Madrid.

1654, 20 de septiembre. Se le cede un terreno, en San Luis Potosí, a don Francisco de Castro de Mamposo, para que funde un Santuario en honor de Nuestra Señora de Guadalupe, el cual se terminó en enero de 1662.

1658. El Obispo de Oaxaca, Mons. Cuevas y Dávalos coloca, en una iglesia extramuros de la ciudad, una imagen de la Virgen de Guadalupe, para que se le rinda culto.

1660. Se imprime en Puebla la *Relación de la milagrosa Aparición de Nuestra Señora de Guadalupe de México,* escrita por Mateo de la Cruz, quien resume la obra del P. Miguel Sánchez, ya citada.

1662, 19 de enero. Se inaugura en San Luis Potosí la ermita de Nuestra Señora de Guadalupe, preludio del Santuario actualmente existente.
1663, 30 de abril. Se inaugura la capilla de Nuestra Señora de Guadalupe, en el convento de San Francisco de Tlaxcala, a costa del capitán don Diego de Tapia y Sosa.

1665. Aparecen las *Novenas de la Virgen María Madre de Dios: para sus dos devotísimos Santuarios de los Remedios y Guadalupe,* del P. Miguel Sánchez.
1665. Se incendia el templo de la Virgen de Guadalupe, en la ciudad de Oaxaca; la imagen resulta sin daño alguno.
1665, 19 de diciembre. El Cabildo de México nombra los jueces encargados de efectuar las *Informaciones* acerca de la veracidad de las apariciones guadalupanas; son los doctores Juan de Poblete, Juan de la Cámara, Juan Díez de la Barrera y Nicolás del Puerto.
1666. Se imprime la importante obra del P. Luis Becerra Tanco, titulada *Origen Milagroso del Santuario de Nuestra Señora de Guadalupe.*
1666, 7 de enero. Se inician las *Informaciones,* arriba citadas. El procedimiento se prolonga hasta el 11 de marzo.
1666, 13 de marzo. Son llamados a examinar la pintura de la Virgen de Guadalupe, los pintores Juan Salguero, Tomás Conrado, Sebastián López de Avalos, Nicolás de Angulo, Juan Sánchez y Alonso Zárate, quienes declaran que "es imposible que humanamente pueda ningún artífice pintar y obrar cosa tan primorosa. . . en un lienzo tan tosco".

1666, 28 de marzo. Don Luis de Cárdenas, don Jerónimo Ortiz y don Juan Melgarejo, protomédicos de la Nueva España, son nombrados peritos para examinar el ayate en que está pintada la imagen de la Virgen de Guadalupe. Señalan que "no se puede explicar naturalmente la conservación de la tela, ni la viveza de los colores".

1667. Por Bula del Papa Clemente IX, se instituye como día de fiesta, en honor de la Virgen de Guadalupe, el 12 de diciembre.

1668. Don Carlos de Sigüenza y Góngora publica *Primavera Indiana,* poema sacro-histórico en honor de María Santísima de Guadalupe de México.

1668, 15 de enero. Se celebra en el pueblo de Mansos, distrito de Bravos, Chihuahua, la dedicación del templo de Nuestra Señora de Guadalupe.

1669, 18 de febrero. Se erige en Querétaro, la Congregación de Clérigos Seculares de Nuestra Señora de Guadalupe.

1670, 27 de enero. Muere el Dr. Francisco Siles, Canónigo de la Catedral de México, quien fuera el promotor de las *Informaciones* de 1666.
1671. Se dedica una capilla a la Virgen de Guadalupe, en la Catedral de México.
1672, 1o. de junio o 2 de julio. Fallece don Luis Becerra Tanco, autor de la obra *Felicidad de México,* que narra las apariciones guadalupanas y es publicada póstumamente en 1675.
1673, 17 de diciembre. Se inicia la construcción de la Calzada de Guadalupe, a cargo de don Francisco Marmolejo y del Dr. Isidro Sariñana y Cuenca.
1674, 22 de marzo. Es sepultado en el Santuario de Guadalupe, el P. Miguel Sánchez, autor de importantes obras en torno a la Virgen de Guadalupe.

1675, 7 de enero. Clemente X expide en Roma el *Breve*, por el cual se conceden indulgencias a la Cofradía de Nuestra Señora de Guadalupe.
1675, 11 de diciembre. Don Isidro Sariñana propone la construcción de quince "torreones", correspondientes a los quince misterios del rosario, en la Calzada de Guadalupe.
1675, 24 de diciembre. Se inicia la construcción del torreón correspondiente al misterio de la Encarnación; se concluye el 23 de mayo de 1676, con un costo de 1,415 pesos, sufragado por el licenciado Juan de Zepeda y su mujer doña Jerónima.
1676, 14 de agosto. Se termina la construcción de la Calzada de Guadalupe, conocida más tarde por la de los Misterios.
1677, 16 de enero. El Obispo de Guadalajara concede licencia para que se levante una capilla en honor de la Virgen de Guadalupe, extramuros de la ciudad de Zacatecas. Tal capilla será, después, el templo del Colegio Apostólico de Nuestra Señora de Guadalupe, importante centro evangelizador del norte del país.
1678, 12 de diciembre. Se empieza a utilizar la atarjea y la pila construida para disponibilidad de agua potable en la villa de Guadalupe.
1681, 12 de enero. En la iglesia del convento de San Agustín de México, es colocada una imagen de la Virgen de Guadalupe de Extremadura, frente a otra de la Virgen de Guadalupe de México.
1685, 24 de junio. El Arzobispo de México, don Francisco de Aguiar y Seijas, pone la primera piedra del nuevo templo de Nuestra Señora de Guadalupe.
1688. El mayordomo del Santuario de Guadalupe, bachiller Jerónimo de Valladolid, paga 2,217 pesos con dos reales por la impresión de la *Historia de la Virgen de Guadalupe*, del P. Francisco de Florencia, de la Compañía de Jesús. Publícase este mismo año, *La Estrella del Norte de México*, del propio Florencia.
1695, 5 de agosto. Se inicia la construcción del nuevo Santuario de Nuestra Señora de Guadalupe, previa licencia del Arzobispo Aguiar y Seijas para demoler el antiguo y depositar, entre tanto, la imagen de la Virgen en la iglesia que luego será parroquia, lo cual se ha hecho desde junio de 1694.
1697, 7 de enero. El Arzobispo Aguiar y Seijas, en compañía de su Cabildo acude a Guadalupe para agradecer a la Virgen el destierro de la peste y tabardillo que asolaban a México desde 1692.
1702, 31 de diciembre. Se cierra el cimborrio del nuevo Santuario.
1706. Se erige parroquia en la población de Guadalupe, de acuerdo con la Real Cédula firmada en Madrid el 24 de agosto de 1703.
1707, 12 de enero. Llega a Zacatecas Fray Antonio Margil de Jesús, para fundar el Colegio Apostólico de Nuestra Señora de Guadalupe, del cual ya se ha hecho mención.
1709, 27 de abril. Se bendice el nuevo Santuario de Nuestra Señora de Guadalupe, trasladándose la santa imagen, de la parroquia al Santuario, el 30 del mismo mes: es causa de grandes fiestas en las que participan las autoridades religiosas y civiles, en medio del alborozo del pueblo.
1716, 9 de julio. Se funda en Nacogdoches, Texas, la Misión de Nuestra Señora de Guadalupe, por religiosos del Colegio de Propaganda Fide.
1720, 25 de diciembre. El P. Everardo Helen funda la Misión de Nuestra Señora de Guadalupe en Huasinapi, Alta California.
1721, 4 de mayo. Se inaugura y dedica el Colegio Apostólico de Nuestra Señora de Guadalupe en Zacatecas.
1722, 12 de diciembre. Se inaugura y dedica el Santuario de Nuestra Señora de Guadalupe, en la ciudad de Puebla.
1723. A petición del P. José Lizardi y Valle, el Arzobispo de México Fray José de Lanciego y Aguilar, hace nueva información para obtener, de la Santa Sede, misa y oficio propios de Nuestra Señora de Guadalupe y para que se declare el 12 de diciembre como día festivo.
1725, 9 de febrero. El Papa Benedicto XIII decreta que el Santuario de Guadalupe pase a ser Insigne y Parroquial Colegiata, servida por un abad y diversos canónigos, amén de otras dignidades menores.
1733, 25 de diciembre. Por Cédula Real, la población de Guadalupe pasa a tener la calidad de Villa.
1734, 22 de junio. Se inician las obras para la conducción de agua hasta la Villa de Guadalupe.
1737. Promoción del Patronato de María Santísima de Guadalupe: 28 de marzo, el Ayuntamiento de México, en sesión solemne, elige como Patrona a la Virgen de Guadalupe; 2 de abril, el Cabildo de la Catedral de México elige por unanimidad a la Virgen de Guadalupe como Patrona; 24 de mayo, el Arzobispo de México, don Juan Antonio de Vizarrón y Eguiarreta, declara Patrona de México a la Virgen de Guadalupe y se instituye el 12 de diciembre como día de precepto; 30 de julio, las autoridades civiles y eclesiásticas de Guadalajara reconocen a la Virgen de Guadalupe como Patrona de la Nueva Galicia; 15 de septiembre, es jurada como Patrona de Zacatecas, la Virgen de Guadalupe; 30 de octubre, la ciudad de San Luis Potosí jura como Patrona a la Virgen de Guadalupe; 12 de diciembre, la Virgen de Guadalupe es jurada principal Patrona de México.
1738, 23 de mayo. Se jura en la ciudad de Puebla como Patrona de la Nueva España a la Virgen de Guadalupe; 6 de agosto, Durango jura como Patrona a la Virgen de Guadalupe; 17 de agosto, se jura como Patrona a la Virgen de Guadalupe, en Tlaxcala; 23 de noviembre, jura del Patronato de la Virgen de Guadalupe en el curato de San Francisco Topoyanco y todos los barrios que comprende.
1739. La ciudad de Valladolid (hoy Morelia) jura como Patrona a la Virgen de Guadalupe.

175. Remate del acueducto, terminado a mediados del S. XVIII.

1740, 15 de febrero. La ciudad de Lagos solicita licencia para jurar como Patrona a la Virgen de Guadalupe; se le concede el 26 de marzo.
1740, 11 de julio. El Cabildo de la Basílica de San Pedro en Roma, concede a don Lorenzo de Boturini licencia para la coronación de la Virgen de Guadalupe.
1741. El P. Cayetano Cabrera y Quintero publica *El Patronato disputado.*
1743. La Villa de Guadalupe consta de 40 casas y 50 familias de españoles.
1743, 4 de febrero. Es reducido a prisión don Lorenzo de Boturini, por proyectar sin el "pase" o permiso real, la coronación de la Virgen de Guadalupe.
1743, 2 de abril. Felipe V, por Real Cédula, se declara Hermano Mayor de la Congregación de Nuestra Señora de Guadalupe de México, establecida en la iglesia de San Felipe el Real de Madrid; dispone igualmente que sus sucesores lo sean a perpetuidad.
1743, 16 de septiembre. Por orden del Virrey Conde de Fuenclara, se inicia el inventario de la Colección Boturini.
1746. Benedicto XIV ratifica la Bula de su predecesor para la erección de la Insigne y Parroquial Colegiata de Nuestra Señora de Guadalupe.
1746, 12 de diciembre. La Virgen de Guadalupe es jurada como Patrona de la América Septentrional.
1747. Se extiende el Patronato de la Virgen de Guadalupe a todo el Reino de la Nueva España.
1747, 13 de julio. El Dr. don Juan Antonio de Alarcón y Ocaña es nombrado primer Abad de la Insigne Colegiata de Guadalupe.
1749, 14 de marzo. Se funda la Villa de Reynosa, en Tamaulipas, bajo la advocación de Nuestra Señora de Guadalupe.
1749, 6 de mayo. El Arzobispo de México, don Manuel José Rubio y Salinas, en virtud de las Bulas anteriores y de la disposición real, confirma la erección de la Colegiata de Guadalupe, así como el nombramiento del primer abad, al que asistirán tres canónigos.
1749, 15 de agosto. El Ayuntamiento de la Villa de Linares, en Nuevo León, jura como Patrona a la Virgen de Guadalupe.
1751, 30 de marzo. Se concluyen las obras para la conducción del agua a la Villa de Guadalupe. El 7 de julio entra el agua, por primera vez, en la fuente ubicada en la plaza del Santuario.
1754, 24 de abril. Decreto de la Sagrada Congregación de Ritos que aprueba el oficio y la misa propios de la Virgen de Guadalupe, propuestos por el Arzobispo de México, don Manuel José Rubio y Salinas, y por el Obispo de Michoacán, don Martín de Elizacoechea.
1754, 25 de mayo. Benedicto XIV confirma el Patronato de la Virgen de Guadalupe sobre la Nueva España, mediante el Breve *Non est equidem,* y ordena sea solemnizada la fiesta del 12 de diciembre, con oficio y misa propios.
1755, 20 de mayo. Fallece en Madrid, don Lorenzo de Boturini.
1755, 12 de diciembre. El Arzobispo don Manuel José Rubio y Salinas canta, por primera vez, el nuevo oficio de la Virgen de Guadalupe.
1756. Aparece el estudio del eximio pintor oaxaqueño Miguel Cabrera, titulado *Maravilla Americana y conjunto de raras maravillas observadas. . . en la prodigiosa Imagen de Nuestra Señora de Guadalupe de México.*
1757. Se hace extensivo, el rezo a la Virgen de Guadalupe, a todos los dominios de la corona española, ordenándose que el 12 de diciembre de cada año se hagan tres salvas de artillería en su honor.
1759. Don Miguel Cervera es nombrado Abad de la Colegiata; no llega a tomar posesión del cargo, pues fallece antes de salir de España.
1759, 2 de mayo. Se inicia la construcción de la capilla de Nuestra Señora de Guadalupe en la hacienda de Corralejo, siendo administrador don Cristóbal Hidalgo y Costilla; se terminó la obra el 11 de diciembre de 1761.
1767, 28 de junio. Son desterrados los jesuitas de los dominios del rey de España.
1770. Aparece la *Oración a Nuestra Señora de Guadalupe,* compuesta por el Arzobispo de México, don Francisco Antonio de Lorenzana.
1771, 12 de julio. Toma posesión como tercer Abad de la Colegiata, el Dr. Diego Sánchez Pareja y Romero, fallecido el 9 de diciembre de 1774.
1772, 27 de septiembre. Se pone la primera piedra del Santuario de Nuestra Señora de Guadalupe en San Luis Potosí, para sustituir la primitiva ermita.
1775, 17 de agosto. El célebre marino y explorador don Juan Francisco de la Bodega y Cuadra descubre, en las costas de la Alta California, un puerto al que le pone el nombre de Guadalupe.
1776. Don Miguel José Pérez Ponce de León, rico minero jalisciense, funda la Villa de Santa María de Guadalupe de Tecalitlán; su hijo solicitará, en 1789, la erección de un nuevo obispado con sede en esa población, próspera y rica por sus minas.
1776, 20 de junio. Toma posesión el cuarto Abad de la Colegiata, el doctor José Félix García Colorado, que fallece el 9 de octubre de 1787.
1777, 7 de enero. Fray Antonio Alcalde pone la primera piedra del Santuario de Guadalupe en Guadalajara.
1777, 1o. de junio. Se inicia la construcción de la nueva capilla del Pocito. Se termina en 1791 y es obra del célebre arquitecto Francisco Guerrero y Torres.
1780, 3 de junio. Real Cédula que autoriza se edifique la iglesia y convento de Capuchinas, a un lado de la Colegiata.
1781, 7 de enero. Fray Antonio Alcalde consagra el Santuario de Guadalupe en Guadalajara; dice la primera misa Fray Rodrigo de Alonso.
1781, 12 de septiembre. Se inaugura la acequia que comunica a la ciudad de México con la Villa de Guadalupe.

1782. Se imprime en Cesena, Italia, el *Breve raguaglio della Madonna de Guadalupe*, escrito por el P. Francisco Javier Clavijero.
1782, 3 de octubre. Se inicia la construcción del templo de las Capuchinas, junto a la Colegiata.
1783. El P. Gondra publica, en Italia, la *Maraviglia Americana*, traducción del estudio de Miguel Cabrera ya citado.
1783, 23 de abril. Fray Antonio Alcalde inaugura en Guadalajara la escuela para niños de Nuestra Señora de Guadalupe, que funcionó hasta 1858.
1783, 1o. de octubre. El Arzobispo de México, don Alonso Núñez de Haro y Peralta, bendice la iglesia y el convento de Capuchinas de Guadalupe.
1785, 18 de septiembre. En el cimborrio de la capilla del Pocito, se coloca una cruz de fierro de seis varas de alto, que sirve de veleta para indicar la dirección de los vientos.
1787, 13 de octubre. Se dan por terminadas las obras del templo y convento de Capuchinas de Guadalupe; el 16 es solemnemente inaugurado.
1788, 12 de agosto. Toma posesión como quinto Abad de la Colegiata, el Dr. Sopeña Laherrán, fallecido el 3 de junio de 1792.
1788, noviembre. Por encargo del Virrey Conde de Revillagigedo, el Oidor don Eusebio Buenaventura y Beleña diseña el escudo de armas de la Villa de Guadalupe.
1792, 7 de junio. Se estrena la campana mayor de Catedral, llamada Santa María de Guadalupe.
1793, 27 de junio. Toma posesión, como sexto Abad de la Colegiata, el Dr. Moreno y Fernández de Lara, fallecido el 15 de abril de 1800.
1794. El Bachiller don Miguel Hidalgo solicita permiso para erigir un pilar con una imagen de la Virgen de Guadalupe. En 1895, un vendaval destruirá la imagen.
1794, 27 de marzo. Se celebra el primer sorteo de la Lotería de Nuestra Señora de Guadalupe, creada para el sostenimiento del culto en su Santuario. Suprimida por Juárez en 1861, la reestablece el Imperio en 1863.
1794, 12 de diciembre. En todas las ciudades de la Nueva España se pronuncian panegíricos en honor de la Virgen de Guadalupe, al celebrarse su Patronato sobre todo el reino.
1795, 25 de enero. Los cuerpos militares de la Nueva España organizan una rogativa para implorar el auxilio de la Virgen de Guadalupe en la guerra que España sostiene contra Francia.
1799. Los participantes en la conjuración denominada de los "machetes", toman como distintivo la imagen guadalupana.
1800. Se instala en la Villa de Guadalupe, por órdenes del Virrey Conde de Revillagigedo, la fábrica del Estanco de Tabacos que subsiste hasta 1826.
1800, 9 de octubre. Es bendecido el Santuario de Nuestra Señora de Guadalupe en San Luis Potosí. Al día siguiente, ahí canta misa don Miguel Hidalgo.
1801, 17 de octubre. Por decreto del Virrey, se permite la recaudación de limosnas para erigir un templo a la Virgen de Guadalupe en el cerro, de tal nombre, situado en las goteras de la ciudad de Puebla. Inaugurado en 1816, es destruido en 1862 para construir el fuerte de todos conocido.
1802, 16 de febrero. Toma posesión como séptimo Abad de la Colegiata, el Dr. Vélez Escalante, fallecido el 6 de octubre de 1806.
1805, 26 de mayo. Decreto del Cabildo de la Basílica de San Juan de Letrán en Roma, agregando a perpetuidad la Colegiata de Guadalupe. Debido a ello, en la puerta central del templo se inscribe: *Sacrosancta Lateranensis Ecclesia.*
1806, 18 de junio. Pío VII concede a San Esteban de Aveto, en la diócesis de Bobbio, Italia, el poder celebrar la fiesta de la Virgen de Guadalupe de México, con oficio y misa propios, en la domínica siguiente a la fiesta de San Roque.
1807, 18 de julio. Toma posesión como octavo Abad de la Colegiata, don Francisco B. Cisneros, quien fallece el 6 de octubre de 1812.
1810. Se abre la oposición a una canongía en lengua mexicana en la Colegiata, vacante por muerte del Dr. Juan de Olvera.
1810, 16 de septiembre. A su paso por Atotonilco, don Miguel Hidalgo toma como estandarte una imagen de la Virgen de Guadalupe, símbolo en lo sucesivo de la lucha por la Independencia.
1810. Se crea en la ciudad de México, con ramificaciones en otras ciudades, la sociedad secreta de los Guadalupes, destinada a apoyar el movimiento insurgente. Desapareció hacia 1816 ó 1817.
1811. Aparece el *Poema Guadalupano análogo a las ocurrencias de la Insurrección causada por el cura Hidalgo,* cuyo autor es Luis Mendizábal.
1811, 18 de abril. José María Morelos erige la Nueva Provincia de Tecpan y da a su cabecera el nombre de Ciudad de Nuestra Señora de Guadalupe.
1812, 1o. de enero. Un espía que describe la entrada del ejército insurgente en Cuautla, señala que "las repúblicas de todos estos pueblos se han declarado en su favor y traen la imagen de Guadalupe en sus sombreros".
1812, septiembre. Fuertes lluvias provocan el desbordamiento de diversos ríos al Noroeste de la ciudad de México y originan, entre otras, la inundación de la Villa de Guadalupe.
1812, 7 de noviembre. En los "Puntos de nuestra Constitución" enviados por Rayón a Morelos, se dice: "Los días 16 de septiembre, en que se proclamó nuestra feliz Independencia, 29 de septiembre y 31 de julio, cumpleaños de nuestros Generalísimos Hidalgo y Allende, y 12 de diciembre, consagrado a nuestra amabilísima Protectora Nuestra Señora de Guadalupe, serán solemnizados como los más augustos de nuestra Nación".
1812, diciembre. En la Proclama de Morelos a los hijos de Tehuantepec, titulada *Desengaño de la América y traición descubierta de los europeos,*

FVNDACION del Religiosissimo Convento
de Nrã Señora de Guadalupe y Sta Coleta de la Recoleccion de
Monjas Capuchinas del Orn. y primitiva Regla de la Gloriosa Virgn
Stã. Clara su Fundadora; cuyas Fundadoras han sido las Madres
Sor Maria Anna. Sor Maria Manuela Sor Maria Magdalena Sor Maria
Coleta Sor Maria Tresa Sor Maria Feliciana Sor Maria Lugarda Sor Maria
Seraphina y Sor Maria Antonia primeras fundadoras que entraron en
esta Villa y Santuario de Nrã. Srã. de Guadalupe en quince de Octu-
bre (Lunes) de mil setesientos ochenta y siete años, y se enclaustra-
ron desde dhõ. dia en su referido Convto Fabricado a expensas de infi-
nitos bienechores con la Advocacion de Nra Srã. de Guadalupe y Sta Coleta
Rigiendo la Iglesia Catholica Romana la Beatitud de Nrõ. muy Santo Pa-
dre Pio VI. Reynando en las Españas la Mag. de Nrõ. Catholico Rey, y
Sor Dn. Carlos III. Siendo el Exmõ. Señor Dn Manuel Antonio Florez
Cavo del Orn. de Calatrava Tente Gral. de la Armada Virrey Govor y Capn
Gral. Y Governando este Arzobispado de Mexco. El Emõ. Illmo Señor Dr Dn
Alonso Nuñez de Haro y Peralta Dignissimo Arzobispo de Mexco. è insigna
ble benefactor de este Convento y Sindicos los Sres. Marques del Apar

176. *Página inicial del manuscrito relativo a la fundación del Convento de Capuchinas de Nuestra Señora de Guadalupe y Santa Coleta.*

se dice: "México espera, más que en sus propias fuerzas, en el poder de Dios e intercesión de su Santísima Madre, que en su portentosa imagen de Guadalupe, aparecida en las montañas de Tepeyac para nuestro consuelo y defensa, visiblemente nos protege. . ."

1812, diciembre. Morelos comunica a Rayón que "la toma de la ciudad de Oaxaca por las tropas insurgentes, se debió a la Emperadora Guadalupana", a la cual atribuye todos sus éxitos.

1813, 11 de marzo. Morelos decreta en Ometepec (en el actual estado de Guerrero), que serán "traidores a la Nación los que profanen el culto a la Virgen del Tepeyac".

1813. 14 de septiembre. En el artículo 19 de los *Sentimientos de la Nación,* Morelos declara: "Que en la misma Constitución se establezca la celebración del día 12 de diciembre, en todos los pueblos, dedicado a la Patrona de Nuestra Libertad, María Santísima de Guadalupe, encargando a todos los pueblos la devoción mensual".

1813, 13 de diciembre. Se celebran en la ciudad de Oaxaca, con asistencia de las fuerzas insurgentes, las "portentosas apariciones de Nuestra Soberana Patrona María Santísima de Guadalupe".

1814, 17 de septiembre. Toma posesión como noveno Abad de la Colegiata, el Dr. Domingo Hernández, fallecido el 23 de junio de 1826.

1814, diciembre. En el *Calendario Patriótico,* dispuesto por el Gobierno insurgente para el año de 1815, se señala como día festivo el 12 de diciembre, indicándose que se cumplirán 284 años de la aparición de la Virgen de Guadalupe y 65 de la erección de su Insigne Colegiata.

1817. Se concede ración, o sueldo, al licenciado Francisco Valladares por servir de confesor y predicador en lengua mexicana, en la Colegiata de Guadalupe.

1820. Don José Miguel Guridi y Alcocer publica su *Apología de la Aparición de Nuestra Señora de Guadalupe.*

1822, febrero. Agustín de Iturbide instituye la Imperial Orden de Guadalupe; el 20 de febrero, la Junta Provisional Gubernativa aprobó sus estatutos, que el Congreso ratifica el 11 de junio. La Orden se inauguró el 13 de agosto, extinguiéndose a la caída de Iturbide.

1822, febrero. Se eleva la Villa de Guadalupe a la calidad de Ciudad, con el nombre de Guadalupe Hidalgo.

1822, 12 de agosto. El Congreso Constituyente decreta que el día 12 de diciembre seguirá siendo "fiesta de tabla y de corte".

1823, 25 de abril. El Congreso de la Nación expide su reglamento, cuyo artículo 8o., Cap. I, manda que se coloque, en los muros del salón de sesiones, "una imagen de la poderosa Patrona de la Nación, María Santísima de Guadalupe".

1824. El Congreso de la Nación declara fiesta nacional el 12 de diciembre.

1831. El arzobispado de México realiza diligencias para celebrar solemnemente los trescientos años de las Apariciones y para que cese la oposición a mover a la imagen de la Virgen de Guadalupe de su Santuario, a fin de llevarla en procesión.

1831, 27 de junio. Toma posesión como décimo Abad de la Colegiata, el Dr. Agustín B. Cisneros, que fallece el 12 de diciembre de 1833.

1834, 11 de junio. Toma posesión como undécimo Abad de la Colegiata, el Dr. Antonio María Campos y Moreno, fallecido el 12 de enero de 1851.

1840, 4 de mayo. Se inicia la contrucción de la Iglesia de Guadalupe en Coatepec, Veracruz. La obra se termina el 4 de mayo de 1853.

1844, 10 de diciembre. El Arzobispo de México, Mons. Posada y Garduño, bendice la iglesia de Nuestra Señora de Guadalupe en Cuernavaca.

1847, 4 de diciembre. El *Daily American Star,* órgano oficial de los invasores norteamericanos, publica una versión de la obra guadalupana de don Luis Becerra Tanco.

1848, 2 de febrero. Se firma el Tratado de Guadalupe Hidalgo, que pone fin a la guerra con los Estados Unidos.

1850, 16 de mayo. Se inicia un triduo en honor de la Virgen de Guadalupe, para pedirle auxilio en contra de la peste del cólera que ya amenaza a la ciudad de México. El último día, asiste el Presidente de la República.

1851, 10 de marzo. Toma posesión como duodécimo Abad de la Colegiata, el Dr. Alonso Ruiz de Conejares, quien muere el 22 de mayo de 1854.

1853, 19 de noviembre. Se reinstala, en la Colegiata, la Orden de Guadalupe, por decreto, del día 11 de ese mismo mes, del Presidente Santa Anna.

1853, 12 de diciembre. Se deposita en el Santuario de Guadalupe, por orden del Presidente Santa Anna, el estandarte de don Miguel Hidalgo. Ahí permaneció hasta el 17 de febrero de 1856.

1854. A mediados de este año, se reconstruye, por funcionarios del gobierno del Presidente Santa Anna, la Calzada de Guadalupe.

1854, 4 de abril. Breve del Papa Pío IX, aprobando la Orden de Guadalupe, restaurada por Santa Anna; el 8 de junio se publica en México.

1855, 20 de enero. Decreto para la fundación de una población, en las inmediaciones de Tacubaya, con el título de Nuestra Señora de Guadalupe.

1856, 21 de octubre. Don Miguel Lerdo de Tejada informa al Cabildo de Guadalupe que el Presidente de la República no exceptúa, de la aplicación de las Leyes de Desamortización, a las fincas de la Colegiata.

1857, 1o. de julio. Se inaugura el tramo México-Guadalupe del primer ferrocarril de vapor, que luego llegará a Veracruz.

1858, 11 de agosto. Decreto de don Benito Juárez, refrendado por Ocampo, suprimiendo varios días de fiesta, pero conservando vigente la observancia del 12 de diciembre.

177. La Colegiata de Guadalupe en 1845. Fotografía de Charnay.

178. D. Manuel Moreno y Jove, Deán de la Catedral Metropolitana, con la Gran Cruz de la Orden de Guadalupe. Oleo sobre tela, firmado por Agustín Arrieta en 1863. Catedral Primada de México.

179. D. Francisco Alonso Ruiz de Conejares, XII Abad de Guadalupe, con el Gran Collar de la Orden de Guadalupe. Oleo sobre tela, firmado por Santiago Hernández en 1853. Catedral Primada de México.

180. Púlpito en el interior de la iglesia del Pocito.

1859, 1o. de agosto. El general Jesús González Ortega expulsa a los religosos del Colegio Apostólico de Guadalupe de Zacatecas.
1860, 11 de agosto. Toma posesión el décimotercer Abad de la Colegiata, el Dr. G. Cárpena Bolio, fallecido el 5 de octubre de 1868.
1861, 4 de marzo. El coronel Refugio González catea la Colegiata y se lleva la crujía de plata y varias alhajas; el día 6, por órdenes de don Benito Juárez, es devuelto todo.
1861, 1o. de mayo. Decreto que establece la Lotería Nacional, con supresión de toda otra, incluyendo la de Nuestra Señora de Guadalupe.
1863, 26 de febrero. Son exclaustradas las religiosas del convento de Capuchinas de Guadalupe.
1863, 1o. de junio. Maximiliano restaura la Orden de Guadalupe.
1865, 10 de abril. Maximiliano reestablece, por tercera vez, la Orden Militar de Guadalupe.
1865, 5 de septiembre. Inundación de la Villa de Guadalupe.
1867. Porfirio Díaz establece su cuartel general en la casa de los Arzobispos, o de las Capuchinas, en la Villa de Guadalupe.
1867, 25 de diciembre. Muere en la Villa de Guadalupe el general Mariano Salas, ex-Presidente de la República, ex-Regente del Imperio y veterano de la guerra de Independencia.
1871, 4 de diciembre. Toma posesión como décimo cuarto Abad de la Colegiata, el Dr. Ramírez y Peña, fallecido el 11 de febrero de 1879.
1876, 16 de octubre. Se inaugura en Seguin, Texas, el Colegio de Nuestra Señora de Guadalupe, fundado por un grupo de jesuitas desterrados por don Sebastián Lerdo de Tejada.
1880, 19 de febrero. El Arzobispo de México, don Pelagio Antonio de Labastida y Dávalos, consagra en la Colegiata de Guadalupe a don Agustín de Jesús Torres y Hernández, como Obispo de Tabasco.
1880, 18 de diciembre. Toma posesión como décimo quinto Abad de la Colegiata, el Dr. Melo y Sotomayor, fallecido el 18 de febrero de 1892.
1885. Se publica una Carta Pastoral del Arzobispado Labastida y Dávalos, en la que anuncia algunas providencias tomadas para concluir las obras de ampliación y reparación de la Colegiata de Guadalupe.
1887. Aparece el *Tesoro Guadalupano*, de don Fortino Hipólito Vera.
1887, 19 de marzo. Carta pastoral de los arzobispos de México, Guadalajara y Michoacán que da a conocer el *Breve Pontificio*, relativo a la Coronación de la Virgen de Guadalupe.
1887, 24 de octubre. Se inician los trabajos para la construcción del nuevo altar mayor de la Colegiata de Guadalupe, diseñado por el arquitecto Juan Agea y el pintor don Salomé Pina. Esta construcción forma parte de las reformas proyectadas por don Antonio Plancarte y Labastida.
1887, 19 de noviembre. Edicto del Arzobispo de México que suspende la coronación pontificia de Nuestra Señora de Guadalupe, hasta en tanto no se concluyan las obras emprendidas en la Colegiata.
1888, 23 de febrero. Traslado de la imagen de Nuestra Señora de Guadalupe al templo de las Capuchinas, en donde permanecerá hasta 1895.
1889. Don Fortino Hipólito Vera publica, en Amecameca, las *Informaciones sobre la Milagrosa Aparición de la Santísima Virgen de Guadalupe, recibidas en 1666 y 1723.*
1891, 4 de febrero. Don Pelagio Antonio de Labastida y Dávalos, Arzobispo de México, fallece en la hacienda de Huacalco, Morelos.
1891, 31 de agosto. Por decreto del Papa León XIII, es coronada una imagen de Nuestra Señora de Guadalupe en Arsoli, Italia.
1894. Se publica la *Historia del Santuario de Guadalupe de San Luis Potosí*, cuyo autor es don Manuel Muro.
1894, 6 de marzo. Se concede, por la autoridad eclesiástica, el nuevo oficio y la nueva misa en honor de la Virgen de Guadalupe.
1894, 29 de julio. Don Fortino Hipólito Vera es consagrado como primer Obispó de Cuernavaca, en el templo de las Capuchinas, a los pies de la imagen de Nuestra Señora de Guadalupe.
1895, 26 de febrero. A ruego del Obispo de Tehuantepec, don José Mora y del Río, el Papa León XIII escribe los dísticos latinos que serán esculpidos al pie del altar mayor de la Colegiata.
1895, 8 de septiembre. Toma posesión como décimo sexto Abad de la Colegiata, el Dr. Antonio Plancarte y Labastida, fallecido en 1898. A él se debe, fundamentalmente, la reconstrucción de la Colegiata y la coronación de la imagen de Nuestra Señora de Guadalupe.
1895, 12 de octubre. Coronación Pontificia de Nuestra Señora de Guadalupe. El Arzobispo de México, don Próspero María Alarcón, en representación del Papa León XIII, y el Ilmo. Sr. Arciga, Arzobispo de Michoacán, en representación del Episcopado Mexicano, coronan la Sagrada Imagen de María Santísima de Guadalupe. En esta misma fecha, es coronada en Roma la imagen de Nuestra Señora de Guadalupe, pintada por Juan Correa en 1669 y llevada a Europa en 1672. Con motivo de la Coronación Pontificia, aparece el *Himno Guadalupano*, con música del maestro Tiburcio Saucedo y letra del licenciado José López Portillo y Rojas.
1898, 22 de septiembre. Fallece en Cuernavaca su primer Obispo, don Fortino Hipólito Vera, autor del *Tesoro Guadalupano.*
1898, 30 de noviembre. El Papa León XIII bendice la imagen de Nuestra Señora de Guadalupe que se venera en su Santuario de Albino, en la diócesis de Bergamo, Italia.
1899. Se aprueba, en Roma, la fundación de la Congregación de Hijas de María Inmaculada de Guadalupe, consagrada fundamentalmente a la enseñanza. Fue promovida por el que fuera Abad de la Colegiata, don Antonio Plancarte y Labastida.

1899. Toma posesión como décimo séptimo Abad de la Colegiata, el Dr. Leopoldo Ruiz y Flores, quien dura en su cargo poco más de un año.
1899, 18 de mayo a 9 de junio. El I Concilio Plenario de América Latina reconoce la especial protección de María sobre América Latina desde el santuario de Guadalupe, "tesoro común y monumento de la piedad mariana"; consagra los trabajos a la Guadalupana y le encomienda el éxito del Concilio.
1900. El Papa León XIII concede que el oficio y la misa propios de la Virgen de Guadalupe, otorgados a México, se hagan extensivos a toda la América Latina.
1901. Toma posesión como décimo octavo Abad de la Colegiata, don José de Jesús Mota, fallecido en 1912.
1902, 23 de febrero. Es bendecida en la ciudad de Nueva York, la iglesia parroquial de Santa María de Guadalupe, por el Arzobispo Metropolitano, Mons. Miguel Agustín Corrigan.
1903, 1o. de julio. El Papa León XIII eleva la Congregación de Nuestra Señora de Guadalupe a la calidad de Archicofradía.
1903, 2 de diciembre. El Obispo de San Luis Potosí, don Ignacio Montes de Oca y Obregón, consagra el Santuario de Nuestra Señora de Guadalupe en esa ciudad.
1904, 9 de febrero. A ruego del Arzobispo de México, don Próspero María Alarcón, el Papa Pío X eleva la Colegiata de Santa María de Guadalupe a la calidad de Basílica Menor. El 24 de mayo se procede a la erección correspondiente.
1910, 24 de agosto. El Papa Pío X declara a la Virgen de Guadalupe como Patrona de América Latina.
1910, 16 de septiembre. Con motivo de las fiestas del Centenario de la Independencia, el estandarte guadalupano enarbolado por don Miguel Hidalgo, preside el desfile militar.
1912. Toma posesión como décimo noveno Abad de la Colegiata, ahora Basílica, don José de Jesús Fernández, fallecido en 1921.
1912, 6 de octubre. Se coloca la primera piedra del Santuario de la Virgen de Guadalupe en Kochi, Japón.
1913, 29 de enero. El Arzobispo de México, don José Mora y del Río, bendice el templo de Nuestra Señora de Guadalupe, costeado por una compañía tabacalera, en la antigua plaza de San Juan de la ciudad de México.
1916, 24 de mayo. Es demolido el monumento, existente al final de la rampa que comunica el atrio de la Basílica con la capilla del Cerrito, conocido como "la Vela del Marino". Será reconstruido años después.
1920, 12 de octubre. El Arzobispo de México, don José Mora y del Río, declara el establecimiento de la Academia Mexicana de Santa María de Guadalupe.
1921, 14 de noviembre. Estalla una bomba, colocada en el altar mayor de la Basílica, a los pies de la imagen de Nuestra Señora de Guadalupe. El altar queda destrozado, pero la imagen resulta ilesa.
1923, 26 de septiembre. El Delegado Apostólico en El Salvador, Centroamérica, Mons. Rotta, bendice el Santuario Nacional de Nuestra Señora de Guadalupe en la ciudad capital de esa república.
1924, 9 de diciembre. Toma posesión como vigésimo Abad, don Feliciano Cortés Mora, fallecido en 1963.
1926, 16 de julio. Es coronada una imagen de la Virgen de Guadalupe en Jerusalén. La pintó, en 1910, el P. Gonzalo Carrasco, y en 1913 la llevó a Tierra Santa el Arzobispo de Puebla don Ramón Ibarra y González.
1928, 22 de abril. Desterrado en abril de 1927, fallece en San Antonio, Texas, don José Mora y del Río, Arzobispo de México y fundador de la Academia Mexicana de Santa María de Guadalupe.
1928, 22 de abril. Es coronada la Virgen de Guadalupe, en su Santuario de Santa Fe, Argentina.
1929. El fotógrafo don Alfonso Marcué González afirma que se descubre una figura humana en el ojo derecho de la imagen de la Virgen de Guadalupe.
1930. Aparece el *Album Histórico Guadalupano del IV Centenario*, del P. Mariano Cuevas, S. J.
1930, 26 de junio. Se inician las obras de consolidación y restauración de la Basílica de Guadalupe, emprendidas por el Abad, don Feliciano Cortés, y dirigidas por el arquitecto don Luis J. Olvera.
1931. Aparecen las *Efemérides Guadalupanas* y el *Primer siglo guadalupano*, del P. Jesús García Gutiérrez; la *Oda secular guadalupana*, del P. Gabriel Méndez Plancarte; y la *Aparición de Santa María de Guadalupe*, de don Primo Feliciano Velázquez.
1931, 12 de diciembre. Gran festival por el IV Centenario de las Apariciones, que congrega en la Basílica a una multitud de peregrinos procedentes de todos los estados de la República. Da realce a la magnífica ceremonia, un gran órgano instalado en la recién restaurada Basílica.
1931, 22 de diciembre. Decreto que cambia el nombre de Guadalupe Hidalgo por el de Villa Gustavo A. Madero.
1932, 25 de mayo. Se inaugura el reloj de la Basílica, traído de Alemania a iniciativa de Mons. Agustín de la Cueva. Sus campanas reproducen, al dar las horas, la música del Himno Guadalupano y de otras plegarias marianas.
1932-1933. El canónigo de la Basílica don Luis T. Montes de Oca, realiza exploraciones arqueológicas en el templo llamado de los Indios, y en la sacristía del mismo, localizando vestigios de la primera ermita levantada por Fray Juan de Zumárraga.
1933, 10 de diciembre. El Cardenal Eugenio Pacelli, más tarde Pío XII, corona en Roma una imagen de la Virgen de Guadalupe pintada por Miguel Cabrera en 1752 y enviada al Papa Bene-

dicto XIV por el entonces Arzobispo de México, don Manuel José Rubio y Salinas.

1935, 16 de julio. El Papa Pío XI declara a la Virgen de Guadalupe como Celestial Patrona de las Islas Filipinas.

1938. Aparece el *Album del IV Centenario Guadalupano,* publicado por la Insigne y Nacional Basílica de Nuestra Señora de Guadalupe y editado por don Antonio Pompa y Pompa.

1939, 24 de septiembre. Se inaugura en los jardines del Vaticano, un monumento a la Virgen de Guadalupe, en el que figuran Juan Diego y Fray Juan de Zumárraga.

1943, 12 de octubre. Es coronada la Virgen de Guadalupe en su Santuario de San Salvador, Centroamérica.

1944, 12 de diciembre. Es coronada en Managua, Nicaragua, la imagen de la Virgen de Guadalupe llevada por Fray Margil de Jesús en el siglo XVIII.

1945, 13 de febrero. El canónigo de la Basílica, don Angel María Garibay K., dicta su conferencia *El hecho guadalupano,* en la Parroquia de Regina de la ciudad de México.

1945, 7 de octubre. Llega a México, como *Legado a Látere* del Papa Pío XII, el Cardenal don José María Rodrigo Villeneuve, Arzobispo de Quebec. Presidirá, con tan alta representación, las fiestas del Cincuentenario de la Coronación Pontificia de la Santísima Virgen María de Guadalupe.

1945, del 7 a 12 de octubre. Se efectúa un Congreso Mariano, como parte de las festividades del Cincuentenario. Participan: D. Rafael Dávila Vilchis *(Mediación Universal de María Santísima en su manifestación de Guadalupe);* D. Octaviano Valdés, quien leyó un poema; Dr. John Mark Gannon, Obispo de Erie, y Dr. Lorenzo J. Fitzsimmon, Obispo de Amarillo, Texas *(La intensidad y extensión del culto a la Virgen de Guadalupe en los Estados Unidos de América);* D. Manuel Velázquez *(María y América);* el P. Herrasti Dondé *(La Virgen de Guadalupe en la obra de cristianización de las razas indígenas, en el pasado y en el porvenir);* D. Miguel Palomar y Vizcarra *(Historia y trascendencia del Patronato de Nuestra Señora de Guadalupe sobre la América Latina y las Filipinas);* el P. Guillermo Quiroga *(El culto y devoción de Nuestra Señora de Guadalupe, como medio de defensa contra el protestantismo);* el P. Ballesteros, S. J. *(María Santísima de Guadalupe, precursora y modelo del misionero);* D. José González Torres *(La unión de los países del continente americano, por medio de la Acción Católica, bajo el amparo de Santa María de Guadalupe);* D. José Castillo y Piña *(La Santísima Virgen de Guadalupe como modelo y patrona en la solución de la cuestión social de América);* el señor Reséndiz Martínez *(La Santísima Virgen de Guadalupe y la estirpe iberoamericana);* el doctor Francisco Quiroga *(La Virgen de Guadalupe, factor de unidad nacional).*

1945, 12 de octubre. Solemne celebración, en la Basílica, del Cincuentenario de la Coronación Pontificia: oficia la misa el Cardenal Villeneuve y predica el Arzobispo de México, Dr. Luis María Martínez. El Papa Pío XII envía un mensaje por radio, escuchándose sus palabras, no sólo en el interior de la Basílica, sino también en los aledaños del templo, abarrotados por una multitud calculada en más de un millón de personas. Remata la ceremonia, la Procesión de las Rosas con la participación de todo el Episcopado Nacional. La dirección musical de los festejos, estuvo a cargo de don Cirilo Conejo Roldán, con asistencia de la Comisión de Música Sacra, integrada por el maestro Miguel Bernal Jiménez, el canónigo don José María Villaseñor y don Martín Villaseñor.

1946, 5 de diciembre. El Presidente de la República, don Miguel Alemán, inaugura las obras de la Calzada de Guadalupe, que corre desde la Garita de Peralvillo hasta la entrada al atrio de la Basílica.

1947, enero. Se celebra solemnemente, en la Basílica, el Segundo Centenario de la Jura del Patronato de la Virgen de Guadalupe.

1949, 26 de abril. Es coronada, en la Catedral de Nuestra Señora de París, una imagen de la Virgen de Guadalupe hecha en la fábrica de mosaicos del Vaticano y bendecida, el 2 de abril, por el Papa Pío XII.

1950, 28 de mayo. Como culminación del Congreso Iberoamericano Guadalupano en Madrid, el Arzobispo Primado de México, Dr. Luis María Martínez, anuncia la coronación de la Virgen de Guadalupe. Tiene lugar, este mismo día, en la Plaza de la Armería del Palacio de Oriente. La corona el Obispo de Madrid-Alcalá, Dr. Leopoldo Eijó y Garay, en presencia de las más altas autoridades civiles y militares de la capital española.

1950, 12 de diciembre. Se inician las obras de la Plaza de las Américas.

1952, 25 de noviembre. Es inaugurada la Plaza de las Américas por el Arzobispo Primado de México, Dr. Luis María Martínez, a quien acompaña el Presidente de la República, don Miguel Alemán, así como el Abad y el Cabildo de la Basílica.

1952, 12 de diciembre. Es coronada la Virgen de Guadalupe en la Catedral de San Patricio de la ciudad de Nueva York. La corona el Obispo auxiliar, Mons. Joseph F. Flannelly, en representación del Cardenal Spellman. Para la ocasión se compuso la música de la misa, ejecutada por su autor, el maestro Oddone Sommovigo, director de la Escuela de Opera de Manhattan.

1953, 11 de enero. El P. Lauro López Beltrán organiza la coronación de la Virgen de Guadalupe en La Habana.

1954, 1o. de noviembre. Es coronada en el Cerro del Cubilete, Guanajuato, una imagen de la Virgen de Guadalupe.

1955, 11 de diciembre. Es coronada, en la Basílica, la Virgen de Guadalupe como Reina del Trabajo.

181. Excmo. Sr. D. Luis María Martínez, Arzobispo Primado de Mexico (1937-1956). Oleo sobre tela, firmado en 1954 por el pintor español Molina. Catedral Primada de México.

182. Vista de la iglesia del Pocito, obra de finales del S. XVIII debida al célebre arquitecto D. Francisco Guerrero y Torres.

1956, 26 de mayo. Los médicos Javier Torroella, Rafael Torija Lavoignet, Guillermo Silva Rivera, Ismael Ugalde Nieto y Joseph P. Gallagher, certifican que en los ojos de la imagen de Nuestra Señora de Guadalupe se aprecian figuras humanas.
1957. Dada la avanzada edad del Abad, don Feliciano Cortés Mora, rige la Basílica, el Arcipreste don Gregorio Aguilar y Gómez.
1958. Salvador Dalí, célebre pintor contemporáneo, realiza una original interpretación de la Virgen de Guadalupe. Hecha por encargo del señor Winston Guest, el pintor se valió de los datos históricos e iconográficos proporcionados por don José Miguel Quintana. El óleo se conserva en la Colección Hierro de la ciudad de Madrid.
1958, 12 de octubre. La Virgen de Guadalupe es coronada como Reina de los Mares: se coloca una escultura de bronce, en Acapulco, a seis metros de profundidad.
1959, 23 de agosto. El Cardenal Spellman, Arzobispo de Nueva York, corona una imagen de la Virgen de Guadalupe en la ciudad de Newark, New Jersey, como culminación del II Congreso Mundial de Congregaciones Marianas.
1961, 12 de diciembre. Se coloca la primera piedra del Santuario de Nuestra Señora de Guadalupe en Madrid, cuya construcción correrá a cargo de los Misioneros del Espíritu Santo.
1962, 1o. de julio. El Presidente de los Estados Unidos de América, señor John F. Kennedy, acompañado de su esposa, oye misa en la Basílica.
1963. El gobierno municipal de Cuautitlán, levanta una estatua de Juan Diego.
1963, 17 de mayo. Toma posesión como vigésimo primer Abad de Guadalupe, Mons. Guillermo Schulenburg Prado.
1964. El general Charles de Gaulle, Presidente de la República Francesa, visita la Basílica.
1965, 20 de octubre. Los Reyes de Bélgica, don Balduíno y doña Fabiola, oyen misa en la Basílica.
1966, 31 de mayo. El Cardenal Confalonieri entrega la Rosa de Oro a la Virgen de Guadalupe, enviada por el Papa Paulo VI.
1970. El Ministro de Relaciones Exteriores de Italia, don Aldo Moro, visita la Basílica.
1970, 12 de octubre. El Papa Paulo VI envía un mensaje televisivo, via satélite, a la Basílica, como homenaje a la Virgen de Guadalupe y en ocasión del 75 Aniversario de la Coronación Pontificia.
1971, 12 de diciembre. Es coronada la Virgen de Guadalupe en Chu Kuan, isla de Formosa, por Mons. José Chen Tin Cheong, Obispo de Kanaung.
1974, 12 de diciembre. Se coloca la primera piedra de la nueva Basílica, proyectada por los arquitectos Pedro Ramírez Vázquez, José Luis Benlliure, Alejandro Schonhoefer y Fray Gabriel Chávez de la Mora. La estructura será del ingeniero Manuel González Flores, asistido de los calculistas ingenieros Félix Colinas y Oscar de Buen. El director de la obra será el arquitecto Javier García Lascuráin. La obra, cuyo costo llegará a los trescientos millones de pesos, será prohijada por la Presidencia de la República.
1975, 15 de diciembre. Se funda el Centro de Estudios Guadalupanos.
1976, 11 de octubre. Dedicación de la nueva Basílica de Santa María de Guadalupe, presidida por el Arzobispo Primado de México, Cardenal don Miguel Darío Miranda y Gómez. El ritual siguió los lineamientos del *Ordo Dedicationis Ecclesiae* del Pontifical Romano (1973), con las adaptaciones necesarias, hechas por el P. Alfredo Ramírez Jasso, de la Comisión Litúrgica de México, y por Fray Gabriel Chávez de la Mora, O.S.B.
1976, 12 de octubre. El Arzobispo Primado recibe las llaves de la nueva Basílica, de manos de don José Barroso Chávez, del ingeniero Bernardo Quintana y del arquitecto Pedro Ramírez Vázquez. Luego, en solemne procesión, es trasladada la imagen de Nuestra Señora de Guadalupe, en medio de la multitud que colma, tanto la antigua Basílica, como la Plaza de las Américas y el amplísimo recinto del nuevo Santuario. Asiste el Episcopado Nacional en pleno y sus miembros concelebran la misa.
1979, 26 de enero. A las trece horas aterriza en el Aeropuerto Internacional de la ciudad de México, el avión procedente de Santo Domingo en el que viaja el Papa Juan Pablo II, quien es recibido por el Presidente de la República, don José López Portillo, acompañado de su esposa. En medio de una multitud delirante, efectúa, en coche descubierto, el recorrido hasta la Catedral, en cuya puerta central le espera el Arzobispo Primado de México, don Ernesto Corripio Ahumada. Celebra la misa, tras de pronunciar un sermón en el que exhorta al pueblo de México a que sea siempre fiel a la Iglesia y a su doctrina. Narrar, con detalle, la visita del Pontífice no es el propósito de estas Efemérides, así que baste con lo apuntado al respecto del primer día de un Papa en México.
1979, 27 de enero. A las once horas llega el Papa a la Basílica "como un peregrino más, que viene a postrarse ante la imagen santa. . ." Oficia una misa solemne y la emoción de las asistentes es fiel reflejo de la que embarga a todos los mexicanos que, por la radio, la televisión y la prensa, siguen todos y cada uno de los pasos del Pontífice. Juan Pablo II ha compuesto una *Oración a Nuestra Señora de Guadalupe* que, bellamente impresa, se distribuye profusamente. Esta fecha, sin precedente en su historia, quedará como uno de los grandes fastos de la Basílica de Guadalupe.
1979, 31 de enero. A las nueve horas el Papa Juan Pablo II, quien en los últimos tres días ha efectuado un recorrido apoteótico por Puebla, Oaxaca y Guadalajara, se dirige desde el balcón central de la nueva Basílica a los estudiantes universitarios que, multitudinariamente, colman la Plaza de las Américas y todas las calles adyacentes. Por la tarde, el Pontífice volará a la ciudad de Monterrey, donde le aguarda otra recepción delirante, y de ahí partirá rumbo a Roma.

Epílogo

Con honda satisfacción espiritual me permito concluir este magnífico testimonio artístico e histórico, compendiosa recapitulación de cuatro siglos y medio de veneración y amor a Nuestra Señora.

Custodio inmediato de la misteriosa Imagen de Santa María de Guadalupe y testigo viviente en los últimos dieciocho años del dinamismo sobrenatural de la Colina del Tepeyac, no podría aprisionar en breves palabras todo lo que al hojear este bello y sustancioso álbum afluye a mi memoria.

En él veo algunas muestras de la riqueza devocional y cultural de nuestro pasado histórico guadalupano; al mismo tiempo contemplo la presencia inconfundible de María entre nosotros y la adhesión inquebrantable de nuestro pueblo hacia Ella, nota esencial y característica de nuestra identidad.

En efecto, todo nuestro devenir histórico está profundamente ligado a la Imagen y a las palabras de Santa María de Guadalupe. Ella es la evangelizadora delicadamente persuasiva, la forjadora de nuestra nacionalidad y la que ha estado con nosotros en los momentos más difíciles de nuestra lenta maduración humana, cuyo privilegio más preciado ha de ser la auténtica y verdadera libertad.

Durante este tiempo no sólo he sido testigo sino que me ha tocado participar en muchos acontecimientos grandes y pequeños, conocidos y desconocidos, que han creado en mí la profunda convicción del significado y la trascendencia de Guadalupe para la vida de nuestro país. No es exageración el afirmar que Nuestra Señora de Guadalupe constituye el elemento aglutinante y estabilizador más fuerte de nuestra unidad a la vez que el difícil equilibrio de nuestra heterogeneidad.

La Santísima Virgen María nos pidió un templo material que nos ayudara a la edificación del templo espiritual que debemos ser cada uno de nosotros los mexicanos. A través de cuatro siglos y medio hemos venido tratando de construirle uno y otro. En el Recinto del Tepeyac podemos admirar los esfuerzos realizados en las distintas etapas de nuestra historia. Los hombres de hoy estamos dejando un testimonio interesante de nuestras posibilidades en la Nueva Basílica de Nuestra Señora. Y lo que es muy importante, la construcción del nuevo santuario nos ha dado conciencia de nuestra capacidad para realizar obras que exigen fe, entusiasmo, perseverancia y mutua colaboración, pero además confianza en nosotros mismos.

Con profunda alegría felicito de corazón a los inteligentes y acuciosos editores e investigadores en el campo del arte, de la ciencia y de la historia que colaboraron en la realización de este álbum cuyo valor de ninguna manera se verá disminuido por el cúmulo de manifestaciones científicas, históricas, literarias, pictóricas y artesanales, expresión viva de nuestra riqueza espiritual, que han surgido en torno a las grandes celebraciones guadalupanas y que seguirán floreciendo y perfeccionándose en los años por venir de acuerdo con los adelantos de la ciencia y la tecnología.

Mons. GUILLERMO SCHULENBURG PRADO
XXI Abad de Guadalupe

Indice de ilustraciones

Indice general

Este Album Conmemorativo
del 450 Aniversario
de las Apariciones de
Nuestra Señora de Guadalupe
se terminó de imprimir
el 12 de octubre de 1981

LAUS DEO